Oráculo dos Anjos
Rituais e Práticas
Por Olivia Evans

Título Original
Oracle of the Angels - Rituals and Practices

Revisão
Virginia Moreira dos Santos
Projeto gráfico e diagramação
Arthur Mendes da Costa
Capa
Anderson Casagrande Neto
Tradução: Luiz Antonio Ferreira
Pseudônimo Utilizado Pelo Autor:
Olivia Evans
Dados Internacionais de Catalogação na Publicação
Santos, Luiz Antonio dos
Direitos autorais reservados à
Luiz Antonio dos Santos/ Ahzuria Publishing
Ed. do Autor, 2024
Religião/ Holístico

Prólogo

Os anjos, seres celestiais de luz e graça, têm fascinado a humanidade desde o início dos tempos. Reverenciados como mensageiros divinos e guardiões da espiritualidade, sua presença é sentida em diversas culturas e religiões ao redor do mundo, os anjos são unanimidade em qualquer segmento religioso. Este livro convida você a uma jornada profunda no universo angelical, onde cada ritual é um elo que nos conecta com o sagrado e o divino.

Os rituais de adoração aos anjos são práticas espirituais poderosas que visam abrir um canal de comunicação entre o mundo humano e o divino. Através deles, buscamos proteção, orientação e a intercessão divina em nossas vidas. Estes rituais são permeados de simbologia e fé, envoltos em uma aura de mistério e reverência que eleva nosso espírito e fortalece nossa conexão com o divino.

Este livro explora os diversos aspectos dos anjos e seus rituais, desde os mais simples até os mais elaborados, cada um carregado de significado e intenção. Você encontrará práticas ancestrais, orações poderosas e cerimônias detalhadas que lhe permitirão invocar a presença angelical, buscando cura, proteção, sabedoria e paz.

A prática de rituais com os anjos não é apenas uma expressão de devoção, mas também uma forma de transformação pessoal. Ao nos abrirmos para a força e a presença desses seres celestiais, permitimos que suas virtudes — como a pureza, a fé, a coragem e a compaixão — permeiem nossas vidas, guiando-nos em momentos de incerteza e fortalecendo-nos nas adversidades.

Cada capítulo deste livro é dedicado a um arcanjo específico, revelando seus atributos, símbolos e rituais associados. Miguel, o protetor e defensor da justiça; Rafael, o curador e consolador; Gabriel, o mensageiro divino; e muitos outros, cada um desempenhando um papel único na sinfonia divino que governa o cosmos.

Ao mergulhar nestas páginas prepare-se para ser envolvido por histórias de fé, milagres e intervenções divinas. Descubra como os anjos podem influenciar positivamente sua vida oferecendo conforto em tempos de sofrimento, orientação em momentos de dúvida e proteção contra as forças do mal.

Que este livro seja sua guia e inspiração, despertando em você a chama da devoção e a certeza de que nunca estamos sozinhos. Os anjos estão sempre ao nosso lado, prontos para intervir e nos guiar na jornada da vida. Permita-se sentir a presença deles e abra seu coração para a sabedoria e a luz que eles trazem.

Prepare-se para uma transformação espiritual profunda. Os anjos aguardam seu chamado.

Sumário

Capítulo 09 - Sandalphon - Anjo da Música e da Oração: Descreve Sandalphon como condutor das preces e regente da música celestial, com práticas para elevar a espiritualidade através da música e oração.

Capítulo 10 - Anael - Anjo do Amor e da Beleza: Explora Anael como promotor de amor e beleza, oferecendo rituais para cultivar sentimentos positivos e harmonia.

Capítulo 11 - Cassiel - Anjo da Solidão e das Lágrimas: Explora Cassiel como entidade de profunda introspecção e guia nos momentos de solidão e tristeza, oferecendo consolo e aceitação.

Capítulo 12 - Sachiel - Anjo da Abundância e da Fortuna: Detalha Sachiel como o portador de prosperidade e generosidade, proporcionando práticas para atrair abundância material e espiritual.

Capítulo 13 - Sariel - Anjo da Orientação e da Verdade: Discute Sariel como o revelador da verdade e orientador espiritual, com rituais para discernir a verdade e obter clareza em situações complexas.

Capítulo 14 - Remiel - Anjo da Esperança e da Ressurreição: Descreve Remiel como o portador de esperança e renovação espiritual, com práticas para superar o luto e encontrar novos começos.

Capítulo 15 - Jophiel - Anjo da Iluminação e da Beleza: Destaca Jophiel como símbolo de beleza divina e iluminação espiritual, com rituais para cultivar a apreciação da beleza e buscar iluminação interior.

Capítulo 16 - Zadkiel - Anjo da Misericórdia e do Perdão: Discute Zadkiel como o portador de compaixão e misericórdia, oferecendo práticas para perdoar e encontrar paz através do amor divino.

Capítulo 17 - Haniel - Anjo da Alegria e da Paixão: Explora Haniel como promotor da alegria e da paixão, oferecendo rituais para cultivar sentimentos positivos e harmonia.

Capítulo 18 - Kamael - Anjo da Força e da Coragem: Foca em Kamael como entidade de força e coragem, oferecendo rituais para superar desafios com determinação.

Capítulo 19 - Binael - Anjo da Compreensão e da Introspecção: Detalha Binael como o anjo da introspecção e compreensão, proporcionando práticas para a busca do conhecimento e da sabedoria.

Capítulo 20 - Chesediel - Anjo da Misericórdia e do Amor: Descreve Chesediel como o portador do amor e da misericórdia, com práticas para cultivar o amor incondicional e a compaixão.

Capítulo 21 - Geburahel - Anjo da Justiça e da Força:
Geburahel é descrito como o anjo da justiça e da força, destacando seu papel na luta contra a injustiça, protegendo os inocentes e punindo os culpados. Inclui rituais para invocar sua presença e obter sua proteção.

Capítulo 22 - Tipherethel - Anjo da Beleza e da Arte:
Tipherethel é o anjo da beleza e da arte, cuja existência está profundamente ligada à estética divina. Sua missão é inspirar artistas e promover a harmonia estética, com práticas para invocar sua inspiração.

Capítulo 23 - Netzachel - Anjo da Vitória e da Perseverança:
Netzachel, o anjo da vitória e da perseverança, foi criado para inspirar e fortalecer os corações humanos, especialmente em

momentos de adversidade e desafio. Este capítulo inclui rituais para invocar sua força e superar desafios.

Capítulo 24 - Hodiel - Anjo da Majestade e do Eco:
Hodiel é descrito como o anjo da majestade e do eco, refletindo a grandeza do universo e ecoando as verdades divinas. O capítulo oferece práticas para se conectar com sua ressonância e percepção espiritual.

Capítulo 25 - Yesodiel - Anjo da Fundação e da Memória:
Yesodiel é o anjo da fundação e da memória, garantindo a coesão e a continuidade no cosmos. Este capítulo inclui rituais para invocar sua ajuda na construção de uma vida equilibrada e sólida.

Capítulo 26 - Malkuthiel - Anjo do Reino e da Materialização:
Malkuthiel é o anjo do reino e da materialização, facilitando a manifestação das forças divinas na Terra. Inclui práticas para alinhar ações com intenções espirituais e manifestar desejos de maneira harmoniosa.

Capítulo 27 - Chamuel - Anjo do Amor Puro e da Compaixão:
Chamuel é o anjo do amor puro e da compaixão, trazendo consolo e cura aos corações aflitos. Este capítulo oferece práticas para cultivar sentimentos de amor e bondade.

Capítulo 28 - Zophiel - Anjo da Vigilância e da Reflexão:
Zophiel, o anjo da vigilância e da reflexão, monitora e analisa os eventos do cosmos. Este capítulo oferece práticas para introspecção e compreensão das ações e pensamentos.

Capítulo 29 - Orifiel - Anjo da Floresta e da Natureza:
Orifiel é o anjo da floresta e da natureza, com uma conexão profunda com o mundo natural. Este capítulo inclui práticas espirituais e atividades na natureza para fortalecer essa conexão.

Capítulo 30 - Barachiel - Anjo da Bênção e da Boa Fortuna:
Barachiel é o anjo da bênção e da boa fortuna, trazendo prosperidade e boas fortunas para a humanidade. Este capítulo oferece práticas para invocar suas bênçãos e atrair abundância.

Capítulo 1
Miguel
Arcanjo da Proteção e da Justiça

O Arcanjo Miguel é um dos mais reverenciados e poderosos anjos celestiais, reconhecido como o grande defensor e protetor dos céus e da Terra. Sua criação, envolta em mistério e majestade, remonta aos primórdios da existência angelical, quando Deus, em sua infinita sabedoria e poder, decidiu criar seres que refletissem sua glória e servissem como intermediários entre o divino e o humano. Miguel foi formado da pura essência da luz divina; sua força vibrante e incandescente personifica a justiça, a força e a proteção. Sua missão principal é proteger a criação de Deus contra as forças do mal e assegurar que a justiça divina prevaleça. Desde o momento de sua criação, Miguel foi dotado de uma espada flamejante, símbolo de sua autoridade e poder na batalha contra as trevas.

O complemento divino de Miguel é a presença angélica que completa sua essência, equilibrando suas forças de força e justiça com a compaixão e a misericórdia. Este complemento, muitas vezes visto como uma entidade feminina ou uma força yin, é o reflexo perfeito da luz e da sombra que compõem a totalidade do ser de Miguel. Juntos, eles formam um equilíbrio perfeito, uma dança harmoniosa entre o poder e a ternura. Os fractais de alma de Miguel são os aspectos multifacetados de sua essência divina, que se manifestam em várias formas e funções. Estes fractais atuam em diferentes planos e dimensões, assegurando que a influência de Miguel alcance todos os cantos do universo. Cada fractal de alma carrega um fragmento da força original de Miguel, operando para manter a ordem, a justiça e a proteção em seus respectivos domínios.

Miguel, como líder dos exércitos celestiais, desempenha um papel crucial na batalha eterna entre o bem e o mal. Desde o momento em que foi escolhido por Deus para liderar os anjos na guerra contra as forças rebeldes lideradas por Lúcifer, Miguel se estabeleceu como o principal defensor da justiça e da ordem divina. Esta batalha, travada tanto no plano divino quanto no terreno, é uma constante lembrança da luta contínua entre a luz e as trevas. A liderança de Miguel é marcada por sua coragem inabalável e determinação feroz. Armado com sua espada flamejante, ele é muitas vezes representado em pinturas e esculturas como um guerreiro imponente, derrotando dragões ou forças malignas. Sua presença é um símbolo de proteção e vitória, e sua imagem inspira força e confiança nos corações dos fiéis.

Os atributos de Miguel são numerosos e carregados de significado simbólico. Além de sua espada flamejante, ele é muitas vezes associado a uma balança que simboliza a justiça divina. A balança de Miguel pesa as ações humanas, separando o justo do injusto e assegurando que a verdade e a integridade prevaleçam. Outro símbolo importante é o escudo, que representa a proteção divina oferecida a todos os que invocam seu nome em tempos de perigo e necessidade. Miguel é também o guardião da fé e da coragem. Ele é invocado não apenas para proteção física, mas também para força espiritual. Em momentos de dúvida ou fraqueza, a presença de Miguel pode trazer clareza e determinação, ajudando as pessoas a superarem obstáculos e a se manterem firmes em suas convicções.

Como defensor da justiça divina, ele atua em diversos aspectos da vida humana. É o protetor daqueles que buscam a verdade e a justiça, intervindo em situações de injustiça e corrupção. Sua influência é sentida nos tribunais, nas forças de segurança e em qualquer lugar onde a justiça precise prevalecer. Ele guia e inspira aqueles que trabalham em prol da justiça, assegurando que seus esforços sejam bem-sucedidos e que a verdade sempre venha à tona. A conexão de Miguel com os anjos da guarda de cada pessoa é profunda e significativa. Ele trabalha em harmonia com esses anjos pessoais, fortalecendo sua capacidade de proteger e guiar os seres humanos. Quando invocado, Miguel pode intensificar a presença e a eficácia do anjo da guarda, proporcionando uma camada adicional de proteção e orientação. Essa colaboração angélica assegura que cada pessoa tenha o apoio necessário para enfrentar os desafios da vida com coragem e confiança.

A função de Miguel na proteção dos seres humanos é multifacetada e abrange tanto a proteção física quanto espiritual. Ele é invocado por aqueles que se sentem ameaçados, seja por perigos materiais como violência e acidentes, ou por ameaças espirituais como ataques de entidades negativas ou forças maliciosas. A presença de Miguel é um escudo poderoso que repele qualquer forma de maldade, garantindo a segurança e o bem-estar daqueles que pedem sua ajuda. Além de ser um protetor, Miguel é também um defensor da justiça divina. Ele intervém em situações de injustiça, oferecendo força e coragem às vítimas e ajudando a restaurar a ordem. Sua força é uma fonte de empoderamento para aqueles que lutam contra a opressão e a corrupção. Miguel inspira integridade e retidão, incentivando as pessoas a agir de acordo com princípios éticos elevados e a defender a verdade a qualquer custo.

A associação de Miguel com os anjos da guarda é especialmente importante na vida cotidiana dos seres humanos. Cada pessoa tem um anjo da guarda designado para protegê-la e guiá-la ao longo de sua vida. Miguel trabalha em estreita colaboração com esses anjos pessoais, amplificando sua influência e eficácia. Quando uma pessoa invoca Miguel, ele não apenas responde diretamente, mas também fortalece o anjo da guarda daquela pessoa, proporcionando uma dupla camada de proteção e orientação. Os anjos da guarda, sob a liderança de Miguel, são capazes de atuar com maior força e clareza. Eles recebem força adicional para proteger seus protegidos contra perigos iminentes e para guiá-los em momentos de incerteza. Essa colaboração harmoniosa entre Miguel e os anjos da guarda cria um campo de proteção robusto ao redor de cada pessoa, assegurando que estejam sempre amparados e guiados em suas jornadas.

Para fortalecer essa conexão com Miguel, é essencial entender e praticar certos rituais e orações específicas. Invocar Miguel pode ser feito de várias maneiras, desde simples preces até rituais mais elaborados. Um dos métodos mais comuns é acender uma vela azul ou branca, cores tradicionalmente associadas a

Miguel, enquanto se faz uma oração pedindo sua proteção e orientação. Visualizar a presença de Miguel com sua espada flamejante e seu escudo protetor ajuda a intensificar essa conexão, criando uma sensação tangível de segurança e apoio. Outra prática útil é carregar ou usar símbolos associados a Miguel, como pingentes de espada ou imagens dele em medalhas. Esses itens servem como lembretes físicos da presença protetora de Miguel e ajudam a fortalecer a fé e a confiança na sua proteção. Meditações guiadas focadas em Miguel também são uma excelente maneira de sintonizar-se com sua força, permitindo uma conexão mais profunda e pessoal.

Além disso, a recitação de orações tradicionais dedicadas a Miguel, como o "Quis ut Deus", pode ser uma maneira poderosa de invocar sua presença. Essas orações, que remontam a séculos de devoção, carregam uma força acumulada de fé e reverência que pode ser sentida ao serem recitadas com intenção e coração aberto. Miguel também responde a ações justas e corajosas. Ao agir com integridade e defender a justiça em sua própria vida, você sintoniza naturalmente com a força de Miguel, criando uma ressonância que atrai sua proteção e apoio. Viver segundo os princípios que Miguel representa não só fortalece sua conexão com ele, mas também enriquece sua própria vida espiritual.

Miguel é um arcanjo reverenciado em diversas tradições religiosas, sendo especialmente proeminente no judaísmo, cristianismo e islamismo. Na tradição judaico-cristã, ele é considerado o príncipe dos anjos e o líder dos exércitos celestiais, encarregado de proteger a humanidade e combater as forças do mal. Seu nome, que significa "Quem é como Deus?", é um constante lembrete da sua posição como defensor da glória divina contra qualquer forma de rebelião ou corrupção. Na Bíblia, Miguel aparece em várias passagens, sendo uma das mais notáveis no Livro de Daniel, onde ele é descrito como o grande príncipe que protege os filhos do povo de Deus. No Novo Testamento, o Livro do Apocalipse destaca Miguel como o líder das forças celestiais na grande batalha contra o dragão (Lúcifer) e seus anjos caídos, culminando na expulsão desses seres malignos do céu. Este papel heroico solidificou a reputação de Miguel como o defensor supremo da justiça divina e da integridade espiritual.

Além das escrituras, Miguel é objeto de inúmeras aparições e milagres ao longo da história. Uma das aparições mais famosas ocorreu no Monte Gargano, na Itália, onde se diz que Miguel apareceu em uma caverna para salvar os habitantes locais de um ataque inimigo. Este evento levou à construção do Santuário de Monte Sant'Angelo, que se tornou um local de peregrinação e devoção a Miguel. Outras aparições notáveis incluem a visão de Miguel em Mont-Saint-Michel, na França, e suas intervenções durante várias batalhas importantes na história cristã.

As representações artísticas de Miguel são abundantemente encontradas em igrejas, catedrais e obras de arte ao redor do mundo. Ele é muitas vezes retratado como um guerreiro divino, vestido com uma armadura radiante e empunhando sua espada flamejante. Esculturas, pinturas e vitrais que capturam sua imagem servem não apenas como decoração religiosa, mas também como fontes de inspiração espiritual para os fiéis. A iconografia de Miguel é rica em simbolismo, refletindo sua natureza como protetor, juiz e guerreiro divino.

Miguel é também uma entidade central em várias tradições esotéricas e ocultas, onde ele é invocado como guardião dos portais e defensor contra forças negativas. Em rituais de proteção e limpeza espiritual, a força de Miguel é chamada para purificar espaços, remover influências maléficas e proteger os praticantes. Ele é visto como uma entidade poderosa de autoridade que mantém a ordem e o equilíbrio no mundo espiritual. Para aqueles que buscam uma conexão mais profunda com Miguel, diversas práticas espirituais podem ser adotadas. Além das orações e meditações mencionadas anteriormente, a contemplação de sua imagem ou a leitura de textos sagrados que descrevem suas ações ajudam a fortalecer essa ligação. Muitos devotos também participam de novenas e outros atos devocionais que celebram Miguel, especialmente em datas festivas como o dia de São Miguel Arcanjo, comemorado em 29 de setembro.

A devoção a Miguel não se limita a práticas religiosas formais; ela pode ser integrada na vida cotidiana por meio de pequenos gestos e ações. Manter um altar dedicado a Miguel, onde se colocam velas, imagens e outros símbolos, serve como um ponto focal para a oração e a meditação. Incorporar mantras ou invocações a Miguel em suas práticas diárias ajuda a manter uma conexão constante com sua força protetora. Fortalecer a conexão com o Arcanjo Miguel envolve uma combinação de práticas espirituais, rituais e uma atitude de devoção constante. Para muitos, a oração é o meio mais direto e poderoso para se conectar com Miguel. Orações específicas dedicadas a ele, como o "Quis ut Deus" ou a oração de São Miguel Arcanjo, são recitadas por milhões de fiéis ao redor do mundo. Estas orações invocam a presença protetora de Miguel, pedindo sua intervenção contra as forças do mal e buscando sua orientação e proteção.

Além das orações tradicionais, a meditação é uma prática poderosa para sintonizar-se com a força de Miguel. Durante a meditação, visualize Miguel em toda a sua glória divina: um guerreiro de luz, vestido com uma armadura resplandecente e empunhando sua espada flamejante. Sinta sua presença ao seu redor, oferecendo proteção e força. Esta visualização pode ser acompanhada por uma afirmação ou mantra, repetindo silenciosamente frases como "Miguel, proteja-me" ou "Miguel, guie-me". Rituais específicos também podem ser realizados para honrar Miguel e fortalecer sua conexão. Um ritual simples, mas eficaz, é acender uma vela azul ou branca enquanto se faz uma oração a Miguel. A luz da vela simboliza a presença divina de Miguel e serve como um canal para sua força. Durante o ritual, ofereça suas intenções e pedidos a Miguel, pedindo sua proteção, orientação e força.

Incorporar cristais e pedras associadas a Miguel amplificam a conexão. A pedra associada a Miguel é a selenita, conhecida por suas propriedades de proteção e limpeza. Manter uma selenita em seu espaço de meditação ou carregá-la com você ajuda a manter uma conexão constante com Miguel. Outros cristais, como a ametista e a turmalina negra, também são eficazes para proteção e podem ser usados em conjunto com as práticas devocionais a Miguel. A música também é um meio poderoso para se conectar com Miguel. Cantar ou ouvir hinos e músicas devocionais dedicadas a ele pode elevar sua vibração e trazer a sensação da sua presença. Muitos coros e músicos dedicam canções a Miguel, celebrando sua coragem e proteção. Participar de missas ou serviços religiosos onde esses hinos são cantados pode ser uma experiência espiritualmente enriquecedora.

Para aqueles que preferem uma abordagem mais prática, atos de justiça e proteção em sua própria vida fortalecem sua conexão com Miguel. Voluntariar-se para ajudar os outros, defender os oprimidos e agir com integridade e justiça são maneiras de honrar Miguel através de suas ações. Cada ato de bondade e justiça ressoa com a força de Miguel, criando uma conexão mais profunda com ele. A criação de um espaço sagrado dedicado a Miguel em sua casa pode servir como um ponto focal para suas práticas devocionais. Este espaço pode incluir uma imagem ou estátua de Miguel, velas, cristais e outros símbolos sagrados. Passar tempo neste espaço, oferecendo orações e meditações, pode ajudar a manter uma conexão constante com sua força. Além disso, participar de grupos ou comunidades espirituais que compartilham uma devoção a Miguel é uma fonte de apoio e inspiração. Compartilhar experiências e práticas com outros devotos enriquece sua própria prática e proporciona um sentido de comunidade. Muitas igrejas e centros espirituais têm grupos de oração ou círculos de estudo dedicados a Miguel, oferecendo um espaço para crescimento e aprendizado espiritual.

Manter um diário espiritual, onde você registra suas experiências, orações e insights, é uma maneira útil de fortalecer sua conexão com Miguel. Anotar seus sentimentos e experiências relacionadas a Miguel ajuda a aprofundar sua compreensão e apreciação por sua presença em sua vida. Meditações e práticas espirituais envolvendo o Arcanjo Miguel são formas poderosas de sintonizar-se com sua força e receber sua proteção e orientação. Uma meditação simples e eficaz começa com encontrar um espaço tranquilo onde você não será interrompido. Sente-se ou deite-se confortavelmente, feche os olhos e respire profundamente algumas vezes para acalmar sua mente e corpo.

Visualize uma luz dourada brilhante descendo do alto e envolvendo todo o seu ser. Sinta essa luz preenchendo você com uma sensação de paz, proteção e poder. Imagine Miguel aparecendo diante de você, radiante e imponente, segurando sua espada flamejante e escudo. Sinta sua presença como uma força protetora ao seu redor. Enquanto mantém essa imagem, repita mentalmente ou em voz alta: "Arcanjo Miguel, proteja-me com sua luz e guie-me com sua sabedoria." Permaneça nesta visualização pelo tempo que achar necessário, absorvendo a força de proteção e força de Miguel. Quando estiver pronto, agradeça a Miguel por sua presença e lentamente retorne sua consciência ao ambiente ao seu redor. Abra os olhos e sinta-se revigorado e protegido pela força de Miguel.

Outra prática espiritual que fortalece a conexão com Miguel é o uso de cristais. Como mencionado anteriormente, a selenita é particularmente eficaz para esse propósito. Para uma prática simples, segure um pedaço de selenita em sua mão enquanto medita ou ora a Miguel. A força da selenita amplificará sua intenção e ajudará a canalizar a presença de Miguel. Você também pode colocar a selenita em seu espaço sagrado ou embaixo do travesseiro para manter uma conexão constante com sua força protetora. Além das práticas devocionais, a cor e os símbolos associados a Miguel desempenham um papel importante na invocação de sua presença. O azul, simbolizando a proteção e a justiça, é muitas vezes associada. Incorporar essa cor em suas vestimentas, decoração de casa ou altar, cria uma atmosfera propícia para a conexão com Miguel. Velas azuis, em particular, são poderosos instrumentos de devoção. Acenda uma vela azul enquanto faz suas orações ou meditações e visualize a chama como um farol de proteção e luz divina.

Outro símbolo importante é a espada. Uma pequena réplica de uma espada pode ser colocada em seu altar ou carregada como um amuleto. Esse símbolo lembra constantemente da presença protetora de Miguel e sua capacidade de cortar forças negativas.

Usar uma medalha ou pingente com a imagem de Miguel segurando sua espada também serve como um poderoso talismã de proteção. Incorporar essas práticas na sua rotina diária ou semanal pode fortalecer significativamente sua conexão com Miguel. Considere estabelecer um horário regular para suas meditações e orações, seja no início ou no final do dia. Esse hábito ajudará a criar uma rotina espiritual sólida, permitindo uma conexão mais profunda e constante com Miguel.

Lembrar-se de expressar gratidão é fundamental. Agradecer a Miguel por sua proteção e orientação reforça a relação espiritual e abre caminho para uma conexão mais profunda. Seja por meio de orações, oferendas ou simplesmente falando mentalmente com Miguel, expressar gratidão é uma prática poderosa que fortalece seu vínculo com este arcanjo poderoso. Participar de grupos de oração ou comunidades espirituais que compartilham uma devoção a Miguel também pode ser muito útil. Esses grupos oferecem apoio, inspiração e um senso de comunidade. Compartilhar suas experiências e práticas com outros devotos pode enriquecer sua própria jornada espiritual e proporcionar novas perspectivas sobre como honrar e se conectar com Miguel.

Rituais sazonais e festivais dedicados a Miguel, como o Dia de São Miguel Arcanjo, em 29 de setembro, oferecem oportunidades adicionais para fortalecer sua devoção. Participar de missas, serviços religiosos ou eventos comemorativos neste dia pode ser uma experiência espiritualmente edificante. Durante essas celebrações, muitas pessoas renovam suas orações e compromissos com Miguel, pedindo sua proteção contínua para o próximo ano. Outro meio poderoso de fortalecer a conexão com Miguel é através da prática de atos de caridade e justiça em seu nome. Miguel é o arcanjo da justiça e da proteção, e atuar de acordo com esses princípios em sua vida diária é uma forma de honrá-lo. Defender os oprimidos, agir com integridade e buscar a justiça em suas interações cotidianas são maneiras práticas de refletir a força de Miguel em sua vida.

Além das práticas religiosas e espirituais, a literatura e os estudos sobre Miguel podem oferecer uma compreensão mais profunda de seu papel e relevância. Ler livros, artigos e textos sagrados que discutem a história, os atributos e as intervenções de Miguel pode ampliar sua compreensão e apreciação por ele. Conhecimento e aprendizado contínuos são formas de honrar sua presença e fortalecer sua devoção. Para aqueles que sentem uma conexão especialmente forte com Miguel, considerações sobre a consagração pessoal a ele podem ser apropriadas. Esta consagração pode ser formalizada por meio de uma oração ou cerimônia pessoal, onde você dedica sua vida e ações à proteção e orientação de Miguel. Esse compromisso pode ser renovado anualmente ou em momentos de necessidade, reforçando sua devoção e conexão espiritual.

A oração "Quis ut Deus" é uma invocação tradicional dirigida ao Arcanjo Miguel. A frase "Quis ut Deus" é em latim e significa "Quem é como Deus?", que é um dos títulos de São Miguel, simbolizando sua posição como defensor da glória divina contra qualquer forma de rebelião ou corrupção.

Aqui está um exemplo da oração de São Miguel Arcanjo, que inclui a frase "Quis ut Deus":

"São Miguel Arcanjo, defendei-nos no combate, sede nosso refúgio contra as maldades e ciladas do demônio. Ordene-lhe Deus, instantemente o pedimos; e vós, príncipe da milícia celeste, pela virtude divina, precipitai no inferno a Satanás e aos outros espíritos malignos que andam pelo mundo para perder as almas. Amém."

A frase "Quis ut Deus" é usada como uma exclamação de admiração e reverência à superioridade de Deus, ecoando a missão de São Miguel de proteger a fé e a justiça divinas e pode ser utilizada como mantra para invocação do poderoso arcanjo.

Capítulo 2
Rafael
Arcanjo da Cura e da Consolação

O Arcanjo Rafael é uma entidade de imensa relevância no panteão angelical, reconhecido como o grande curador e consolador dos céus e da Terra. Sua criação, envolta em mistério e santidade, remonta aos primórdios dos tempos, quando Deus, em sua infinita bondade e sabedoria, decidiu trazer ao mundo um ser divino cujo propósito seria oferecer cura e alívio ao sofrimento da humanidade. Rafael, cujo nome significa "Deus cura", foi criado da pura essência da luz divina, uma manifestação do amor e da misericórdia de Deus.

Desde o momento de sua criação, Rafael foi dotado de um profundo conhecimento das artes curativas, sendo capaz de trazer alívio não só para doenças físicas, mas também para dores emocionais e espirituais. A missão de Rafael é tripla: ele cura, consola e guia os seres humanos em suas jornadas de cura e renovação. Com sua força suave e compassiva, Rafael é muitas vezes representado carregando um cajado ou bastão, símbolo de sua capacidade de guiar e apoiar os necessitados.

O complemento divino de Rafael é uma presença angélica que equilibra suas forças de cura e compaixão com a força e a resiliência. Esta presença, muitas vezes visualizada como uma força feminina, reflete a dualidade e a harmonia que compõem a totalidade do ser de Rafael. Juntos, eles formam uma unidade perfeita, onde a cura e a consolação são constantemente equilibradas pela força e pela perseverança.

Os fractais de alma de Rafael são manifestações de sua essência divina que se desdobram em várias formas e funções. Cada fractal de alma carrega um fragmento da força curativa de Rafael, operando em diferentes planos e dimensões para assegurar que a sua influência chegue a todos os cantos do universo. Esses fractais atuam como emissários de cura e consolação, trabalhando incansavelmente para aliviar o sofrimento e restaurar a harmonia onde quer que sejam necessários.

Rafael desempenha um papel crucial na vida dos seres humanos, oferecendo sua assistência e orientação em momentos de necessidade. Ele é invocado por aqueles que sofrem de doenças físicas, emocionais ou espirituais, e sua presença é sentida como uma força suave e reconfortante que traz alívio e esperança. A atuação de Rafael é especialmente importante em tempos de crise, onde sua força curativa pode transformar situações de desespero em oportunidades de crescimento e renovação.

A liderança de Rafael no reino divino é marcada por sua sabedoria e compaixão. Ele é muitas vezes representado em obras de arte e literatura como um anjo benevolente, curando os doentes e confortando os aflitos. Sua presença é um símbolo de cura e consolo, e sua imagem inspira fé e esperança nos corações dos fiéis. Os atributos de Rafael são numerosos e carregados de significado simbólico. Além de seu cajado ou bastão, ele é muitas vezes associado ao peixe, que simboliza a cura e a regeneração. Este símbolo remonta à história bíblica de Tobias, onde Rafael, disfarçado de viajante, guia Tobias e cura seu pai da cegueira com a ajuda de um peixe.

Rafael é também o guardião da harmonia e da paz. Ele é invocado não apenas para curar, mas também para restaurar o equilíbrio em situações de conflito ou desarmonia. Sua força pacificadora pode trazer tranquilidade a mentes perturbadas e corações inquietos, ajudando os indivíduos a encontrarem a serenidade e a clareza em meio ao caos. Em momentos de dor ou sofrimento, a presença de Rafael pode ser um bálsamo reconfortante, trazendo consolo e alívio.

A associação de Rafael com os anjos da guarda é especialmente significativa na vida cotidiana dos seres humanos. Cada pessoa tem um anjo da guarda designado para protegê-la e guiá-la, e Rafael trabalha em estreita colaboração com esses anjos pessoais, amplificando sua influência e eficácia. Quando uma pessoa invoca Rafael, ele não apenas responde diretamente, mas também fortalece o anjo da guarda daquela pessoa, proporcionando uma camada adicional de cura e consolação. Essa colaboração angélica assegura que cada indivíduo tenha o apoio necessário para superar seus desafios com esperança e coragem.

Para fortalecer essa conexão com Rafael, é essencial entender e praticar certos rituais e orações específicas. Invocar Rafael pode ser feito de várias maneiras, desde simples preces até rituais mais elaborados. Um dos métodos mais comuns é acender uma vela verde ou azul, cores tradicionalmente associadas a Rafael, enquanto se faz uma oração pedindo sua cura e consolação. Visualizar a presença de Rafael com seu cajado curativo e seu manto de luz pode ajudar a intensificar essa conexão, criando uma sensação tangível de alívio e esperança.

Outra prática útil é carregar ou usar símbolos associados a Rafael, como pingentes de peixe ou imagens dele em medalhas. Esses itens servem como lembretes físicos da presença curativa de Rafael e podem ajudar a fortalecer a fé e a confiança na sua ajuda. Meditações guiadas focadas em Rafael também são uma excelente maneira de sintonizar-se com sua força, permitindo uma conexão mais profunda e pessoal. Além disso, a recitação de orações tradicionais dedicadas a Rafael, como a "Oração de São Rafael Arcanjo", pode ser uma maneira poderosa de invocar sua presença. Essas orações, que remontam a séculos de devoção, carregam uma força acumulada de fé e reverência que pode ser sentida ao serem recitadas com intenção e coração aberto. Rafael, como um curador divino, desempenha um papel vital na restauração da saúde e do bem-estar. Ele é muitas vezes chamado em situações de crise, onde sua intervenção pode trazer alívio imediato e recuperação. Rafael é reconhecido por sua habilidade de guiar médicos e curandeiros, inspirando-os e ajudando-os em seus trabalhos de cura. Sua presença é uma fonte de sabedoria e inspiração, permitindo que os profissionais da saúde realizem seu trabalho com maior eficácia e compaixão.

Além de sua intervenção direta, Rafael também trabalha através dos anjos da guarda, ampliando sua capacidade de proteger e guiar os seres humanos. Essa colaboração harmoniosa assegura que cada indivíduo tenha o apoio necessário para superar seus desafios e alcançar a cura. A presença de Rafael é especialmente importante em momentos de transição, como durante a recuperação de uma doença ou o luto pela perda de um ente querido. Ele oferece consolo e esperança, ajudando as pessoas a encontrar a paz e a força para seguir em frente.

Para fortalecer essa conexão com Rafael, é essencial praticar certos rituais e orações regularmente. Invocar Rafael pode ser feito de várias maneiras, desde simples preces até rituais mais elaborados. Um dos métodos mais comuns é acender uma vela verde ou azul, cores tradicionalmente associadas a Rafael, enquanto se faz uma oração pedindo sua cura e consolação. Visualizar a presença de Rafael com seu cajado curativo e seu manto de luz pode ajudar a intensificar essa conexão, criando uma sensação tangível de alívio e esperança.

Outra prática útil é carregar ou usar símbolos associados a Rafael, como pingentes de peixe ou imagens dele em medalhas. Esses itens servem como lembretes físicos da presença curativa de Rafael e podem ajudar a fortalecer a fé e a confiança na sua ajuda. Meditações guiadas focadas em Rafael também são uma excelente maneira de sintonizar-se com sua força, permitindo uma conexão mais profunda e pessoal. Além disso, a recitação de orações tradicionais dedicadas a Rafael, como a "Oração de São Rafael Arcanjo", pode ser uma maneira poderosa de invocar sua presença. Essas orações, que remontam a séculos de devoção, carregam uma força acumulada de fé e reverência que pode ser sentida ao serem recitadas com intenção e coração aberto.

Rafael é uma entidade central em várias tradições religiosas, sendo especialmente venerado no judaísmo, cristianismo e islamismo. No judaísmo, ele é reconhecido como o anjo da cura, e sua intervenção é celebrada em textos sagrados como o Livro de Tobias. Neste relato, Rafael, disfarçado de viajante, guia Tobias em uma jornada que culmina na cura milagrosa da cegueira de seu pai. Este episódio sublinha a capacidade de Rafael de atuar como um guia e curador, trazendo alívio e esperança aos que sofrem.

No cristianismo, Rafael é reverenciado como um dos arcanjos principais e é muitas vezes invocado para cura e proteção. A Igreja Católica celebra o Dia de São Rafael Arcanjo em 29 de setembro, uma data que oferece aos fiéis à oportunidade de renovar sua devoção e pedir a intercessão de Rafael em suas vidas. As representações artísticas de Rafael no cristianismo muitas vezes o mostram como um anjo benevolente, carregando um cajado ou peixe, símbolos de sua capacidade de guiar e curar.

No islamismo, Rafael é reconhecido como Israfil, o anjo que tocará a trombeta no Dia do Juízo. Embora seu papel principal seja o de anunciar o fim dos tempos, ele também é visto como um anjo de cura e compaixão, refletindo a universalidade de sua missão de trazer alívio e esperança aos necessitados.

Rafael é também uma entidade central em várias tradições esotéricas e ocultas, onde ele é invocado como um curador e protetor. Em rituais de cura e proteção, a força de Rafael é chamada para purificar espaços, remover influências negativas e curar doenças. Ele é visto como uma entidade poderosa de autoridade e misericórdia que mantém a ordem e o equilíbrio no mundo espiritual.

Para aqueles que buscam uma conexão mais profunda com Rafael, diversas práticas espirituais podem ser adotadas. Além das orações e meditações mencionadas anteriormente, a contemplação de sua imagem ou a leitura de textos sagrados que descrevem suas ações pode ajudar a fortalecer essa ligação. Muitos devotos também participam de novenas e outros atos devocionais que celebram Rafael, especialmente em datas festivas como o Dia de São Rafael Arcanjo.

A devoção a Rafael não se limita a práticas religiosas formais; ela pode ser integrada na vida cotidiana por meio de pequenos gestos e ações. Manter um altar dedicado a Rafael, onde se colocam velas, imagens e outros símbolos, pode servir como um ponto focal para a oração e a meditação. Incorporar mantras ou invocações a Rafael em suas práticas diárias pode ajudar a manter uma conexão constante com sua força curativa.

Rafael, como um curador divino, desempenha um papel vital na restauração da saúde e do bem-estar. Ele é muitas vezes chamado em situações de crise, onde sua intervenção pode trazer alívio imediato e recuperação. Rafael é reconhecido por sua habilidade de guiar médicos e curandeiros, inspirando-os e ajudando-os em seus trabalhos de cura. Sua presença é uma fonte de sabedoria e inspiração, permitindo que os profissionais da saúde realizem seu trabalho com maior eficácia e compaixão.

Além de sua intervenção direta, Rafael também trabalha através dos anjos da guarda, ampliando sua capacidade de proteger e guiar os seres humanos. Essa colaboração harmoniosa assegura que cada indivíduo tenha o apoio necessário para superar seus desafios e alcançar a cura. A presença de Rafael é especialmente importante em momentos de transição, como durante a recuperação de uma doença ou o luto pela perda de um ente querido. Ele oferece consolo e esperança, ajudando as pessoas a encontrar a paz e a força para seguir em frente.

Para fortalecer essa conexão com Rafael, é essencial praticar certos rituais e orações regularmente. Invocar Rafael pode ser feito de várias maneiras, desde simples preces até rituais mais elaborados. Um dos métodos mais comuns é acender uma vela verde ou azul, cores tradicionalmente associadas a Rafael, enquanto se faz uma oração pedindo sua cura e consolação. Visualizar a presença de Rafael com seu cajado curativo e seu manto de luz pode ajudar a intensificar essa conexão, criando uma sensação tangível de alívio e esperança.

Outra prática útil é carregar ou usar símbolos associados a Rafael, como pingentes de peixe ou imagens dele em medalhas. Esses itens servem como lembretes físicos da presença curativa de Rafael e podem ajudar a fortalecer a fé e a confiança na sua ajuda. Meditações guiadas focadas em Rafael também são uma excelente maneira de sintonizar-se com sua força, permitindo uma conexão mais profunda e pessoal.

Além disso, a recitação de orações tradicionais dedicadas a Rafael, como a "Oração de São Rafael Arcanjo", pode ser uma maneira poderosa de invocar sua presença. Essas orações, que remontam a séculos de devoção, carregam uma força acumulada de fé e reverência que pode ser sentida ao serem recitadas com intenção e coração aberto.

Rafael é uma entidade central em várias tradições religiosas, sendo especialmente venerado no judaísmo, cristianismo e islamismo. No judaísmo, ele é reconhecido como o anjo da cura, e sua intervenção é celebrada em textos sagrados como o Livro de Tobias. Neste relato, Rafael, disfarçado de viajante, guia Tobias em uma jornada que culmina na cura milagrosa da cegueira de seu pai. Este episódio sublinha a capacidade de Rafael de atuar como um guia e curador, trazendo alívio e esperança aos que sofrem.

No cristianismo, Rafael é reverenciado como um dos arcanjos principais e é muitas vezes invocado para cura e proteção. A Igreja Católica celebra o Dia de São Rafael Arcanjo em 29 de setembro, uma data que oferece aos fiéis à oportunidade de renovar sua devoção e pedir a intercessão de Rafael em suas vidas. As representações artísticas de Rafael no cristianismo muitas vezes o mostram como um anjo benevolente, carregando um cajado ou peixe, símbolos de sua capacidade de guiar e curar.

No islamismo, Rafael é reconhecido como Israfil, o anjo que tocará a trombeta no Dia do Juízo. Embora seu papel principal seja o de anunciar o fim dos tempos, ele também é visto como um anjo de cura e compaixão, refletindo a universalidade de sua missão de trazer alívio e esperança aos necessitados.

Rafael é também uma entidade central em várias tradições esotéricas e ocultas, onde ele é invocado como um curador e protetor. Em rituais de cura e proteção, a força de Rafael é chamada para purificar espaços, remover influências negativas e curar doenças. Ele é visto como uma entidade poderosa de autoridade e misericórdia que mantém a ordem e o equilíbrio no mundo espiritual.

Para aqueles que buscam uma conexão mais profunda com Rafael, diversas práticas espirituais podem ser adotadas. Além das orações e meditações mencionadas anteriormente, a contemplação de sua imagem ou a leitura de textos sagrados que descrevem suas ações pode ajudar a fortalecer essa ligação. Muitos devotos também participam de novenas e outros atos devocionais que celebram Rafael, especialmente em datas festivas como o Dia de São Rafael Arcanjo.

A devoção a Rafael não se limita a práticas religiosas formais; ela pode ser integrada na vida cotidiana por meio de pequenos gestos e ações. Manter um altar dedicado a Rafael, onde se colocam velas, imagens e outros símbolos, pode servir como um ponto focal para a oração e a meditação. Incorporar mantras ou invocações a Rafael em suas práticas diárias pode ajudar a manter uma conexão constante com sua força curativa.

Oração ao Arcanjo Rafael.

"Arcanjo Rafael, curador divino,

Peço tua presença abençoada em minha vida.

Que tua luz curativa envolva meu ser,

Trazendo alívio às minhas dores físicas, emocionais e espirituais.

Com teu cajado de cura e manto de luz,

Guia-me na jornada da renovação e do bem-estar.

Fortalece minha fé e confiança na tua proteção,

Consola meu coração nos momentos de tristeza e desespero.

Arcanjo Rafael, protetor dos necessitados,

Purifica meu corpo e minha mente com tua força divina.

Ajuda-me a encontrar paz e equilíbrio,

E que tua misericórdia me guie sempre.

Abençoa todos que buscam tua cura e consolação,

E que teu amor incondicional esteja sempre presente.

Amém."

Capítulo 3
Gabriel
Arcanjo da Revelação e da Esperança

Gabriel, o Arcanjo da Revelação e da Esperança, é uma entidade icônica no panteão angelical. Desde os primórdios da criação, Gabriel foi concebido da essência pura da luz divina, refletindo a clareza e a verdade de Deus. Seu nome, que significa "Deus é a minha força", simboliza sua missão de ser o mensageiro divino e portador de boas novas. A criação de Gabriel é envolta em mistério e esplendor. Nos céus, ele foi designado para ser o arauto da palavra divina, um comunicador entre o divino e o humano. Desde o início, Gabriel foi dotado de uma clareza de propósito e uma voz potente que ecoa a verdade e a esperança. Ele é muitas vezes descrito como um ser radiante, envolto em luz brilhante e asas majestosas, refletindo sua natureza divino.

O complemento divino de Gabriel é uma presença angélica que equilibra suas forças de revelação com a sabedoria e a compreensão. Essa presença, muitas vezes visualizada como uma força feminina, complementa a força e a clareza de Gabriel, criando uma harmonia perfeita entre a revelação e a compaixão. Juntos, eles formam uma unidade que facilita a comunicação divina, trazendo mensagens de esperança e renovação. Os fractais de alma de Gabriel são manifestações de sua essência divina que se desdobram em várias formas e funções. Cada fractal carrega um fragmento da força reveladora de Gabriel, operando em diferentes planos e dimensões para assegurar que sua influência atinja todos os cantos do universo. Esses fractais atuam como emissores de revelação e esperança, trabalhando incansavelmente para trazer clareza e inspiração onde quer que sejam necessários.

Gabriel desempenha um papel crucial na vida dos seres humanos, oferecendo assistência e orientação em momentos de necessidade. Ele é invocado por aqueles que buscam clareza, orientação e inspiração. Sua presença é sentida como uma força reconfortante que traz luz e esperança, especialmente em tempos de incerteza e desespero. A liderança de Gabriel no reino divino é marcada por sua sabedoria e capacidade de comunicar a verdade divina. Ele é muitas vezes representado em obras de arte e literatura como um mensageiro divino, anunciando grandes eventos e trazendo notícias de esperança. Sua presença é um símbolo de revelação e renovação, e sua imagem inspira fé e confiança nos corações dos fiéis.

Gabriel é também o guardião da esperança e da inspiração. Ele é invocado não apenas para trazer mensagens divinas, mas também para restaurar a esperança em momentos de desespero. Sua força inspiradora pode trazer clareza a mentes confusas e luz a corações sombrios, ajudando os indivíduos a encontrarem um novo sentido de propósito e esperança. A associação de Gabriel com os anjos da guarda é especialmente significativa na vida cotidiana dos seres humanos. Cada pessoa tem um anjo da guarda designado para protegê-la e guiá-la, e Gabriel trabalha em estreita colaboração com esses anjos pessoais, amplificando sua influência e eficácia. Quando uma pessoa invoca Gabriel, ele não apenas responde diretamente, mas também fortalece o anjo da guarda daquela pessoa, proporcionando uma camada adicional de revelação e esperança.

Os anjos da guarda, sob a liderança de Gabriel, são capazes de atuar com maior clareza e inspiração. Eles recebem força adicional para guiar seus protegidos em momentos de incerteza e para trazer mensagens de esperança e renovação. Essa colaboração harmoniosa entre Gabriel e os anjos da guarda cria um campo de luz e esperança ao redor de cada indivíduo, assegurando que estejam sempre amparados e inspirados em suas jornadas. Para fortalecer essa conexão com Gabriel, é essencial entender e praticar certos rituais e orações específicas. Invocar Gabriel pode ser feito de várias maneiras, desde simples preces até rituais mais elaborados. Um dos métodos mais comuns é acender uma vela azul ou branca, cores tradicionalmente associadas a Gabriel, enquanto se faz uma oração pedindo sua revelação e esperança. Visualizar a presença de Gabriel com sua luz brilhante e suas asas majestosas pode ajudar a intensificar essa conexão, criando uma sensação tangível de clareza e inspiração.

Outra prática útil é carregar ou usar símbolos associados a Gabriel, como pingentes de trombeta ou imagens dele em medalhas. Esses itens servem como lembretes físicos da presença reveladora de Gabriel e podem ajudar a fortalecer a fé e a confiança na sua orientação. Meditações guiadas focadas em Gabriel também são uma excelente maneira de sintonizar-se com sua força, permitindo uma conexão mais profunda e pessoal. Além disso, a recitação de orações tradicionais dedicadas a Gabriel, como a "Oração de São Gabriel Arcanjo", pode ser uma maneira poderosa de invocar sua presença. Essas orações, que remontam a séculos de devoção, carregam uma força acumulada de fé e reverência que pode ser sentida ao serem recitadas com intenção e coração aberto.

Incorporar cristais e pedras associadas a Gabriel pode amplificar a conexão. A pedra associada a Gabriel é a sodalita, conhecida por suas propriedades de clareza mental e comunicação. Manter uma sodalita em seu espaço de meditação ou carregá-la com você pode ajudar a manter uma conexão constante com Gabriel. Outros cristais, como a ágata azul e a calcita clara, também são eficazes para comunicação e revelação e podem ser usados em conjunto com as práticas devocionais a Gabriel. A música é outro meio eficaz de conexão espiritual. Cantar ou ouvir hinos e músicas devocionais dedicadas a Gabriel pode elevar sua vibração e facilitar a conexão com sua força. Existem muitas músicas e cânticos disponíveis que louvam Gabriel e invocam sua revelação e esperança. Participar de serviços religiosos ou eventos onde esses hinos são cantados pode ser uma experiência profundamente enriquecedora.

Para aqueles que preferem uma abordagem mais prática, atos de revelação e esperança em sua própria vida podem fortalecer sua conexão com Gabriel. Compartilhar mensagens positivas, ajudar os outros a encontrar clareza e esperança, e agir com integridade e compaixão são maneiras de honrar Gabriel através de suas ações. Cada ato de bondade e revelação ressoa com a força de Gabriel, criando uma conexão mais profunda com ele. A criação de um espaço sagrado dedicado a Gabriel em sua casa pode servir como um ponto focal para suas práticas devocionais. Este espaço pode incluir uma imagem ou estátua de Gabriel, velas, cristais e outros símbolos sagrados. Passar tempo neste espaço, oferecendo orações e meditações, pode ajudar a manter uma conexão constante com sua força.

Participar de grupos de oração ou comunidades espirituais que compartilham uma devoção a Gabriel também pode ser muito útil. Esses grupos oferecem apoio, inspiração e um senso de comunidade. Compartilhar suas experiências e práticas com outros devotos pode enriquecer sua própria jornada espiritual e proporcionar novas perspectivas sobre como honrar e se conectar com Gabriel. Rituais sazonais e festivais dedicados a Gabriel, como a Anunciação em 25 de março, oferecem oportunidades adicionais para fortalecer sua devoção. Participar de missas, serviços religiosos ou eventos comemorativos neste dia pode ser uma experiência espiritualmente edificante. Durante essas celebrações, muitas pessoas renovam suas orações e compromissos com Gabriel, pedindo sua revelação e esperança contínua para o próximo ano.

Outro meio poderoso de fortalecer a conexão com Gabriel é através da prática de atos de revelação e esperança em seu nome. Gabriel é o arcanjo da comunicação divina e da esperança, e atuar de acordo com esses princípios em sua vida diária é uma forma de honrá-lo. Defender a verdade, comunicar com clareza e inspirar esperança em suas interações cotidianas são maneiras práticas de refletir a força de Gabriel em sua vida. A reflexão e a gratidão devem ser partes integrantes de sua prática espiritual com Gabriel. Reservar um tempo para refletir sobre as revelações e as bênçãos recebidas pode ajudar a cultivar um senso profundo de gratidão. Expressar essa gratidão, seja por meio de orações, oferendas ou simplesmente falando com Gabriel em seus momentos de silêncio, é uma prática poderosa que fortalece o vínculo entre você e este arcanjo divino.

Para aqueles que sentem uma conexão especialmente forte com Gabriel, considerações sobre a consagração pessoal a ele podem ser apropriadas. Esta consagração pode ser formalizada por meio de uma oração ou cerimônia pessoal, onde você dedica sua vida e ações à revelação e orientação de Gabriel. Esse compromisso pode ser renovado anualmente ou em momentos de necessidade, reforçando sua devoção e conexão espiritual. Gabriel é uma fonte constante de inspiração e esperança, guiando e protegendo aqueles que buscam sua ajuda. Sua presença é um lembrete de que não importa quão grande seja a escuridão, a luz da revelação e da esperança divina sempre prevalecerá. Ao integrar as práticas e rituais descritos neste capítulo, você pode fortalecer sua conexão com Gabriel e trazer mais clareza e inspiração para sua vida.

Gabriel é um arcanjo reverenciado em diversas tradições religiosas, especialmente no judaísmo, cristianismo e islamismo. No judaísmo, ele é reconhecido como um dos anjos principais que transmite mensagens importantes de Deus para a humanidade. Nas escrituras hebraicas, Gabriel aparece como um mensageiro que explica visões e sonhos proféticos, ajudando a trazer entendimento e clareza. No cristianismo, Gabriel é especialmente reconhecido por sua aparição à Virgem Maria para anunciar o nascimento de Jesus, um evento central na fé cristã. Seu papel como anunciador da Encarnação de Cristo é celebrado na festa da Anunciação, um dos momentos mais reverenciados no calendário litúrgico cristão.

No islamismo, Gabriel, reconhecido como Jibril, é o anjo que revelou o Alcorão ao profeta Maomé. Sua missão de transmitir a palavra de Deus ao profeta é um ato de revelação suprema que moldou a fé e a prática islâmicas. Gabriel é também mencionado em vários hadiths (ditos e ações do profeta Maomé) como um guia e instrutor espiritual. Essas tradições enfatizam o papel de Gabriel como um portador de mensagens divinas e um intermediário entre Deus e a humanidade.

Além das tradições religiosas, Gabriel é uma entidade central em várias tradições esotéricas e ocultas, onde ele é invocado como um guardião da comunicação divina e um protetor contra a ignorância e o engano. Em rituais de revelação e meditação, a força de Gabriel é chamada para trazer clareza, inspiração e verdade. Ele é visto como uma entidade poderosa de luz que ilumina a mente e o espírito, guiando os buscadores em sua jornada espiritual.

Para aqueles que buscam uma conexão mais profunda com Gabriel, diversas práticas espirituais podem ser adotadas. Além das orações e meditações mencionadas anteriormente, a contemplação de sua imagem ou a leitura de textos sagrados que descrevem suas ações ajudam a fortalecer essa ligação. Muitos devotos também participam de novenas e outros atos devocionais que celebram Gabriel, especialmente em datas festivas como a Anunciação. A devoção a Gabriel não se limita a práticas religiosas formais; ela pode ser integrada na vida cotidiana por meio de pequenos gestos e ações. Manter um altar dedicado a Gabriel, onde se colocam velas, imagens e outros símbolos, serve como um ponto focal para a oração e a meditação. Incorporar mantras ou invocações a Gabriel em suas práticas diárias ajuda a manter uma conexão constante com sua força reveladora.

Fortalecer a conexão com o Arcanjo Gabriel envolve uma combinação de práticas espirituais, rituais e uma atitude de devoção constante. Para muitos, a oração é o meio mais direto e poderoso para se conectar com Gabriel. Orações específicas dedicadas a ele, como a "Oração de São Gabriel Arcanjo", são recitadas por milhões de fiéis ao redor do mundo. Estas orações invocam a presença reveladora de Gabriel, pedindo sua intervenção para trazer clareza e inspiração em momentos de dúvida e escuridão.

Além das orações tradicionais, a meditação é uma prática poderosa para sintonizar-se com a força de Gabriel. Durante a meditação, visualize Gabriel em toda a sua glória divina: um ser de luz radiante, com asas majestosas e uma trombeta dourada. Sinta sua presença ao seu redor, trazendo uma sensação de paz, clareza e esperança. Esta visualização pode ser acompanhada por uma afirmação ou mantra, repetindo silenciosamente frases como "Gabriel, revele-me a verdade" ou "Gabriel, guie-me com sua luz". Rituais específicos também podem ser realizados para honrar Gabriel e fortalecer sua conexão. Um ritual simples, mas eficaz, é acender uma vela azul ou branca enquanto se faz uma oração a

Gabriel. A luz da vela simboliza a presença divina de Gabriel e serve como um canal para sua força. Durante o ritual, ofereça suas intenções e pedidos a Gabriel, pedindo sua revelação, orientação e esperança.

Incorporar cristais e pedras associadas a Gabriel amplificam a conexão. A sodalita é especialmente eficaz para esse propósito, pois suas propriedades de clareza mental e comunicação ajudam a canalizar a presença de Gabriel. Manter uma sodalita em seu espaço de meditação ou carregá-la com você ajuda a manter uma conexão constante com Gabriel. Outros cristais, como a ágata azul e a calcita clara, também são eficazes para comunicação e podem ser usados em conjunto com as práticas devocionais a Gabriel. A música também é um meio poderoso para se conectar com Gabriel. Cantar ou ouvir hinos e músicas devocionais dedicadas a ele pode elevar sua vibração e trazer a sensação da sua presença. Muitos coros e músicos dedicam canções a Gabriel, celebrando sua revelação e esperança. Participar de missas ou serviços religiosos onde esses hinos são cantados pode ser uma experiência espiritualmente enriquecedora.

Para aqueles que preferem uma abordagem mais prática, atos de revelação e esperança em sua própria vida fortalecem sua conexão com Gabriel. Voluntariar-se para ajudar os outros a encontrar clareza e esperança, defender a verdade e agir com integridade e compaixão são maneiras de honrar Gabriel através de suas ações. Cada ato de bondade e verdade ressoa com a força de Gabriel, criando uma conexão mais profunda com ele. A criação de um espaço sagrado dedicado a Gabriel em sua casa pode servir como um ponto focal para suas práticas devocionais. Este espaço pode incluir uma imagem ou estátua de Gabriel, velas, cristais e outros símbolos sagrados. Passar tempo neste espaço, oferecendo orações e meditações, pode ajudar a manter uma conexão constante com sua força.

Participar de grupos de oração ou comunidades espirituais que compartilham uma devoção a Gabriel também pode ser muito útil. Esses grupos oferecem apoio, inspiração e um senso de comunidade. Compartilhar suas experiências e práticas com outros devotos pode enriquecer sua própria jornada espiritual e proporcionar novas perspectivas sobre como honrar e se conectar com Gabriel. Rituais sazonais e festivais dedicados a Gabriel, como a Anunciação em 25 de março, oferecem oportunidades adicionais para fortalecer sua devoção. Participar de missas, serviços religiosos ou eventos comemorativos neste dia pode ser uma experiência espiritualmente edificante. Durante essas celebrações, muitas pessoas renovam suas orações e compromissos com Gabriel, pedindo sua revelação e esperança contínua para o próximo ano.

Outro meio poderoso de fortalecer a conexão com Gabriel é através da prática de atos de revelação e esperança em seu nome. Gabriel é o arcanjo da comunicação divina e da esperança, e atuar de acordo com esses princípios em sua vida diária é uma forma de honrá-lo. Defender a verdade, comunicar com clareza e inspirar esperança em suas interações cotidianas são maneiras práticas de refletir a força de Gabriel em sua vida. A reflexão e a gratidão devem ser partes integrantes de sua prática espiritual com Gabriel. Reservar um tempo para refletir sobre as revelações e as bênçãos recebidas pode ajudar a cultivar um senso profundo de gratidão. Expressar essa gratidão, seja por meio de orações, oferendas ou simplesmente falando com Gabriel em seus momentos de silêncio, é uma prática poderosa que fortalece o vínculo entre você e este arcanjo divino.

Para aqueles que sentem uma conexão especialmente forte com Gabriel, considerações sobre a consagração pessoal a ele podem ser apropriadas. Esta consagração pode ser formalizada por meio de uma oração ou cerimônia pessoal, onde você dedica sua vida e ações à revelação e orientação de Gabriel. Esse compromisso pode ser renovado anualmente ou em momentos de necessidade, reforçando sua devoção e conexão espiritual. Gabriel é uma fonte constante de inspiração e esperança, guiando e protegendo aqueles que buscam sua ajuda. Sua presença é um lembrete de que não importa quão grande seja a escuridão, a luz da revelação e da esperança divina sempre prevalecerá. Ao integrar as práticas e rituais descritos neste capítulo, você pode fortalecer sua conexão com Gabriel e trazer mais clareza e inspiração para sua vida.

Oração a São Gabriel Arcanjo:

"Oh, bem-aventurado Arcanjo Gabriel, vós que és chamado a força de Deus, e que foste escolhido para anunciar a encarnação do Verbo Divino à Santíssima Virgem Maria, obtende-me a graça de receber as mensagens divinas com um coração puro e um espírito resoluto. Que eu possa sempre buscar e encontrar a verdade, ser guiado pela luz da revelação e sustentado pela esperança divina. Arcanjo Gabriel, intercedei por nós e conduzi-nos no caminho da salvação. Amém."

Capítulo 4
Uriel
Arcanjo da Sabedoria e do Arrependimento

Uriel, o Arcanjo da Sabedoria e do Arrependimento, é uma entidade reverenciada no panteão angelical. Seu nome, que significa "Luz de Deus", simboliza seu papel como portador da iluminação divina e do arrependimento. A criação de Uriel remonta aos primórdios dos tempos, quando Deus, em sua infinita sabedoria, desejou um ser que pudesse trazer clareza, compreensão e uma profunda conexão com a verdade divina. Formado da pura essência da luz divina, Uriel possui uma força que emana sabedoria e introspecção. Desde o início, ele foi dotado de uma mente esclarecida e de uma compreensão profunda dos mistérios do universo, sendo muitas vezes representado com um livro ou pergaminho, símbolos de conhecimento e sabedoria.

Uriel tem a missão de guiar a humanidade para a verdade, ajudando a reconhecer e corrigir erros através do arrependimento. Seu papel como guia é essencial para a evolução espiritual dos seres humanos, proporcionando uma visão clara e uma compreensão profunda das leis universais e da moralidade. Ele é muitas vezes invocado por aqueles que buscam sabedoria e discernimento em tempos de dúvida e confusão, ajudando-os a encontrar o caminho certo e a tomar decisões informadas e justas.

O complemento divino de Uriel é uma presença angélica que equilibra suas forças de sabedoria e introspecção com a compaixão e a empatia. Esta presença, muitas vezes visualizada como uma força feminina, complementa a clareza e a verdade de Uriel, criando uma harmonia perfeita entre a sabedoria e o arrependimento. Juntos, eles formam uma unidade que facilita a iluminação e a transformação pessoal. A presença do complemento divino de Uriel é uma lembrança constante de que a verdadeira sabedoria deve ser equilibrada com compaixão e compreensão, permitindo que as lições aprendidas sejam aplicadas com amor e empatia.

Os fractais de alma de Uriel são manifestações de sua essência divina que se desdobram em várias formas e funções. Cada fractal carrega um fragmento da força iluminadora de Uriel, operando em diferentes planos e dimensões para assegurar que sua influência atinja todos os cantos do universo. Esses fractais atuam como emissários de sabedoria e arrependimento, trabalhando incansavelmente para trazer clareza e inspiração onde quer que sejam necessários. Eles são a extensão do poder de Uriel, garantindo que sua luz chegue a todos os lugares e a todas as pessoas que precisam de sua orientação e sabedoria.

Uriel desempenha um papel crucial na vida dos seres humanos, oferecendo assistência e orientação em momentos de necessidade. Ele é invocado por aqueles que buscam sabedoria, clareza e uma compreensão mais profunda de si e do mundo ao seu redor. Sua presença é sentida como uma força iluminadora que traz insight e compreensão, especialmente em tempos de confusão e incerteza. A sabedoria de Uriel é uma fonte inesgotável de conhecimento e discernimento, ajudando os indivíduos a navegarem pelos desafios da vida com clareza e confiança.

A liderança de Uriel no reino divino é marcada por sua sabedoria e capacidade de iluminar a verdade divina. Ele é muitas vezes representado em obras de arte e literatura como um anjo sábio, portador de luz e conhecimento. Sua presença é um símbolo de sabedoria e iluminação, e sua imagem inspira fé e confiança nos corações dos fiéis. Uriel é um farol de luz no reino divino, guiando não apenas os anjos, mas também os humanos, através de sua sabedoria e discernimento. Sua liderança é uma prova de sua profunda compreensão e habilidade em conduzir os outros para a verdade e a iluminação.

Uriel é também o guardião do arrependimento e da introspecção. Ele é invocado não apenas para trazer sabedoria divina, mas também para ajudar na transformação pessoal através do reconhecimento e correção dos erros. Sua força transformadora pode trazer clareza a mentes confusas e paz a corações arrependidos, ajudando os indivíduos a encontrarem um novo sentido de propósito e verdade. A presença de Uriel é uma força calmante que permite que as pessoas se reconciliem com seus próprios erros e aprendam com eles, promovendo o crescimento espiritual e a evolução pessoal.

A associação de Uriel com os anjos da guarda é especialmente significativa na vida cotidiana dos seres humanos. Cada pessoa tem um anjo da guarda designado para protegê-la e guiá-la, e Uriel trabalha em estreita colaboração com esses anjos pessoais, amplificando sua influência e eficácia. Quando uma pessoa invoca Uriel, ele não apenas responde diretamente, mas também fortalece o anjo da guarda daquela pessoa, proporcionando uma camada adicional de sabedoria e arrependimento. Os anjos da guarda, sob a liderança de Uriel, são capazes de atuar com maior clareza e iluminação. Eles recebem força adicional para guiar seus protegidos em momentos de incerteza e para trazer mensagens de sabedoria e arrependimento. Essa colaboração harmoniosa entre Uriel e os anjos da guarda cria um campo de luz e verdade ao redor de cada indivíduo, assegurando que estejam sempre amparados e iluminados em suas jornadas.

Para fortalecer essa conexão com Uriel, é essencial entender e praticar certos rituais e orações específicas. Invocar Uriel pode ser feito de várias maneiras, desde simples preces até rituais mais elaborados. Um dos métodos mais comuns é acender uma vela amarela ou dourada, cores tradicionalmente associadas a Uriel, enquanto se faz uma oração pedindo sua sabedoria e arrependimento. Visualizar a presença de Uriel com sua luz brilhante e seu livro de conhecimento pode ajudar a intensificar essa conexão, criando uma sensação tangível de clareza e iluminação.

Outra prática útil é carregar ou usar símbolos associados a Uriel, como pingentes de sol ou imagens dele em medalhas. Esses itens servem como lembretes físicos da presença iluminadora de Uriel e podem ajudar a fortalecer a fé e a confiança na sua orientação. Meditações guiadas focadas em Uriel também são uma excelente maneira de sintonizar-se com sua força, permitindo uma conexão mais profunda e pessoal. Essas meditações podem envolver visualizações da luz de Uriel penetrando na mente e no

41

coração, trazendo clareza e compreensão em questões pessoais e espirituais.

Além disso, a recitação de orações tradicionais dedicadas a Uriel, como a "Oração ao Arcanjo Uriel", pode ser uma maneira poderosa de invocar sua presença. Essas orações, que remontam a séculos de devoção, carregam uma força acumulada de fé e reverência que pode ser sentida ao serem recitadas com intenção e coração aberto. Essas orações não apenas invocam a presença de Uriel, mas também criam um ambiente de serenidade e paz, onde a sabedoria divina pode ser recebida e compreendida mais profundamente.

Incorporar cristais e pedras associadas a Uriel pode amplificar a conexão. A pedra associada a Uriel é o citrino, reconhecido por suas propriedades de clareza mental e iluminação. Manter um citrino em seu espaço de meditação ou carregá-lo com você pode ajudar a manter uma conexão constante com Uriel. Outros cristais, como a ametista e o quartzo transparente, também são eficazes para clareza e sabedoria e podem ser usados em conjunto com as práticas devocionais a Uriel. Essas pedras podem ser colocadas em altares, usadas em meditações ou carregadas como talismãs para fortalecer a conexão com a sabedoria de Uriel.

A música é outro meio eficaz de conexão espiritual. Cantar ou ouvir hinos e músicas devocionais dedicadas a Uriel pode elevar sua vibração e facilitar a conexão com sua força. Existem muitas músicas e cânticos disponíveis que louvam Uriel e invocam sua sabedoria e iluminação. Participar de serviços religiosos ou eventos onde esses hinos são cantados pode ser uma experiência profundamente enriquecedora. A música tem o poder de elevar o espírito e abrir o coração para a recepção das bênçãos e da sabedoria de Uriel.

Para aqueles que preferem uma abordagem mais prática, atos de sabedoria e arrependimento em sua própria vida podem fortalecer sua conexão com Uriel. Compartilhar conhecimento, ajudar os outros a encontrar clareza e iluminação, e agir com integridade e compaixão são maneiras de honrar Uriel através de suas ações. Cada ato de bondade e sabedoria ressoa com a força de

Uriel, criando uma conexão mais profunda com ele. Essas ações práticas não apenas fortalecem a conexão espiritual, mas também promovem um ambiente de paz e harmonia ao redor.

A criação de um espaço sagrado dedicado a Uriel em sua casa pode servir como um ponto focal para suas práticas devocionais. Este espaço pode incluir uma imagem ou estátua de Uriel, velas, cristais e outros símbolos sagrados. Passar tempo neste espaço, oferecendo orações e meditações, pode ajudar a manter uma conexão constante com sua força. Um altar dedicado a Uriel pode ser um lugar de refúgio e reflexão, onde você pode se conectar com sua sabedoria e receber sua orientação.

Participar de grupos de oração ou comunidades espirituais que compartilham uma devoção a Uriel também pode ser muito útil. Esses grupos oferecem apoio, inspiração e um senso de comunidade. Compartilhar suas experiências e práticas com outros devotos pode enriquecer sua própria jornada espiritual e proporcionar novas perspectivas sobre como honrar e se conectar com Uriel. Essas comunidades podem organizar encontros regulares, estudos de textos sagrados e celebrações que fortalecem a devoção a Uriel.

Rituais sazonais e festivais dedicados a Uriel, como o Solstício de Verão, oferecem oportunidades adicionais para fortalecer sua devoção. Participar de missas, serviços religiosos ou eventos comemorativos nesses dias pode ser uma experiência espiritualmente edificante. Durante essas celebrações, muitas pessoas renovam suas orações e compromissos com Uriel, pedindo sua sabedoria contínua para o próximo ano. Essas ocasiões são momentos de renovação espiritual e celebração da luz e da sabedoria que Uriel traz.

Outro meio poderoso de fortalecer a conexão com Uriel é através da prática de atos de sabedoria e arrependimento em seu nome. Uriel é o arcanjo da iluminação divina e atuar de acordo com esses princípios em sua vida diária é uma forma de honrá-lo. Defender a verdade, comunicar com clareza e inspirar sabedoria em suas interações cotidianas são maneiras práticas de refletir a força de Uriel em sua vida. Viver de acordo com esses princípios não apenas fortalece sua conexão com Uriel, mas também promove um ambiente de paz e harmonia ao seu redor.

A reflexão e a gratidão devem ser partes integrantes de sua prática espiritual com Uriel. Reservar um tempo para refletir sobre a sabedoria e as bênçãos recebidas pode ajudar a cultivar um senso profundo de gratidão. Expressar essa gratidão, seja por meio de orações, oferendas ou simplesmente falando com Uriel em seus momentos de silêncio, é uma prática poderosa que fortalece o vínculo entre você e este arcanjo divino. A gratidão abre o coração e a mente para receber ainda mais das bênçãos e da orientação de Uriel.

Para aqueles que sentem uma conexão especialmente forte com Uriel, considerações sobre a consagração pessoal a ele podem ser apropriadas. Esta consagração pode ser formalizada por meio de uma oração ou cerimônia pessoal, onde você dedica sua vida e ações à sabedoria e orientação de Uriel. Esse compromisso pode ser renovado anualmente ou em momentos de necessidade, reforçando sua devoção e conexão espiritual. Consagrar-se a Uriel é um ato de devoção profunda que reconhece sua relevância e seu papel em sua vida espiritual.

Uriel é uma fonte constante de sabedoria e arrependimento, guiando e protegendo aqueles que buscam sua ajuda. Sua presença é um lembrete de que não importa quão grande seja a escuridão, a luz da sabedoria e da verdade divina sempre prevalecerá. Ao integrar as práticas e rituais descritos neste capítulo, você pode fortalecer sua conexão com Uriel e trazer mais clareza e iluminação para sua vida. A sabedoria de Uriel é um farol que guia os perdidos e ilumina o caminho para aqueles que buscam a verdade.

Oração ao Arcanjo Uriel

"Arcanjo Uriel, portador da luz de Deus,

Ilumine minha mente com sua sabedoria divina.

Ajude-me a ver a verdade em todas as coisas

E a reconhecer e corrigir meus erros.

Guie-me no caminho do arrependimento e da transformação,

Para que eu possa alcançar a clareza e a paz interior.

THE NATIONAL LOTTERY®

For information visit the website at www.national-lottery.co.uk or call the National Lottery Line
on **0333 234 50 50**. Calls cost no more than calls to 01 or 02 numbers. If your phone tariff offers
inclusive calls to landlines, calls to 03 numbers will be included on the same basis. A separate
MINICOM line for the hard of hearing is also available. A proportion of National Lottery sales
goes to the Good Causes. For further information please refer to the Players' Guide.

THE OPERATOR OF THE NATIONAL LOTTERY

The National Lottery is operated under licences granted by the Gambling Commission. The principal
office of the operator of The National Lottery **(the Operator)** is Tolpits Lane, Watford WD18 9RN.

GUIDANCE ON HOW TO PLAY

For how to play and prize structures see the Players' Guide (available from retailers), see the
website, or call the National Lottery Line. Results can be found through recognised media
channels, retailers, the National Lottery Line or the website. Tickets issued in error, illegible or
incomplete can be cancelled if returned to the issuing terminal within 120 minutes of purchase
and before close of ticket sales from that terminal on that day.

GUIDANCE ON HOW TO CLAIM A PRIZE

Prizes must be claimed within 180 days of the applicable draw date, or if you notify the National
Lottery Line of your intention to claim within this period, you may claim within 187 days of that draw
date in person at a Regional Centre. For more information, see Rules for Draw-Based Games
available at retailers and on the website. You can visit www.national-lottery.co.uk/prize or view the
Players' Guide for more details on how to claim a prize. For prizes £1 to £500, claim at a National
Lottery retailer. If you haven't been able to claim at a National Lottery retailer, post your ticket (at
your own risk) to The National Lottery PO Box 287, Watford, WD18 9TT. For prizes
£501 to £50,000, visit www.national-lottery.co.uk/prize to start your claim process.

If you are unable to use the above methods to claim a prize or you have won over £50,000 call the
National Lottery Line. Claims over £50,000 must be made in person.

SIGN YOUR TICKET. MAKE IT YOURS.

THE NATIONAL LOTTERY®

For information visit the website at www.national-lottery.co.uk or call the National Lottery Line
on **0333 234 50 50**. Calls cost no more than calls to 01 or 02 numbers. If your phone tariff offers
inclusive calls to landlines, calls to 03 numbers will be included on the same basis. A separate

Good luck
1 x Tue
on Tue 01 O...
1 play x £2.50 for 1 d...
£2.5
EURO MILLIONS®

1962-06083 4606-20187 9 017726 ||||||

Your numbers

Lucky Stars

A 10 14 27 30 39 -- 04 10

Your UK Millionaire Maker Code

Guaranteed UK Millionaires every week

MWZV02647

AMAZING THINGS HAPPEN WHEN A
LOT OF PEOPLE PLAY A LITTLE
SEARCH: DREAM BIG PLAY SMALL

▲ **CHECK IF YOU'RE A WINNER** ▲
SCAN WITH THE NATIONAL LOTTERY APP

1962-06083 4606-20187 9 017726 Term. 66951801

[: : : :] Fill the box to void the ticket

Abençoe-me com seu conhecimento e compreensão,
E fortaleça minha fé e minha conexão com o divino.
Arcanjo Uriel, agradeço por sua presença e orientação.
Que sua luz brilhe sempre em minha vida,
Trazendo sabedoria, verdade e iluminação.
Amém."

Capítulo 5
Samael
Anjo da Força e da Coragem

Samael, o Anjo da Força e da Coragem, é uma entidade enigmática e poderosa no panteão angelical. Seu nome, que significa "Veneno de Deus" ou "Força de Deus," reflete sua complexa dualidade como um anjo que incorpora tanto a força destrutiva quanto a coragem protetora. A criação de Samael remonta aos primórdios dos tempos, quando Deus desejou criar um ser capaz de exercer a força divina em sua plenitude.

Samael foi formado da pura essência da força divina, imbuído com uma força imensurável e uma coragem inabalável. Ele é muitas vezes representado com uma espada flamejante, simbolizando seu papel como executor da justiça divina e defensor contra as forças do mal. Desde sua criação, Samael tem sido um agente de mudança e transformação, usando sua força para desafiar a escuridão e trazer luz e ordem ao caos.

A dualidade de Samael se manifesta em sua capacidade de exercer tanto destruição quanto proteção. Esta característica dual é essencial para sua função, pois ele é chamado a agir em situações que exigem uma intervenção decisiva e muitas vezes severa. Sua espada não apenas destrói, mas também purifica, eliminando as trevas e trazendo renovação. Em muitas tradições, Samael é visto como o guerreiro divino que lidera as hostes celestiais contra as forças do mal, um papel que ele desempenha com fervor e dedicação inigualáveis.

No entanto, Samael não age sozinho. Ele é complementado por uma presença angélica que equilibra suas forças de força e destruição com compaixão e misericórdia. Esta presença, muitas vezes visualizada como uma força feminina, complementa a intensidade de Samael, criando um equilíbrio perfeito entre força e suavidade. Juntos, eles formam uma unidade harmoniosa que facilita o exercício da justiça com equidade e compaixão.

A influência de Samael não se limita ao reino divino. Na Terra, ele é uma fonte constante de força e coragem para aqueles que o invocam. Seja em momentos de crise pessoal ou em batalhas espirituais, a presença de Samael é sentida como uma força poderosa que inspira determinação e bravura. Ele é invocado por aqueles que enfrentam desafios imensos, tanto físicos quanto espirituais, e sua força pode transformar situações desesperadoras em oportunidades de crescimento e renovação.

Samael também possui uma conexão profunda com os elementos da natureza, particularmente com o fogo, que simboliza tanto destruição quanto purificação. Este elemento é um reflexo de sua própria natureza, pois ele é capaz de destruir o que é corrupto e impuro, ao mesmo tempo em que traz luz e renovação. O fogo de Samael é uma força transformadora, queima as impurezas e deixa para trás um solo fértil para novos começos.

A liderança de Samael no reino divino é marcada por sua coragem inabalável e sua capacidade de enfrentar o mal de frente. Ele é muitas vezes representado em obras de arte e literatura como um guerreiro divino, brandindo sua espada flamejante contra as forças das trevas. Sua presença é um símbolo de força e proteção, e sua imagem inspira confiança e coragem nos corações dos fiéis. Samael é uma entidade central nas tradições angelicais, uma entidade cuja força e coragem são reverenciadas e invocadas por aqueles que buscam proteção e justiça em um mundo muitas vezes marcado pelo caos e pela iniquidade.

A associação de Samael com os anjos da guarda é especialmente significativa na vida cotidiana dos seres humanos. Cada pessoa tem um anjo da guarda designado para protegê-la e guiá-la, e Samael trabalha em estreita colaboração com esses anjos pessoais, amplificando sua influência e eficácia. Quando uma pessoa invoca Samael, ele não apenas responde diretamente, mas também fortalece o anjo da guarda daquela pessoa, proporcionando uma camada adicional de proteção e orientação.

Os anjos da guarda sob a liderança de Samael são capazes de atuar com maior força e clareza. Eles recebem força adicional para proteger seus protegidos contra perigos iminentes e para guiá-los em momentos de incerteza. Essa colaboração harmoniosa entre Samael e os anjos da guarda cria um campo de proteção robusto ao redor de cada indivíduo, assegurando que estejam sempre amparados e guiados em suas jornadas. A força de Samael não é apenas física, mas também espiritual, fornecendo um escudo contra influências negativas e fortalecendo a resiliência interior de quem o invoca.

Para fortalecer essa conexão com Samael, é essencial entender e praticar certos rituais e orações específicas. Invocar Samael pode ser feito de várias maneiras, desde simples preces até rituais mais elaborados. Um dos métodos mais comuns é acender uma vela vermelha ou preta, cores tradicionalmente associadas a Samael, enquanto se faz uma oração pedindo sua proteção e orientação. Visualizar a presença de Samael com sua espada flamejante e seu escudo protetor pode ajudar a intensificar essa conexão, criando uma sensação tangível de segurança e apoio.

Outra prática útil é carregar ou usar símbolos associados a Samael, como pingentes de espada ou imagens dele em medalhas. Esses itens servem como lembretes físicos da presença protetora de Samael e podem ajudar a fortalecer a fé e a confiança na sua proteção. Meditações guiadas focadas em Samael também são uma excelente maneira de sintonizar-se com sua força, permitindo uma conexão mais profunda e pessoal. Durante essas meditações, visualize Samael em toda a sua glória divina, envolto em chamas purificadoras, com uma expressão de determinação e compaixão em seu rosto.

Além disso, a recitação de orações tradicionais dedicadas a Samael, como a "Oração ao Anjo Samael," pode ser uma maneira poderosa de invocar sua presença. Essas orações, que remontam a séculos de devoção, carregam uma força acumulada de fé e reverência que pode ser sentida ao serem recitadas com intenção e coração aberto. A repetição dessas orações cria uma ressonância espiritual que atrai a força protetora de Samael, formando um vínculo mais profundo com ele.

Incorporar cristais e pedras associadas pode amplificar a conexão. A pedra associada a Samael é a hematita, conhecida por suas propriedades de proteção e aterramento. Manter uma hematita em seu espaço de meditação ou carregá-la com você pode ajudar a manter uma conexão constante com o anjo. Outros cristais, como a obsidiana e a turmalina negra, também são eficazes para proteção e podem ser usados em conjunto com as práticas devocionais a Samael. Esses cristais servem como âncoras energéticas, canalizando a força e a coragem de Samael para aqueles que os utilizam.

A música é outro meio eficaz de conexão espiritual. Cantar ou ouvir hinos e músicas devocionais dedicadas a Samael pode elevar sua vibração e facilitar a conexão com sua força. Existem muitas músicas e cânticos disponíveis que louvam Samael e invocam sua proteção e força. Participar de serviços religiosos ou eventos onde esses hinos são cantados pode ser uma experiência profundamente enriquecedora, fortalecendo a conexão espiritual e emocional com este poderoso anjo.

Incorporar essas práticas na sua rotina diária ou semanal pode fortalecer significativamente sua conexão com Samael. Considere estabelecer um horário regular para suas meditações e orações, seja no início ou no final do dia. Esse hábito ajudará a criar uma rotina espiritual sólida, permitindo uma conexão mais profunda e constante com Samael. A disciplina espiritual, aliada à devoção sincera, cria um ambiente propício para a manifestação da proteção e orientação de Samael em sua vida.

Além das práticas devocionais, a expressão de gratidão é fundamental para fortalecer a conexão com Samael. Agradecer por sua proteção e orientação não só reforça a relação espiritual, mas também abre caminho para uma conexão mais profunda. Seja por meio de orações, oferendas ou simplesmente falando mentalmente com Samael, expressar gratidão é uma prática poderosa que fortalece seu vínculo com este anjo poderoso. A gratidão eleva a vibração espiritual e sintoniza a pessoa com a força de Samael, criando um ciclo contínuo de proteção e apoio.

Samael também responde a ações justas e corajosas. Ao agir com integridade e defender a justiça em sua própria vida, você sintoniza naturalmente com a força de Samael, criando uma ressonância que atrai sua proteção e apoio. Viver segundo os princípios que Samael representa não só fortalece sua conexão com ele, mas também enriquece sua própria vida espiritual. A prática de atos de coragem e justiça diária é uma forma de honrar Samael e atrair sua presença protetora.

Participar de grupos de oração ou comunidades espirituais que compartilham uma devoção a Samael pode ser muito útil. Esses grupos oferecem apoio, inspiração e um senso de comunidade. Compartilhar suas experiências e práticas com outros devotos pode enriquecer sua própria jornada espiritual e proporcionar novas perspectivas sobre como honrar e se conectar com Samael. Encontros regulares com outros devotos permitem a troca de conhecimentos e a criação de uma rede de apoio espiritual que fortalece a todos os envolvidos.

Rituais sazonais e festivais dedicados a Samael, como o Dia de São Samael em 28 de outubro, oferecem oportunidades adicionais para fortalecer sua devoção. Participar de missas, serviços religiosos ou eventos comemorativos neste dia pode ser uma experiência espiritualmente edificante. Durante essas celebrações, muitas pessoas renovam suas orações e compromissos com Samael, pedindo sua proteção contínua para o próximo ano. Essas ocasiões são momentos de renovação espiritual, onde a força coletiva dos devotos cria um ambiente poderoso de conexão com Samael.

Outro meio poderoso de fortalecer a conexão com Samael é através da prática de atos de força e coragem em seu nome. Samael é o anjo da força e da coragem, e atuar de acordo com esses princípios em sua vida diária é uma forma de honrá-lo. Defender os oprimidos, agir com integridade e buscar a justiça em suas interações cotidianas são maneiras práticas de refletir a força de Samael em sua vida. Esses atos de bravura e justiça não apenas fortalecem sua conexão com Samael, mas também promovem um ambiente de proteção e equilíbrio ao seu redor.

Além das práticas religiosas e espirituais, a literatura e os estudos sobre Samael podem oferecer uma compreensão mais profunda de seu papel e relevância. Ler livros, artigos e textos sagrados que discutem a história, os atributos e as intervenções de Samael pode ampliar sua compreensão e apreciação por ele. Conhecimento e aprendizado contínuos são formas de honrar sua presença e fortalecer sua devoção. Estudar sobre Samael permite que os devotos se conectem com ele em um nível mais intelectual e espiritual, proporcionando insights valiosos sobre como melhor invocar e trabalhar com sua força.

Para aqueles que sentem uma conexão especialmente forte com Samael, considerações sobre a consagração pessoal a ele podem ser apropriadas. Esta consagração pode ser formalizada por meio de uma oração ou cerimônia pessoal, onde você dedica sua vida e ações à força e coragem de Samael. Esse compromisso pode ser renovado anualmente ou em momentos de necessidade, reforçando sua devoção e conexão espiritual. A consagração pessoal é um ato de devoção profunda que reconhece a relevância de Samael em sua vida espiritual e busca sua orientação contínua.

Samael é uma fonte constante de força e coragem, guiando e protegendo aqueles que buscam sua ajuda. Sua presença é um lembrete de que, não importa quão grandes sejam os desafios, a força e a coragem divinas sempre prevalecerão. Ao integrar as práticas e rituais descritos neste capítulo, você pode fortalecer sua conexão com Samael e trazer mais proteção e determinação para sua vida. A força de Samael é uma força transformadora que inspira aqueles que a invocam a enfrentar os desafios com coragem e resiliência, garantindo que a justiça e a ordem divina prevaleçam sempre.

A presença de Samael na vida dos seres humanos pode ser sentida de várias maneiras, especialmente durante momentos de adversidade. Ele é muitas vezes invocado em situações de crise, onde a força e a coragem são necessárias para superar obstáculos aparentemente insuperáveis. Sua força pode ser especialmente útil em tempos de grande estresse ou perigo, proporcionando uma sensação de segurança e apoio que permite às pessoas enfrentarem desafios com maior confiança e determinação.

Samael também desempenha um papel crucial na batalha contra forças negativas e influências malignas. Ele é visto como um guerreiro espiritual, capaz de dissipar a escuridão e proteger os seres humanos de ataques espirituais. Sua espada flamejante não é apenas um símbolo de destruição, mas também de proteção e purificação. Quando invocado, Samael pode criar um escudo de força ao redor da pessoa, protegendo-a de qualquer mal que possa tentar penetrar suas defesas espirituais.

Para aqueles que buscam desenvolver uma conexão mais profunda com Samael, é importante manter uma prática espiritual regular. A meditação diária, acompanhada de visualizações de Samael em sua forma divino, pode ajudar a fortalecer essa conexão. Durante a meditação, imagine Samael de pé ao seu lado, com sua espada flamejante e seu escudo protetor, irradiando uma força de força e coragem. Permita-se sentir essa força penetrar em seu ser, trazendo uma sensação de poder e resiliência.

Outra prática eficaz é a criação de um espaço sagrado dedicado a Samael em sua casa. Este espaço pode incluir velas vermelhas ou pretas, cristais como hematita e turmalina negra, e imagens ou estátuas de Samael. Passar tempo nesse espaço oferecendo orações e meditações pode ajudar a manter uma conexão constante com sua força. Este altar serve como um ponto focal para suas práticas devocionais, criando um ambiente onde a presença de Samael é sempre sentida.

Além disso, incorporar ações práticas que refletem os princípios de Samael em sua vida cotidiana é uma maneira poderosa de fortalecer essa conexão. A coragem pode ser demonstrada de muitas formas, desde enfrentar medos pessoais até defender aqueles que são vulneráveis. Cada ato de bravura e justiça ressoa com a força de Samael, criando um vínculo mais forte entre você e ele. Ao agir com integridade e defender a verdade, você não apenas honra Samael, mas também atrai sua proteção e apoio contínuos.

Samael também pode ser invocado para superar desafios internos, como medos e inseguranças. Sua força é uma fonte de coragem interior, que pode ajudar a transformar dúvidas em convicção e hesitação em ação decisiva. Para invocar Samael nesses momentos, uma prática simples é repetir uma afirmação ou mantra que invoque sua presença e força. Frases como "Samael, fortaleça-me" ou "Samael, proteja-me" podem ser repetidas durante a meditação ou em momentos de necessidade.

Participar de cerimônias e rituais que honram Samael é outra forma eficaz de fortalecer sua conexão com ele. Rituais sazonais, como o Dia de São Samael, oferecem uma oportunidade para renovar sua devoção e pedir sua proteção contínua. Durante essas cerimônias, muitas pessoas realizam rituais específicos, como acender velas, recitar orações e realizar oferendas, todas destinadas a invocar a presença de Samael e agradecer por sua proteção e orientação.

A literatura e os textos sagrados que discutem Samael também podem proporcionar uma compreensão mais profunda de seu papel e relevância. Ler sobre suas interações com outros anjos e suas missões ao longo da história divino pode oferecer insights valiosos sobre como melhor se conectar com ele. Além disso, estudar as tradições e os ensinamentos relacionados a Samael pode ajudar a aprofundar seu entendimento e apreciação por este poderoso anjo.

Para aqueles que sentem uma conexão especialmente forte com Samael, consagrações pessoais podem ser uma prática significativa. Dedicar sua vida e ações à força e coragem de Samael pode ser formalizado por meio de uma oração ou cerimônia pessoal. Este ato de consagração pode ser renovado anualmente ou em momentos de grande necessidade, reforçando sua devoção e ligação espiritual com Samael. A consagração é um compromisso profundo que reconhece a relevância de Samael em sua vida e busca sua orientação contínua.

Samael é uma fonte constante de força e coragem, guiando e protegendo aqueles que buscam sua ajuda. Sua presença é um lembrete de que, não importa quão grandes sejam os desafios, a força e a coragem divinas sempre prevalecerão. Ao integrar as práticas e rituais descritos neste capítulo, você pode fortalecer sua conexão com Samael e trazer mais proteção e determinação para sua vida. A força de Samael é uma força transformadora que inspira aqueles que a invocam a enfrentar os desafios com coragem e resiliência, garantindo que a justiça e a ordem divina prevaleçam sempre.

Para aqueles que buscam fortalecer ainda mais sua conexão com Samael, é importante lembrar que a devoção contínua e a prática regular são essenciais. A presença de Samael pode ser sentida de maneira mais intensa quando se cria um espaço dedicado ao seu culto e se dedica tempo diariamente para a meditação e oração. Este compromisso diário cria uma base sólida para uma relação espiritual profunda e significativa.

Samael, sendo o anjo da força e da coragem, é muitas vezes associado a desafios e batalhas espirituais. Quando se enfrenta adversidades, invocar Samael pode proporcionar a força necessária para superar os obstáculos. Ele é um defensor dos justos e um guerreiro contra as trevas, oferecendo proteção e apoio aos que lutam contra injustiças. A visualização de Samael em meditação pode ser uma prática poderosa: imagine-o ao seu lado, com sua espada flamejante, irradiando uma luz poderosa que repele todas as formas de negatividade e maldade.

Uma prática útil é manter um diário espiritual dedicado a Samael. Anotar suas experiências, orações e percepções pode ajudar a aprofundar sua conexão com ele. Este diário serve como um registro de seu crescimento espiritual e das maneiras pelas quais Samael tem influenciado sua vida. Revisitar essas anotações pode ser uma fonte de inspiração e força, especialmente em tempos de dificuldade.

Para aqueles que desejam se envolver mais profundamente com a força de Samael, realizar rituais de limpeza e purificação pode ser muito benéfico. O fogo, sendo um dos elementos associados a Samael, pode ser utilizado nesses rituais. Acender velas, queimar ervas ou incenso, e usar cristais como a hematita podem ajudar a limpar forças negativas e fortalecer a proteção ao seu redor. Esses rituais não apenas purificam o ambiente, mas também sintonizam sua própria força com a de Samael.

Além das práticas individuais, participar de retiros ou encontros espirituais focados em Samael pode proporcionar uma experiência coletiva poderosa. Compartilhar práticas e experiências com outros devotos pode fortalecer sua própria prática e proporcionar novas perspectivas sobre como se conectar com Samael. Esses encontros são oportunidades para aprender mais sobre as tradições associadas a Samael e para se engajar em práticas devocionais em grupo.

A gratidão é um componente fundamental na relação com Samael. Expressar gratidão por sua proteção e orientação é essencial para fortalecer essa conexão. Isso pode ser feito de várias maneiras, incluindo orações de agradecimento, oferendas e atos de caridade em seu nome. A gratidão cria uma força positiva que atrai ainda mais a presença protetora de Samael em sua vida.

Incorporar símbolos de Samael em sua vida diária é outra maneira eficaz de manter sua conexão com ele. Usar joias ou amuletos com símbolos de Samael, decorar seu espaço de meditação com imagens ou estátuas dele, ou até mesmo carregar pequenos objetos que representem sua força, como cristais ou pedras, pode ajudar a manter sua presença constante. Esses símbolos servem como lembretes tangíveis de sua proteção e força.

A importante lembrar que a força e a coragem que Samael oferece não são apenas para momentos de crise. Ele também pode ser invocado para desenvolver a resiliência e a determinação necessárias para enfrentar os desafios diários da vida. A força de Samael pode ajudar a cultivar uma mentalidade forte e corajosa, permitindo que você aborde cada dia com confiança e propósito.

A prática de atos de bondade e justiça é uma maneira prática de honrar Samael. Defenda aqueles que não podem se defender, aja com integridade em todas as suas interações e busque sempre a verdade e a justiça. Esses atos ressoam com a força de Samael e atraem sua presença protetora.

Samael é uma entidade poderosa e essencial no panteão angelical. Sua força e coragem são qualidades que todos podemos cultivar em nossas próprias vidas. Ao seguir as práticas descritas neste capítulo, você pode desenvolver uma conexão profunda e significativa com Samael, permitindo que sua força protetora e inspiradora guie e fortaleça sua jornada espiritual. A presença de Samael é um lembrete constante de que, com coragem e força, podemos superar qualquer desafio e viver segundo os princípios divinos de justiça e verdade.

Oração ao Anjo Samael

"Anjo Samael, guardião da força e da coragem, peço tua proteção em momentos de desafio. Que tua espada flamejante corte as trevas que cercam minha vida e que tua força divina me encha de coragem. Defenda me contra os perigos e guie-me com tua luz, para que eu possa enfrentar meus medos e superar todos os obstáculos. Abençoa-me com tua presença e concede-me a determinação necessária para seguir adiante com fé e confiança. Amém."

Capítulo 6
Raguel
Anjo da Harmonia e da Justiça

Raguel, o Anjo da Harmonia e da Justiça, desempenha um papel vital no pantcão angelical. Ele é uma entidade central para manter o equilíbrio e a ordem divina no cosmos. Seu nome, que significa "Amigo de Deus", reflete sua missão de promover a harmonia divino e assegurar que a justiça prevaleça em todas as esferas.

Raguel foi criado a partir da essência pura da luz divina, imbuído de uma força que emana serenidade e justiça. Desde sua criação, ele possui uma percepção aguçada para detectar qualquer forma de injustiça ou desarmonia. Ele é muitas vezes representado com uma balança e uma espada, símbolos de sua capacidade de pesar as ações e pensamentos humanos, promovendo a equidade e corrigindo os desequilíbrios.

A presença de Raguel é uma constante no equilíbrio das forças universais. Ele trabalha incansavelmente para restaurar a ordem onde quer que haja caos, garantindo que a harmonia divina prevaleça. Suas ações são guiadas por uma sabedoria profunda e um compromisso inabalável com a justiça. Ele é um defensor daqueles que buscam equidade e harmonia em suas vidas, proporcionando orientação e assistência nos momentos de conflito e desequilíbrio.

Os fractais de alma de Raguel são manifestações de sua essência divina, desdobrando-se em várias formas e funções. Cada fractal carrega um fragmento de sua força harmonizadora, operando em diferentes planos e dimensões para assegurar que sua influência alcance todos os cantos do universo. Esses fractais atuam como emissários de harmonia e justiça, trabalhando incansavelmente para restaurar a ordem onde quer que sejam necessários.

A liderança de Raguel no reino divino é marcada por sua sabedoria e capacidade de restaurar a ordem divina. Ele é muitas vezes representado em obras de arte e literatura como um anjo sereno e justo, equilibrando a balança e empunhando sua espada contra as forças da desarmonia. Sua presença é um símbolo de justiça e harmonia, e sua imagem inspira confiança e esperança nos corações dos fiéis.

Raguel também desempenha um papel crucial na vida dos seres humanos, oferecendo assistência e orientação em momentos de conflito e desequilíbrio. Ele é invocado por aqueles que buscam justiça e harmonia em suas vidas e em suas comunidades. Sua presença é sentida como uma força calmante que traz paz e equilíbrio, especialmente em tempos de tumulto e injustiça.

Integrar práticas que fortaleçam a conexão com Raguel pode ser extremamente benéfico. Meditação e oração são métodos poderosos para invocar sua presença. Visualizar uma luz dourada e serena envolvendo seu ser pode ajudar a sintonizar-se com a força harmonizadora de Raguel. Pedir sua orientação em momentos de conflito ou desarmonia pode trazer uma sensação de paz e clareza, ajudando a resolver situações de maneira justa e equilibrada.

Além disso, criar um espaço sagrado em sua casa dedicado a Raguel pode ser uma prática eficaz. Este espaço pode incluir uma imagem ou símbolo de Raguel, velas brancas ou douradas, e cristais que representem harmonia e justiça, como quartzo transparente ou ametista. Passar tempo nesse espaço, oferecendo orações e meditações, pode ajudar a manter uma conexão constante com a força de Raguel.

Praticar atos de justiça e harmonia em sua vida diária é outra forma poderosa de honrar Raguel. Defender os direitos dos outros, promover a justiça e agir com integridade são maneiras práticas de refletir a força de Raguel em sua vida. Cada ato de bondade e equidade ressoa com sua força, fortalecendo sua conexão com ele e trazendo mais harmonia para sua vida e para o mundo ao seu redor.

Raguel é uma fonte constante de harmonia e justiça, guiando e protegendo aqueles que buscam sua ajuda. Sua presença é um lembrete de que, não importa quão grandes sejam os desafios, a harmonia e a justiça divinas sempre prevalecerão. Ao integrar as práticas e rituais descritos neste capítulo, você pode fortalecer sua conexão com Raguel e trazer mais equilíbrio e equidade para sua vida.

A colaboração de Raguel com os anjos da guarda é especialmente significativa na vida cotidiana dos seres humanos. Cada pessoa tem um anjo da guarda designado para protegê-la e guiá-la, e Raguel trabalha em estreita colaboração com esses anjos pessoais, amplificando sua influência e eficácia. Quando uma pessoa invoca Raguel, ele não apenas responde diretamente, mas também fortalece o anjo da guarda daquela pessoa, proporcionando uma camada adicional de harmonia e justiça.

Os anjos da guarda sob a liderança de Raguel são capazes de atuar com maior clareza e propósito. Eles recebem força adicional para guiar seus protegidos em momentos de incerteza e para trazer paz e equilíbrio a situações conflitantes. Essa colaboração harmoniosa entre Raguel e os anjos da guarda cria um campo de força positiva ao redor de cada indivíduo, assegurando que estejam sempre amparados e guiados em suas jornadas.

Para fortalecer essa conexão com Raguel, é essencial entender e praticar certos rituais e orações específicas. Invocar Raguel pode ser feito de várias maneiras, desde simples preces até rituais mais elaborados. Um dos métodos mais comuns é acender uma vela branca ou azul, cores tradicionalmente associadas a Raguel, enquanto se faz uma oração pedindo sua harmonia e justiça. Visualizar a presença de Raguel com sua balança equilibrada e sua espada de luz pode ajudar a intensificar essa conexão, criando uma sensação tangível de equilíbrio e justiça.

Outra prática útil é carregar ou usar símbolos associados a Raguel, como pingentes de balança ou imagens dele em medalhas. Esses itens servem como lembretes físicos da presença harmonizadora de Raguel e podem ajudar a fortalecer a fé e a confiança na sua proteção. Meditações guiadas focadas em Raguel também são uma excelente maneira de sintonizar-se com sua força, permitindo uma conexão mais profunda e pessoal.

Além disso, a recitação de orações tradicionais dedicadas a Raguel, como a "Oração ao Anjo Raguel", pode ser uma maneira poderosa de invocar sua presença. Essas orações, que remontam a séculos de devoção, carregam uma força acumulada de fé e reverência que pode ser sentida ao serem recitadas com intenção e coração aberto.

Incorporar cristais e pedras associadas a Raguel pode amplificar a conexão. A ametista é uma pedra particularmente eficaz para esse propósito, pois suas propriedades de clareza mental e equilíbrio ajudam a canalizar a presença de Raguel. Manter uma ametista em seu espaço de meditação ou carregá-la com você pode ajudar a manter uma conexão constante com Raguel. Outros cristais, como a turmalina e o quartzo rosa, também são eficazes para promover a harmonia e a justiça e podem ser usados em conjunto com as práticas devocionais a Raguel.

A música é outro meio eficaz de conexão espiritual. Cantar ou ouvir hinos e músicas devocionais dedicadas a Raguel pode elevar sua vibração e facilitar a conexão com sua força. Existem muitas músicas e cânticos disponíveis que louvam Raguel e invocam sua harmonia e justiça. Participar de serviços religiosos ou eventos onde esses hinos são cantados pode ser uma experiência profundamente enriquecedora.

Para aqueles que preferem uma abordagem mais prática, atos de justiça e harmonia em sua própria vida podem fortalecer sua conexão com Raguel. Voluntariar-se para ajudar os outros a encontrar equilíbrio e justiça, defender os oprimidos e agir com integridade e compaixão são maneiras de honrar Raguel através de suas ações. Cada ato de bondade e justiça ressoa com a força de Raguel, criando uma conexão mais profunda com ele.

A criação de um espaço sagrado dedicado a Raguel em sua casa pode servir como um ponto focal para suas práticas devocionais. Este espaço pode incluir uma imagem ou estátua de Raguel, velas, cristais e outros símbolos sagrados. Passar tempo neste espaço, oferecendo orações e meditações, pode ajudar a manter uma conexão constante com sua força.

Participar de grupos de oração ou comunidades espirituais que compartilham uma devoção a Raguel também pode ser muito útil. Esses grupos oferecem apoio, inspiração e um senso de comunidade. Compartilhar suas experiências e práticas com outros devotos pode enriquecer sua própria jornada espiritual e proporcionar novas perspectivas sobre como honrar e se conectar com Raguel.

Rituais sazonais e festivais dedicados a Raguel, como o Dia de São Raguel em 29 de setembro, oferecem oportunidades adicionais para fortalecer sua devoção. Participar de missas, serviços religiosos ou eventos comemorativos nesses dias pode ser uma experiência espiritualmente edificante. Durante essas celebrações, muitas pessoas renovam suas orações e compromissos com Raguel, pedindo sua harmonia contínua e justiça para o próximo ano.

Outro meio poderoso de fortalecer a conexão com Raguel é através da prática de atos de harmonia e justiça em seu nome. Raguel é o anjo da equidade e da serenidade, e atuar de acordo com esses princípios em sua vida diária é uma forma de honrá-lo. Defender a verdade, comunicar com clareza e inspirar paz em suas interações cotidianas são maneiras práticas de refletir a força de Raguel em sua vida. Cada ato de bondade e justiça contribui para a criação de um ambiente mais harmonioso ao seu redor.

A reflexão e a gratidão devem ser partes integrantes de sua prática espiritual com Raguel. Reservar um tempo para refletir sobre as bênçãos e a harmonia recebidas pode ajudar a cultivar um senso profundo de gratidão. Expressar essa gratidão, seja por meio de orações, oferendas ou simplesmente falando com Raguel em seus momentos de silêncio, é uma prática poderosa que fortalece o vínculo entre você e este anjo divino.

Para aqueles que sentem uma conexão especialmente forte com Raguel, considerações sobre a consagração pessoal a ele podem ser apropriadas. Esta consagração pode ser formalizada por meio de uma oração ou cerimônia pessoal, onde você dedica sua vida e ações à promoção da harmonia e justiça de Raguel. Esse compromisso pode ser renovado anualmente ou em momentos de necessidade, reforçando sua devoção e conexão espiritual.

Raguel é uma fonte constante de harmonia e justiça, guiando e protegendo aqueles que buscam sua ajuda. Sua presença é um lembrete de que, não importa quão grandes sejam os desafios, a harmonia e a justiça divinas sempre prevalecerão. Ao integrar as práticas e rituais descritos neste capítulo, você pode fortalecer sua conexão com Raguel e trazer mais equilíbrio e equidade para sua vida.

A associação de Raguel com outros arcanjos, como Miguel, Rafael e Gabriel, também é significativa. Juntos, eles formam uma equipe poderosa de seres celestiais que trabalham em conjunto para manter a ordem e a harmonia no universo. Cada um deles tem um papel único, mas suas missões estão interligadas, criando uma rede de apoio e proteção para a humanidade.

Por exemplo, Raguel e Miguel muitas vezes colaboram para combater as forças da injustiça e desarmonia. Enquanto Miguel, o arcanjo da proteção, lidera os exércitos celestiais na batalha contra o mal, Raguel trabalha para restaurar a justiça e a ordem onde quer que essas forças sejam derrotadas. Essa colaboração garante que a justiça divina prevaleça e que a paz seja restaurada após o conflito.

Rafael, o arcanjo da cura, também trabalha em estreita colaboração com Raguel. Enquanto Rafael oferece cura e consolo aos feridos e necessitados, Raguel assegura que a justiça seja feita e que a harmonia seja mantida. Juntos, eles formam uma parceria poderosa que garante que a cura e a justiça caminhem lado a lado, promovendo o bem-estar físico, emocional e espiritual dos seres humanos.

Gabriel, o arcanjo da revelação, complementa o trabalho de Raguel ao trazer clareza e verdade às situações de desarmonia. A revelação de Gabriel muitas vezes ilumina as causas subjacentes dos conflitos e injustiças, permitindo que Raguel aja de maneira mais eficaz para restaurar a harmonia e a justiça. Essa colaboração harmoniosa entre Gabriel e Raguel assegura que a verdade sempre prevaleça e que a justiça seja feita de maneira justa e equitativa.

Essas colaborações entre os arcanjos são essenciais para manter o equilíbrio e a harmonia no universo. Juntos, eles formam uma rede de apoio divino que trabalha incansavelmente para proteger, curar e guiar a humanidade. Invocar a ajuda de Raguel e dos outros arcanjos pode trazer uma sensação de paz e segurança, sabendo que você está sendo apoiado por seres poderosos e benevolentes.

Integrar essas práticas e colaborações em sua vida espiritual pode fortalecer sua conexão com Raguel e os outros arcanjos, trazendo mais harmonia, justiça e equilíbrio para sua vida. Ao cultivar essa conexão, você pode se sentir mais amparado e guiado em sua jornada espiritual, sabendo que está sendo protegido e apoiado por uma rede de seres celestiais dedicados ao seu bem-estar.

Para aprofundar ainda mais a conexão com Raguel, é útil compreender os aspectos históricos e culturais que moldaram a percepção deste anjo ao longo dos séculos. Raguel é mencionado em vários textos religiosos e esotéricos, onde é muitas vezes descrito como um anjo que desempenha um papel fundamental na manutenção da ordem divina.

Na tradição judaico-cristã, Raguel é muitas vezes associado à supervisão dos outros anjos, garantindo que eles cumpram suas funções de maneira harmoniosa e justa. Em textos apócrifos como o Livro de Enoque, Raguel é descrito como um anjo da vigilância, encarregado de punir os anjos que transgridem as leis divinas. Essa função reforça seu papel como guardião da justiça e da ordem divino.

Além disso, Raguel também é venerado em algumas tradições esotéricas e ocultistas. Em rituais de magia cerimonial, sua força é invocada para restaurar o equilíbrio e a harmonia, especialmente em situações de conflito e desordem. Ele é visto como um mediador imparcial que pode trazer justiça e equidade a qualquer situação.

Os devotos de Raguel muitas vezes relatam experiências de profunda paz e equilíbrio ao invocarem sua presença. Sua força serena e justa é sentida como uma força calmante que dissolve conflitos e promove a reconciliação. Muitas pessoas afirmam que, ao pedir a ajuda de Raguel, conseguem encontrar soluções justas e harmoniosas para problemas complexos.

Incorporar a força de Raguel em sua vida pode envolver a prática de meditação regular. Uma meditação eficaz para se conectar com Raguel pode começar com a criação de um ambiente tranquilo, onde você não será interrompido. Sente-se ou deite-se confortavelmente e feche os olhos. Respire profundamente algumas vezes, permitindo que sua mente e corpo se acalmem.

Visualize uma luz branca e brilhante descendo do alto e envolvendo todo o seu ser. Sinta essa luz preenchendo você com uma sensação de paz e equilíbrio. Imagine Raguel aparecendo diante de você, segurando uma balança e uma espada. Sinta sua presença como uma força serena que traz harmonia e justiça. Enquanto mantém essa visualização, repita mentalmente ou em voz alta: "Raguel, anjo da harmonia e da justiça, guie-me e proteja-me com sua luz serena e justa."

Permaneça nesta visualização pelo tempo que achar necessário, absorvendo a força harmonizadora de Raguel. Quando estiver pronto, agradeça a Raguel por sua presença e lentamente retorne sua consciência ao ambiente ao seu redor. Abra os olhos e sinta-se revigorado e equilibrado pela força de Raguel.

Além das práticas meditativas, a criação de um altar dedicado a Raguel pode servir como um ponto focal para suas orações e meditações. Este altar pode incluir uma imagem ou estátua de Raguel, velas brancas ou azuis, cristais como ametista e quartzo, e outros símbolos de harmonia e justiça. Passar tempo nesse espaço, oferecendo orações e meditações, pode ajudar a manter uma conexão constante com a força de Raguel.

Participar de grupos espirituais que compartilham uma devoção a Raguel pode ser extremamente enriquecedor. Esses grupos oferecem apoio, inspiração e uma sensação de comunidade. Compartilhar suas experiências e práticas com outros devotos pode enriquecer sua própria jornada espiritual e proporcionar novas perspectivas sobre como honrar e se conectar com Raguel.

A prática de atos de bondade e justiça em sua vida diária é uma maneira poderosa de refletir a força de Raguel. Cada ato de gentileza, cada decisão justa e cada esforço para promover a harmonia ressoa com a força de Raguel, fortalecendo sua conexão com ele e contribuindo para a criação de um mundo mais equilibrado e justo.

Raguel é uma fonte constante de harmonia e justiça, guiando e protegendo aqueles que buscam sua ajuda. Sua presença é um lembrete de que a justiça e a harmonia divinas sempre prevalecerão. Ao integrar as práticas e rituais descritos neste capítulo, você pode fortalecer sua conexão com Raguel e trazer mais equilíbrio e equidade para sua vida e para o mundo ao seu redor.

Raguel também tem um papel importante na harmonização dos relacionamentos. Sua presença pode ser invocada para resolver conflitos interpessoais e para promover a compreensão mútua e a cooperação. Quando os relacionamentos enfrentam desafios, pedir a ajuda de Raguel pode trazer uma força calmante que facilita a comunicação aberta e honesta, ajudando as partes envolvidas a encontrar soluções justas e harmoniosas.

Para aqueles que buscam melhorar seus relacionamentos, seja no ambiente familiar, no trabalho ou nas amizades, invocar Raguel pode ser extremamente benéfico. Práticas diárias de meditação e oração podem criar um ambiente propício para a harmonia e a paz. Um exemplo de oração para harmonizar relacionamentos pode ser:

"Amado Anjo Raguel, peço tua presença serena em minha vida. Traga harmonia e paz aos meus relacionamentos. Ajude-me a comunicar com clareza e a ouvir com compaixão. Que tua força equilibradora dissolva qualquer desentendimento e promova a união e a cooperação. Obrigado, Raguel, por tua guia e proteção. Amém."

Esta oração, recitada com intenção sincera, pode ajudar a criar um campo de força positiva ao redor dos relacionamentos, facilitando a resolução de conflitos e promovendo a harmonia.

Além de meditações e orações, a prática de visualizações também pode ser eficaz para sintonizar-se com Raguel. Uma visualização simples pode envolver imaginar um espaço de luz branca e serena ao redor de você e da pessoa com quem deseja melhorar o relacionamento. Veja essa luz dissolvendo quaisquer tensões e promovendo uma sensação de paz e compreensão mútua.

Criar um espaço físico dedicado à harmonia e à justiça em seu ambiente doméstico ou de trabalho pode servir como um lembrete constante da presença de Raguel. Este espaço pode incluir elementos que simbolizem a harmonia, como flores, cristais e velas, e pode ser usado como um local para práticas diárias de meditação e oração.

Participar de atividades comunitárias que promovem a justiça e a equidade é outra maneira prática de honrar Raguel. O voluntariado em organizações que defendem os direitos humanos, ajudam os necessitados ou trabalham para resolver conflitos sociais pode ressoar profundamente com a força de Raguel. Esses atos de serviço não apenas fortalecem sua conexão com Raguel, mas também contribuem para um mundo mais justo e harmonioso.

Raguel também pode ser invocado em momentos de tomada de decisão, especialmente quando essas decisões envolvem questões de justiça e equidade. Pedir sua orientação pode trazer clareza e ajudar a assegurar que suas escolhas sejam justas e equilibradas. Uma simples oração antes de tomar uma decisão importante pode ser:

"Anjo Raguel, guie-me com tua sabedoria e justiça. Ajude-me a ver a verdade e a tomar decisões que promovam a harmonia e a equidade. Que minhas ações reflitam teu espírito de justiça e compaixão. Obrigado, Raguel, por tua luz e guia. Amém."

Além de práticas espirituais e rituais, a leitura de textos sagrados e inspiradores que falam sobre justiça e harmonia pode aprofundar sua compreensão e conexão com Raguel. Esses textos podem oferecer insights valiosos sobre como incorporar esses princípios em sua vida diária.

Raguel é muitas vezes representado como um anjo de paz e equilíbrio, mas sua missão vai além da simples manutenção da ordem. Ele é um agente de transformação, ajudando a trazer à luz a verdade e a promover a justiça em todas as suas formas. Sua presença pode ser um farol de esperança em tempos de incerteza, guiando você em direção a decisões justas e harmoniosas.

Ao cultivar uma relação profunda e sincera com Raguel, você pode se tornar um canal para sua força harmonizadora, promovendo a justiça e a paz em todos os aspectos de sua vida. Esta jornada espiritual não apenas fortalece sua conexão com Raguel, mas também enriquece sua própria vida, trazendo uma sensação de paz e propósito.

Raguel é uma presença constante de harmonia e justiça, sempre pronto para guiar e proteger aqueles que buscam sua ajuda. Ao integrar as práticas e rituais descritos neste capítulo, você pode fortalecer sua conexão com Raguel e trazer mais equilíbrio e equidade para sua vida e para o mundo ao seu redor.

A presença de Raguel é uma força transformadora que pode impactar todas as áreas da vida, desde o pessoal ao coletivo. Ele é especialmente útil em momentos de transição e mudança, quando a incerteza e o desequilíbrio podem ser mais prevalentes. Invocar Raguel durante esses períodos pode trazer um senso de estabilidade e clareza, ajudando a navegar por mudanças com graça e equilíbrio.

Para aqueles que enfrentam desafios importantes, como mudanças de carreira, relocações, ou transições de vida importantes, a força de Raguel pode proporcionar um suporte inestimável. Sua orientação pode ajudar a encontrar um caminho harmonioso e justo, assegurando que as decisões tomadas estejam alinhadas com o bem maior e a justiça divina.

Uma prática eficaz para invocar Raguel durante períodos de transição é a criação de um diário espiritual. Este diário pode ser usado para registrar orações, reflexões e experiências relacionadas à busca de harmonia e justiça. Escrever suas intenções e pedidos para Raguel pode ajudar a clarificar seus pensamentos e sentimentos, proporcionando um canal direto para a comunicação com ele.

Outra maneira de fortalecer a conexão com Raguel é através do uso de mantras e afirmações. Repetir frases como "Estou em harmonia com o universo" ou "A justiça divina guia minhas ações" pode ajudar a alinhar sua mente e espírito com a força de Raguel. Estas afirmações podem ser repetidas durante a meditação, enquanto acende uma vela, ou em momentos de quietude e reflexão.

Raguel também pode ser uma presença poderosa em ambientes comunitários e organizacionais. Líderes e membros de grupos que desejam promover a justiça e a harmonia podem invocar Raguel para guiar suas ações e decisões. Realizar reuniões ou sessões de meditação grupal em honra a Raguel pode ajudar a criar um ambiente de cooperação e equilíbrio, fortalecendo os laços entre os membros do grupo e alinhando suas forças com os princípios de justiça e harmonia.

O uso de símbolos e artefatos associados a Raguel também pode ser benéfico em ambientes comunitários. Pendurar uma imagem ou símbolo de Raguel em um local visível pode servir como um lembrete constante da relevância de manter a justiça e a harmonia em todas as interações. Além disso, distribuir pequenos amuletos ou pingentes de Raguel aos membros do grupo pode ajudar a reforçar essa conexão ao nível pessoal.

A prática de rituais sazonais e celebrações em honra a Raguel é outra forma eficaz de fortalecer sua devoção. Participar de festivais ou cerimônias dedicadas a ele pode proporcionar uma oportunidade para renovar seu compromisso com a justiça e a harmonia, além de criar um senso de comunidade entre os participantes. Estes eventos podem incluir orações, meditações, música, e outras atividades que celebram os princípios que Raguel representa.

Incorporar Raguel em sua prática diária também pode envolver a leitura e o estudo de textos sagrados que enfatizam a justiça e a harmonia. Livros, artigos e outras obras que exploram esses temas podem oferecer insights valiosos e ajudar a aprofundar sua compreensão e conexão com Raguel. Compartilhar esses textos com outros pode também promover um diálogo sobre como implementar esses princípios na vida cotidiana.

Para aqueles que desejam aprofundar ainda mais sua prática espiritual, a criação de um ritual diário em honra a Raguel pode ser extremamente benéfica. Este ritual pode incluir a acender de uma vela, a recitação de uma oração específica, e alguns momentos de meditação silenciosa. Este ritual diário não só fortalece a conexão com Raguel, mas também ajuda a criar um espaço de paz e equilíbrio em sua vida diária.

A prática de atos conscientes de bondade e justiça é uma forma poderosa de honrar Raguel. Cada ato de gentileza e justiça que você realiza ressoa com a força de Raguel, fortalecendo sua conexão com ele e contribuindo para um mundo mais harmonioso. Seja por meio de pequenas ações diárias ou de projetos maiores, cada esforço para promover a justiça e a harmonia faz uma diferença significativa.

Raguel é uma presença constante de harmonia e justiça, sempre pronto para guiar e proteger aqueles que buscam sua ajuda. Ao integrar as práticas e rituais descritos neste capítulo, você pode fortalecer sua conexão com Raguel e trazer mais equilíbrio e equidade para sua vida e para o mundo ao seu redor. Este capítulo deve servir como um guia prático para integrar a força de Raguel em sua vida diária, ajudando você a encontrar paz, justiça e harmonia em todas as suas ações e interações.

Capítulo 7
Haniel
Anjo da Graça e da Beleza

Haniel, o Anjo da Graça e da Beleza, é uma entidade divino de inigualável resplendor c screnidade. Desde sua criação, Haniel foi dotado de um profundo senso de beleza e harmonia, refletindo a perfeição divina em todas as suas ações. Suas asas brilhantes e o halo luminoso que o circundam simbolizam sua conexão com a graça e a beleza divinas, irradiando uma força suave e pacificadora que toca a alma e eleva o espírito daqueles que se conectam com ele.

A história de Haniel começa nos primórdios dos tempos, quando Deus, em sua infinita sabedoria, decidiu manifestar uma presença angelical que pudesse trazer a beleza divina e a harmonia ao universo. Formado da pura essência da luz divino, Haniel personifica a beleza e a graça em sua forma mais pura, tornando-se um guia espiritual para aqueles que buscam equilíbrio e elevação em suas vidas.

A presença de Haniel é muitas vezes invocada em momentos de necessidade, quando a harmonia e a beleza parecem estar ausentes. Ele é reconhecido por trazer paz e serenidade, mesmo nas situações mais caóticas, ajudando a restaurar o equilíbrio e a alegria onde quer que vá. As pessoas que se conectam com Haniel relatam sentir uma sensação de calma profunda e inspiração, como se um peso invisível fosse retirado de seus ombros.

Haniel não trabalha sozinho. Ele é complementado por uma presença angélica que equilibra suas forças de beleza e graça com a força e a compaixão. Esta presença, muitas vezes visualizada como uma força feminina, completa a essência de Haniel, criando uma harmonia perfeita entre a suavidade e a força. Juntos, eles formam uma unidade que irradia beleza e serenidade em todas as dimensões do ser, ajudando aqueles que buscam sua orientação a encontrar paz e equilíbrio em suas vidas.

Os fractais de alma de Haniel são manifestações de sua essência divina, desdobrando-se em várias formas e funções. Cada fractal carrega um fragmento da força graciosa de Haniel, operando em diferentes planos e dimensões para assegurar que sua influência alcance todos os cantos do universo. Esses fractais atuam como emissários de beleza e harmonia, trabalhando incansavelmente para restaurar a paz e a alegria onde quer que sejam necessários.

No mundo humano, Haniel desempenha um papel crucial ao oferecer sua graça e beleza em momentos de necessidade. Ele é invocado por aqueles que buscam harmonia, beleza e elevação espiritual em suas vidas. Sua presença é sentida como uma força suave e inspiradora que traz paz e elevação espiritual, especialmente em tempos de caos e desordem.

A liderança de Haniel no reino divino é marcada por sua serenidade e capacidade de inspirar beleza e harmonia. Ele é um exemplo de como a graça e a beleza podem transformar vidas, trazendo luz e esperança mesmo nas situações mais sombrias. Ao seguir os ensinamentos de Haniel e buscar sua orientação, os seres humanos podem encontrar um caminho de beleza e harmonia, elevando suas almas e encontrando paz em suas jornadas espirituais.

A jornada com Haniel é uma de autodescoberta e transformação. Ao abrir-se para a beleza e a graça que ele oferece, cada indivíduo pode encontrar uma nova perspectiva sobre a vida, vendo o mundo através dos olhos da harmonia divina. Haniel ensina que a verdadeira beleza está na capacidade de ver a perfeição em tudo, de encontrar a paz na desordem e a luz na escuridão.

Essa conexão com Haniel não é apenas uma experiência espiritual, mas um caminho para a transformação pessoal. Ao integrar as práticas e rituais descritos neste capítulo, você pode fortalecer sua conexão com Haniel e trazer mais paz e equilíbrio para sua vida. A beleza e a graça de Haniel são um lembrete constante de que a harmonia divina sempre prevalecerá, independentemente das circunstâncias.

Para fortalecer essa conexão com Haniel, é essencial entender e praticar certos rituais e orações específicas. Invocar Haniel pode ser feito de várias maneiras, desde simples preces até rituais mais elaborados. Um dos métodos mais comuns é acender uma vela rosa ou branca, cores tradicionalmente associadas a Haniel, enquanto se faz uma oração pedindo sua graça e beleza. Visualizar a presença de Haniel com suas asas brilhantes e seu halo luminoso pode ajudar a intensificar essa conexão, criando uma sensação tangível de paz e harmonia.

Outra prática útil é carregar ou usar símbolos associados a Haniel, como pingentes de estrelas ou imagens dele em medalhas. Esses itens servem como lembretes físicos da presença inspiradora de Haniel e podem ajudar a fortalecer a fé e a confiança na sua orientação. Meditações guiadas focadas em Haniel também são uma excelente maneira de sintonizar-se com sua força, permitindo uma conexão mais profunda e pessoal. Durante essas meditações, visualize a luz suave de Haniel preenchendo seu ser, trazendo paz e clareza a sua mente e espírito.

Além disso, a recitação de orações tradicionais dedicadas a Haniel, como a "Oração ao Anjo Haniel", pode ser uma maneira poderosa de invocar sua presença. Essas orações, que remontam a séculos de devoção, carregam uma força acumulada de fé e reverência que pode ser sentida ao serem recitadas com intenção e coração aberto. Essas orações não apenas invocam a presença de Haniel, mas também criam um ambiente de serenidade e paz, onde a graça divina pode ser recebida e compreendida mais profundamente.

Incorporar cristais e pedras associadas a Haniel pode amplificar a conexão. A pedra associada a Haniel é a quartzo rosa, conhecida por suas propriedades de amor e cura emocional. Manter um quartzo rosa em seu espaço de meditação ou carregá-lo com você pode ajudar a manter uma conexão constante com Haniel. Outros cristais, como a ametista e a turmalina rosa, também são eficazes para promover a paz e a harmonia e podem ser usados em conjunto com as práticas devocionais a Haniel.

A música é outro meio eficaz de conexão espiritual. Cantar ou ouvir hinos e músicas devocionais dedicadas a Haniel pode elevar sua vibração e facilitar a conexão com sua força. Existem muitas músicas e cânticos disponíveis que louvam Haniel e invocam sua graça e beleza. Participar de serviços religiosos ou eventos onde esses hinos são cantados pode ser uma experiência profundamente enriquecedora. A música tem o poder de elevar o espírito e abrir o coração para a recepção das bênçãos e da graça de Haniel.

Para aqueles que preferem uma abordagem mais prática, atos de graça e beleza em sua própria vida podem fortalecer sua conexão com Haniel. Oferecer ajuda aos outros, promover a harmonia em suas relações e buscar a beleza em todas as coisas são maneiras de honrar Haniel através de suas ações. Cada ato de bondade e harmonia ressoa com a força de Haniel, criando uma conexão mais profunda com ele. Essas ações práticas não apenas fortalecem a conexão espiritual, mas também promovem um ambiente de paz e serenidade ao redor.

A criação de um espaço sagrado dedicado a Haniel em sua casa pode servir como um ponto focal para suas práticas devocionais. Este espaço pode incluir uma imagem ou estátua de Haniel, velas, cristais e outros símbolos sagrados. Passar tempo neste espaço oferecendo orações e meditações pode ajudar a manter uma conexão constante com sua força. Um altar dedicado a Haniel pode ser um lugar de refúgio e reflexão, onde você pode se conectar com sua graça e receber sua orientação.

Participar de grupos de oração ou comunidades espirituais que compartilham uma devoção a Haniel também pode ser muito útil. Esses grupos oferecem apoio, inspiração e um senso de comunidade. Compartilhar suas experiências e práticas com outros devotos pode enriquecer sua própria jornada espiritual e proporcionar novas perspectivas sobre como honrar e se conectar com Haniel. Essas comunidades podem organizar encontros regulares, estudos de textos sagrados e celebrações que fortalecem a devoção a Haniel.

Rituais sazonais e festivais dedicados a Haniel, como o Dia do Anjo Haniel, oferecem oportunidades adicionais para fortalecer sua devoção. Participar de missas, serviços religiosos ou eventos comemorativos neste dia pode ser uma experiência espiritualmente edificante. Durante essas celebrações, muitas pessoas renovam suas orações e compromissos com Haniel, pedindo sua graça contínua para o próximo ano. Essas ocasiões são momentos de renovação espiritual e celebração da beleza e harmonia que Haniel traz.

Outro meio poderoso de fortalecer a conexão com Haniel é através da prática de atos de graça e beleza em seu nome. Haniel é o anjo da graça e da beleza, e atuar de acordo com esses princípios em sua vida diária é uma forma de honrá-lo. Promover a paz, buscar a harmonia e agir com compaixão em suas interações cotidianas são maneiras práticas de refletir a força de Haniel em sua vida. Viver de acordo com esses princípios não apenas fortalece sua conexão com Haniel, mas também promove um ambiente de paz e harmonia ao seu redor.

A reflexão e a gratidão devem ser partes integrantes de sua prática espiritual com Haniel. Reservar um tempo para refletir sobre a beleza e as bênçãos recebidas pode ajudar a cultivar um senso profundo de gratidão. Expressar essa gratidão, seja por meio de orações, oferendas ou simplesmente falando com Haniel em seus momentos de silêncio, é uma prática poderosa que fortalece o vínculo entre você e este anjo divino. A gratidão abre o coração e a mente para receber ainda mais das bênçãos e da orientação de Haniel.

Para aqueles que sentem uma conexão especialmente forte com Haniel, considerações sobre a consagração pessoal a ele podem ser apropriadas. Esta consagração pode ser formalizada por meio de uma oração ou cerimônia pessoal, onde você dedica sua vida e ações à graça e beleza de Haniel. Esse compromisso pode ser renovado anualmente ou em momentos de necessidade, reforçando sua devoção e conexão espiritual. Consagrar-se a Haniel é um ato de devoção profunda que reconhece sua relevância e seu papel em sua vida espiritual.

Haniel é uma fonte constante de graça e beleza, guiando e protegendo aqueles que buscam sua ajuda. Sua presença é um lembrete de que, não importa quão grandes sejam os desafios, a beleza e a harmonia divinas sempre prevalecerão. Ao integrar as práticas e rituais descritos neste capítulo, você pode fortalecer sua conexão com Haniel e trazer mais paz e equilíbrio para sua vida. A graça de Haniel é um farol que guia os perdidos e ilumina o caminho para aqueles que buscam a beleza e a harmonia em suas vidas.

A oração é um dos meios mais poderosos para se conectar com Haniel. Uma oração específica dedicada a ele pode ser recitada diariamente para manter essa conexão viva e forte. Aqui está um exemplo de oração a Haniel:

"Amado Anjo Haniel,

Que tua graça e beleza encham meu coração e minha alma.

Ajuda-me a ver a beleza em todas as coisas e a encontrar a paz em momentos de caos.

Guia-me com tua luz serena e inspira-me a viver com compaixão e harmonia.

Que tua presença suave traga paz e elevação ao meu espírito,

E que eu possa ser um reflexo de tua beleza divina em todas as minhas ações.

Obrigado, Haniel, por tua orientação e proteção.

Que tua graça esteja sempre comigo.

Amém."

Além das orações, práticas de meditação podem ser extremamente eficazes para se conectar com Haniel. Durante a meditação, visualize a luz suave e serena de Haniel preenchendo seu ser, trazendo paz e clareza. Sinta a presença de Haniel ao seu redor, oferecendo sua proteção e orientação. Esta prática pode ser especialmente útil em momentos de estresse ou quando você precisa de inspiração e clareza.

Incorporar símbolos de Haniel em seu espaço de meditação ou altar pode amplificar essa conexão. Cristais como o quartzo rosa, velas rosa ou brancas e imagens de Haniel são todos elementos que podem ajudar a criar um ambiente propício para a conexão espiritual. Esses símbolos servem como lembretes visuais da presença de Haniel e podem ajudar a manter sua força próxima a você.

Além dos rituais e das meditações, a prática de atos de bondade e compaixão em nome de Haniel pode fortalecer ainda mais sua conexão com este anjo divino. Atos simples, como oferecer ajuda a quem precisa, promover a harmonia em suas relações e espalhar a beleza por meio de pequenos gestos diários, são maneiras práticas de honrar Haniel. Cada ato de bondade e compaixão ressoa com a força de Haniel, criando uma conexão mais profunda e significativa.

Participar de grupos de oração ou comunidades espirituais que compartilham uma devoção a Haniel também pode ser extremamente benéfico. Esses grupos oferecem apoio, inspiração e um senso de comunidade que pode enriquecer sua jornada espiritual. Compartilhar suas experiências e práticas com outros devotos pode proporcionar novas perspectivas sobre como honrar e se conectar com Haniel. Esses encontros podem incluir estudos de textos sagrados, meditações em grupo e celebrações de rituais que fortalecem a devoção a Haniel.

Rituais sazonais e festivais dedicados a Haniel são outras oportunidades para aprofundar sua conexão. Celebrar o Dia do Anjo Haniel com cerimônias especiais, preces coletivas e momentos de reflexão pode ser espiritualmente enriquecedor. Durante essas celebrações, muitos devotos renovam suas orações e compromissos com Haniel, pedindo sua graça contínua para o próximo ano. Essas ocasiões são momentos de renovação espiritual e celebração da beleza e harmonia que Haniel traz ao mundo.

A reflexão e a gratidão são práticas fundamentais na conexão com Haniel. Reservar um tempo para refletir sobre as bênçãos recebidas e expressar gratidão fortalece o vínculo espiritual. Você pode fazer isso por meio de orações, oferendas simbólicas ou simplesmente conversando com Haniel em momentos de silêncio e contemplação. A gratidão abre o coração e a mente para receber ainda mais das bênçãos e da orientação de Haniel, criando um ciclo contínuo de graça e beleza em sua vida.

Para aqueles que sentem uma conexão especialmente forte com Haniel, considerar uma consagração pessoal pode ser apropriado. Esta consagração pode ser formalizada por meio de uma oração ou cerimônia pessoal, onde você dedica sua vida e ações à graça e beleza de Haniel. Esse compromisso pode ser renovado anualmente ou em momentos de necessidade, reforçando sua devoção e conexão espiritual. Consagrar-se a Haniel é um ato de profunda devoção que reconhece sua relevância e seu papel em sua vida espiritual.

Além das práticas espirituais, Haniel também pode ser um guia em aspectos mais práticos da vida cotidiana. Sua força pode inspirar você a criar um ambiente de beleza e harmonia em sua casa e em seu local de trabalho. Decorar seu espaço com elementos que evocam a graça e a serenidade de Haniel, como flores, obras de arte e cores suaves, pode ajudar a criar um ambiente propício para a paz e a inspiração.

A presença de Haniel também pode ser sentida em momentos de criação artística. Seja através da música, da pintura, da escrita ou de qualquer outra forma de expressão criativa, invocar a força de Haniel pode trazer uma nova dimensão de beleza e profundidade ao seu trabalho. Muitos artistas e criativos encontram inspiração ao se conectar com Haniel, descobrindo novas formas de expressar a graça e a beleza que ele personifica.

Haniel é uma fonte constante de graça e beleza, guiando e protegendo aqueles que buscam sua ajuda. Sua presença é um lembrete de que, não importa quão grandes sejam os desafios, a beleza e a harmonia divinas sempre prevalecerão. Ao integrar as práticas e rituais descritos neste capítulo, você pode fortalecer sua conexão com Haniel e trazer mais paz e equilíbrio para sua vida. A graça de Haniel é um farol que guia os perdidos e ilumina o caminho para aqueles que buscam a beleza e a harmonia em suas vidas.

A oração é um dos meios mais poderosos para se conectar com Haniel. Aqui está um exemplo de oração que pode ser recitada diariamente para manter essa conexão viva e forte:

"Amado Anjo Haniel,

Que tua graça e beleza encham meu coração e minha alma.

Ajuda-me a ver a beleza em todas as coisas e a encontrar a paz cm momentos dc caos.

Guia-me com tua luz serena e inspira-me a viver com compaixão e harmonia.

Que tua presença suave traga paz e elevação ao meu espírito,

E que eu possa ser um reflexo de tua beleza divina em todas as minhas ações.

Obrigado, Haniel, por tua orientação e proteção.

Que tua graça esteja sempre comigo.

Amém."

Para muitos, Haniel não é apenas um guia espiritual, mas também um companheiro constante na jornada da vida. A presença dele pode ser sentida de diversas maneiras, seja por meio de uma sensação de paz durante momentos de meditação, seja em um súbito vislumbre de beleza na natureza ou em um ato de bondade inesperado de um estranho. Reconhecer esses momentos como sinais da presença de Haniel pode fortalecer sua conexão com ele e trazer um senso de conforto e proteção.

Além das práticas descritas, um dos métodos mais poderosos para se conectar com Haniel é através da expressão artística. Muitos devotos de Haniel encontram inspiração para suas criações ao se conectar com ele. Seja pintando, escrevendo, compondo música ou criando qualquer outra forma de arte, a presença de Haniel pode trazer uma nova dimensão de beleza e profundidade ao seu trabalho. A inspiração divina de Haniel pode ajudar a transformar a criação artística em uma expressão de graça e harmonia, tocando os corações daqueles que entram em contato com sua arte.

A natureza também é um canal poderoso para se conectar com Haniel. Passar tempo ao ar livre, observando a beleza do mundo natural, pode ser uma forma de sentir a presença de Haniel. Ele é muitas vezes associado às estrelas e ao brilho suave da lua, simbolizando a beleza divino que ele traz. Contemplar o céu noturno, meditar à luz da lua ou simplesmente apreciar a beleza de um jardim em flor são maneiras de se conectar com a força serena e harmoniosa de Haniel.

Participar de retiros espirituais ou workshops dedicados à conexão com anjos também pode ser uma forma enriquecedora de aprofundar sua relação com Haniel. Essas experiências proporcionam um ambiente focado e apoiado onde você pode aprender mais sobre Haniel, participar de meditações guiadas e rituais, e compartilhar sua jornada com outros buscadores espirituais. A troca de experiências e insights com outros devotos pode abrir novas perspectivas e fortalecer sua prática espiritual.

A prática diária de pequenos atos de beleza e compaixão pode ter um impacto profundo em sua vida e nas vidas daqueles ao seu redor. Inspirado por Haniel, você pode escolher espalhar beleza por meio de gestos simples, como oferecer flores a alguém, criar um ambiente harmonioso em seu lar ou local de trabalho, ou simplesmente sorrir para um estranho. Esses atos não só honram Haniel, mas também criam um ambiente mais positivo e amoroso onde quer que você esteja.

A gratidão é outra prática essencial para manter uma conexão forte com Haniel. Agradecer a ele diariamente por sua orientação e proteção, e reconhecer as bênçãos e a beleza em sua vida, abre o coração para receber ainda mais de sua graça. Você pode expressar essa gratidão por meio de orações, oferendas simbólicas, ou simplesmente reservando um momento de silêncio e contemplação para se conectar com Haniel e agradecer por sua presença.

Aqui está mais uma oração que você pode usar para se conectar com Haniel e expressar sua gratidão:

"Querido Anjo Haniel,

Agradeço pela tua graça e beleza em minha vida.

Obrigado por trazer paz, harmonia e inspiração ao meu coração.

Ajuda-me a ser um canal de tua graça,
Espalhando beleza e compaixão onde quer que eu vá.
Que eu possa sempre sentir tua presença,
E que tua luz ilumine meu caminho.
Amém."

A consagração pessoal a Haniel, para aqueles que sentem uma conexão especialmente forte, pode ser uma prática profunda e transformadora. Esta consagração envolve dedicar sua vida e ações à graça e beleza que Haniel personifica. É um compromisso de viver de acordo com os princípios que ele representa, buscando sempre a harmonia, a beleza e a compaixão em todas as coisas. Essa consagração pode ser formalizada através de uma oração ou cerimônia pessoal e renovada anualmente ou em momentos de necessidade, reforçando sua devoção e conexão espiritual.

Haniel é uma presença constante e amorosa, oferecendo orientação e proteção àqueles que buscam sua ajuda. Ao integrar as práticas e rituais descritos neste capítulo, você pode fortalecer sua conexão com Haniel e trazer mais paz e equilíbrio para sua vida. A graça e a beleza de Haniel são um farol que guia os perdidos e ilumina o caminho para aqueles que buscam a harmonia divina.

Capítulo 8
Metatron
Anjo da Presença Divina e da Espiritualidade

Metatron, uma entidade envolta em mistério e reverência, é reconhecido por ocupar um lugar de destaque na hierarquia divino. Sua presença luminosa e imponente é um reflexo de sua origem divina, criada a partir da pura luz de Deus. Metatron, muitas vezes descrito como o "escriba divino", é o mediador entre o Divino e a humanidade, desempenhando um papel crucial na comunicação das verdades divinas.

Sua história remonta aos tempos antigos, onde ele foi identificado como o profeta Enoque, um humano cuja vida justa e devota lhe garantiu a ascensão aos céus e a transformação em um anjo de altíssima estatura. Esta transformação, imbuída de graça divina, conferiu a ele uma responsabilidade monumental: ser o guardião da sabedoria e do conhecimento celestiais.

Metatron é muitas vezes representado segurando um pergaminho ou uma caneta, símbolos de seu papel como escriba e guardião dos registros celestiais. Ele registra todas as ações humanas, assegurando que cada alma seja justa e precisamente julgada no fim dos tempos. Sua força poderosa e luminosa emana uma presença divina que inspira espiritualidade profunda e introspecção.

Além de suas responsabilidades como escriba, Metatron também atua como um guia espiritual, oferecendo orientação àqueles que buscam compreensão e iluminação. Sua presença é muitas vezes sentida em momentos de meditação profunda, onde sua luz dourada pode ser visualizada como um farol de sabedoria.

Metatron também possui um complemento divino, Shekinah, a presença feminina de Deus que habita entre o povo. Juntos, Metatron e Shekinah representam o equilíbrio perfeito entre a presença divina masculina e feminina, trabalhando em harmonia para guiar e proteger a humanidade. A união deles simboliza a integração do céu e da terra, do espírito e da matéria, trazendo um

85

senso de equilíbrio e espiritualidade para aqueles que invocam sua presença.

Ao longo dos séculos, muitas práticas e rituais foram desenvolvidos para honrar Metatron e fortalecer a conexão com ele. Meditações que envolvem a visualização de uma luz dourada e a repetição de mantras específicos são comuns entre os devotos. Além disso, criar um espaço sagrado em casa, com velas douradas e cristais como quartzo transparente, pode ajudar a manter uma conexão constante com sua força.

Metatron também é associado ao cubo de Metatron, um símbolo sagrado na geometria espiritual que representa a força do universo em perfeita harmonia. Meditar sobre este símbolo pode trazer uma sensação de alinhamento e clareza, permitindo que a sabedoria de Metatron flua mais livremente na vida de quem o invoca.

Ao buscar a orientação de Metatron, é importante fazê-lo com um coração puro e uma mente aberta. Sua sabedoria é acessível àqueles que estão dispostos a buscar a verdade com sinceridade e devoção. Os devotos muitas vezes relatam uma sensação de paz e iluminação ao sentir a presença de Metatron, como se uma luz divina estivesse guiando seus pensamentos e ações.

Metatron é uma entidade que transcende o tempo e o espaço, estando presente em várias tradições espirituais e religiões ao redor do mundo. Sua influência é sentida em momentos de introspecção e busca pela verdade, oferecendo uma mão orientadora para aqueles que desejam aprofundar sua espiritualidade e conexão com o Divino.

Compreender e honrar Metatron não é apenas uma prática espiritual, mas um compromisso de viver segundo os princípios de sabedoria e iluminação que ele representa. Ao integrar esses princípios na vida diária, os devotos podem encontrar um caminho de paz e compreensão, iluminado pela luz eterna de Metatron.

Ao explorar mais profundamente a entidade de Metatron, torna-se evidente que ele desempenha um papel multifacetado tanto nos céus quanto na Terra. Sua responsabilidade não se limita apenas à documentação e à manutenção dos registros celestiais; ele também atua como um defensor da humanidade, intercedendo em nome daqueles que buscam orientação divina.

Um dos aspectos mais fascinantes de Metatron é sua ligação com a Árvore da Vida, um símbolo central na Cabala e em várias tradições místicas. Metatron é muitas vezes associado ao pilar central da Árvore da Vida, que representa o equilíbrio e a integração de todas as esferas de existência. Através desta conexão, Metatron serve como um canal de força divina, trazendo as bênçãos dos céus para a Terra.

Sua presença é invocada em práticas esotéricas e cerimoniais, onde os devotos buscam alinhar-se com a força divina e obter insights profundos sobre a natureza do universo. Em rituais cabalísticos, a entidade de Metatron é chamada para purificar e elevar a consciência, ajudando os praticantes a alcançar estados superiores de entendimento espiritual.

Metatron também possui uma relação especial com os jovens e as crianças. Ele é visto como um protetor dos inocentes, guiando-os e guardando-os contra as influências negativas. Sua força pura e luminosa é particularmente poderosa na proteção das almas jovens, assegurando que elas cresçam em um ambiente de amor e sabedoria.

Além de seu papel como protetor, Metatron é um mestre da alquimia espiritual, ajudando a transformar as forças negativas em positivas. Esta capacidade de transmutação é fundamental para aqueles que buscam crescimento espiritual, pois permite a purificação da mente e do espírito, preparando o terreno para a iluminação e a realização divina.

Os devotos que trabalham com Metatron muitas vezes relatam experiências de transformação profunda, onde antigos padrões de pensamento e comportamento são dissolvidos, dando lugar a uma nova compreensão e clareza. Estas transformações não são apenas espirituais, mas também podem manifestar-se na vida prática, trazendo soluções para problemas complexos e abrindo caminhos para novas oportunidades.

A entidade de Metatron também está profundamente enraizada na geometria sagrada. O cubo de Metatron, um dos símbolos mais poderosos na geometria sagrada, é composto por treze círculos conectados por linhas retas, simbolizando a teia interconectada da criação. Meditar sobre este símbolo pode trazer uma profunda sensação de unidade e harmonia, conectando o praticante à ordem cósmica.

Através da visualização do cubo de Metatron, os devotos podem alinhar seus próprios campos de força com as vibrações universais, facilitando a cura e a harmonização. Esta prática é especialmente útil em momentos de desarmonia interna, ajudando a restaurar o equilíbrio e a paz.

Metatron também é reconhecido por sua associação com o som e a vibração. Acredita-se que ele tenha um papel na orquestração das esferas celestiais, utilizando o som como uma ferramenta para manifestar a ordem divina. Cantar ou entoar mantras dedicados a Metatron pode amplificar esta conexão, permitindo que a força vibracional permeie a consciência do praticante.

Para aqueles que desejam aprofundar sua conexão com Metatron, é recomendável criar um espaço sagrado onde se possa meditar e refletir sobre sua presença. Este espaço pode incluir símbolos de geometria sagrada, velas douradas e cristais que ressoem com a força de Metatron, como o quartzo transparente e a selenita.

Ao cultivar uma prática devocional consistente, os devotos podem experimentar uma crescente sensação de paz e clareza, sentindo-se cada vez mais conectados à sabedoria e à orientação de Metatron. Esta conexão contínua não só enriquece a vida espiritual, mas também traz benefícios tangíveis, como maior clareza mental, paz interior e uma profunda sensação de propósito.

Metatron, em sua infinita sabedoria e compaixão, oferece um caminho para a iluminação e a transformação pessoal. Ao seguir seus ensinamentos e práticas, os devotos podem encontrar um caminho de luz e verdade, guiados pela mão firme e amorosa deste anjo extraordinário.

Ao aprofundar a compreensão sobre Metatron, é essencial explorar sua ligação com a numerologia e a matemática sagrada. Metatron é muitas vezes associado ao número 13, que é considerado um número de transformação e renascimento em muitas tradições esotéricas. Esta conexão com o número 13 reflete sua capacidade de facilitar mudanças profundas e significativas, ajudando os indivíduos a transcender antigos paradigmas e a abraçar novos níveis de consciência.

Os devotos de Metatron muitas vezes utilizam a numerologia como uma ferramenta para decifrar mensagens divinas e obter orientação. Por exemplo, a repetição do número 13 em suas vidas pode ser vista como um sinal de que Metatron está presente, oferecendo sua ajuda para navegar pelas transições e desafios. A prática de meditar sobre este número, visualizando-o cercado pela luz dourada de Metatron, pode abrir portas para insights profundos e transformadores.

Além de sua associação com a numerologia, Metatron também é reverenciado por seu papel na proteção e ativação dos Merkabahs, veículos espirituais que facilitam a ascensão e a viagem interdimensional. O Merkabah, muitas vezes representado como uma estrela tetraédrica, é um símbolo poderoso de proteção e transformação. Metatron, como guardião deste veículo sagrado, ajuda os devotos a ativarem seu próprio Merkabah, permitindo-lhes explorar os reinos espirituais com segurança e clareza.

A ativação do Merkabah é um processo profundo que envolve a elevação das frequências vibracionais e a abertura dos centros de força do corpo. Metatron, com sua sabedoria infinita, guia os praticantes através deste processo, assegurando que cada etapa seja realizada com precisão e cuidado. Ao trabalhar com Metatron para ativar o Merkabah, os devotos podem experimentar estados elevados de consciência e uma profunda sensação de unidade com o universo.

Metatron também desempenha um papel crucial na cura energética. Sua luz dourada é muitas vezes visualizada como um raio de força curativa que pode purificar e revitalizar todos os aspectos do ser. Os praticantes de cura energética invocam

Metatron para remover bloqueios e harmonizar os campos de força, promovendo saúde e bem-estar. Esta prática é especialmente eficaz em momentos de desequilíbrio ou doença, trazendo uma sensação de paz e renovação.

A luz de Metatron não só cura, mas também fortalece o espírito, proporcionando um escudo protetor contra influências negativas. Os devotos que trabalham com a força de Metatron muitas vezes relatam uma maior resiliência e uma sensação de segurança, como se estivessem envoltos em um campo de proteção divina. Esta proteção é particularmente útil em ambientes desafiadores, onde as forças negativas podem ser prevalentes.

Além de seu papel na cura e proteção, Metatron também é um mentor espiritual, oferecendo orientação e sabedoria para aqueles que buscam entender seu propósito e missão na vida. Sua presença pode ser sentida em momentos de introspecção e meditação, onde ele oferece insights e clareza sobre questões complexas. Os devotos podem pedir a Metatron para discernir o caminho certo a seguir, especialmente em momentos de incerteza e dúvida.

Para fortalecer a conexão com Metatron, é útil praticar meditações regulares que envolvam a visualização de sua luz dourada. Uma prática comum é imaginar uma coluna de luz dourada descendo do céu e envolvendo todo o corpo, purificando e energizando cada célula. Durante esta meditação, os devotos podem recitar mantras ou orações dedicadas a Metatron, reforçando a intenção de conexão e abertura para sua sabedoria.

Criar um diário espiritual também pode ser uma maneira poderosa de documentar as experiências e insights obtidos durante a prática devocional. Anotar os pensamentos, sentimentos e visões que surgem durante a meditação pode ajudar a aprofundar a compreensão e a integração da sabedoria de Metatron na vida diária. Este diário pode servir como um guia pessoal, refletindo o crescimento e a evolução espiritual ao longo do tempo.

Metatron, com sua presença imponente e luminosa, continua a ser uma fonte inesgotável de inspiração e orientação para aqueles que buscam a verdade divina. Sua luz dourada ilumina o caminho para a transformação e a ascensão, oferecendo um farol de esperança e sabedoria em um mundo muitas vezes marcado pelo caos e pela incerteza.

Ao continuar nossa exploração sobre Metatron, é fundamental entender seu papel como guardião dos registros akáshicos, o vasto repositório de todas as experiências, pensamentos e ações de cada alma ao longo do tempo. Os registros akáshicos são muitas vezes descritos como uma biblioteca cósmica, onde todas as informações sobre o passado, presente e potencial futuro estão armazenadas. Metatron, com sua sabedoria infinita, atua como o administrador destes registros, assegurando que a justiça divina prevaleça e que cada alma tenha acesso às lições necessárias para sua evolução espiritual.

Os devotos de Metatron podem buscar sua orientação para acessar seus próprios registros akáshicos, uma prática que pode trazer insights profundos sobre padrões cármicos, missões de vida e desafios pessoais. A meditação guiada e a visualização são métodos eficazes para entrar em sintonia com os registros akáshicos sob a orientação de Metatron. Durante essas práticas, os devotos visualizam uma grande biblioteca de luz, onde Metatron, como o escriba divino, os conduz até os registros necessários.

Metatron, em sua função de guardião dos registros, também ajuda a purificar e recalibrar os padrões energéticos das almas. Isso pode envolver a liberação de carmas antigos e a integração de lições importantes para o crescimento espiritual. Ao trabalhar com Metatron, os devotos podem experimentar uma sensação de alívio e renovação, como se um peso invisível tivesse sido removido de seus ombros.

Outra área significativa da influência de Metatron é seu papel na geometria sagrada e nos padrões energéticos que compõem o universo. A geometria sagrada é uma linguagem visual que revela a estrutura fundamental da criação. Metatron, como mestre desta linguagem, utiliza formas e padrões específicos, como o cubo de Metatron, para manifestar a ordem divina no caos aparente. Estes padrões não são apenas símbolos, mas também ferramentas poderosas para a cura e transformação.

Meditar sobre a geometria sagrada pode ajudar os devotos a alinhar seus próprios padrões energéticos com os do universo, promovendo harmonia e equilíbrio. O cubo de Metatron, em particular, é um símbolo que pode ser usado para limpar e proteger o campo energético, removendo bloqueios e restaurando o fluxo natural de força. Visualizar este cubo girando lentamente ao redor do corpo pode criar um escudo de luz protetora, fortalecendo a conexão com Metatron e ampliando sua influência positiva.

Através da prática da meditação e do estudo da geometria sagrada, os devotos podem desenvolver uma compreensão mais profunda dos princípios subjacentes à criação. Isso não só enriquece sua vida espiritual, mas também oferece uma nova perspectiva sobre a realidade física, revelando a interconexão entre todas as coisas. Este entendimento pode ser uma fonte de grande conforto e inspiração, lembrando aos devotos de que fazem parte de um todo maior e harmonioso.

Metatron também é invocado em momentos de grande transição e mudança. Sua presença pode trazer clareza e direção em tempos de incerteza, ajudando os devotos a tomar decisões informadas e alinhadas com seu propósito divino. Esta orientação é especialmente valiosa durante períodos de crise ou quando se enfrenta dilemas complexos. Metatron oferece uma perspectiva elevada, permitindo que os indivíduos vejam além das limitações imediatas e compreendam o quadro maior.

Além de suas funções celestiais, Metatron é visto como um mentor e professor, oferecendo ensinamentos espirituais que podem ser aplicados na vida diária. Seus ensinamentos enfatizam a relevância da integridade, compaixão e sabedoria, encorajando os devotos a viverem segundo os princípios divinos. Ao seguir os ensinamentos de Metatron, os devotos podem cultivar uma vida de maior harmonia, propósito e realização.

Para aqueles que desejam aprofundar seu relacionamento com Metatron, a prática da gratidão é fundamental. Expressar gratidão não só fortalece a conexão com Metatron, mas também eleva a vibração espiritual, permitindo que mais bênçãos fluam na vida do devoto. Esta prática pode ser simples, como dedicar alguns minutos por dia para agradecer pela orientação e proteção de Metatron, ou mais elaborada, envolvendo rituais e oferendas.

Metatron, com sua luz dourada e presença imponente, continua a ser uma fonte de inspiração e orientação para aqueles que buscam a verdade divina. Sua capacidade de trazer clareza, cura e proteção é incomparável, tornando-o um aliado poderoso na jornada espiritual. Ao honrar e trabalhar com Metatron, os devotos podem experimentar uma transformação profunda e duradoura, guiados pela sabedoria e compaixão deste anjo extraordinário.

Metatron, em sua grandiosidade, também desempenha um papel vital na proteção e orientação das almas que atravessam os reinos espirituais após a morte física. Ele é muitas vezes chamado para guiar as almas através do processo de transição, assegurando que encontrem paz e compreensão enquanto passam para a próxima fase de sua jornada espiritual. Esta função de Metatron como um guia das almas é particularmente reverenciada em várias tradições esotéricas e espirituais.

Durante os rituais de passagem e celebrações de vida, Metatron é invocado para proporcionar uma transição suave e iluminada. Sua presença é visualizada como uma luz dourada que envolve e conforta a alma, oferecendo uma sensação de segurança e paz. Este papel de Metatron destaca sua compaixão e compromisso em assistir a humanidade em todas as etapas de existência, desde o nascimento até a vida após a morte.

Metatron também é associado ao conceito de ascensão espiritual. A ascensão refere-se ao processo pelo qual uma alma alcança níveis superiores de consciência e compreensão divina. Metatron, como um mentor espiritual, oferece orientação e apoio para aqueles que buscam ascender a estados mais elevados de ser. Este processo de ascensão não é apenas uma jornada espiritual, mas também envolve a integração de princípios elevados em todas as áreas da vida cotidiana.

Os ensinamentos de Metatron sobre ascensão espiritual enfatizam a relevância do amor incondicional, compaixão e serviço aos outros. Ele encoraja os devotos a transcendê-los limites egoístas e a abraçar uma vida de altruísmo e iluminação. Ao seguir esses princípios, os devotos podem experimentar um profundo crescimento espiritual e um senso de propósito mais elevado.

A prática regular de meditação e reflexão é essencial para aqueles que buscam alinhar-se com a força de Metatron. Meditações que envolvem a visualização de luz dourada e a repetição de mantras podem ajudar a elevar a vibração espiritual e facilitar a conexão com Metatron. Durante essas meditações, é benéfico concentrar-se em abrir o coração e a mente para receber sua sabedoria e orientação.

Os devotos também podem criar um altar dedicado a Metatron em seus lares, como um ponto focal para suas práticas espirituais. Este altar pode incluir símbolos de geometria sagrada, velas douradas, cristais e imagens de Metatron. Manter este espaço sagrado ajuda a manter uma conexão constante com sua força e serve como um lembrete diário de sua presença protetora e orientadora.

Além disso, estudar textos sagrados e ensinamentos associados a Metatron pode aprofundar a compreensão e a apreciação de sua influência. Livros sobre a Cabala, geometria sagrada e registros akáshicos são especialmente valiosos para aqueles que desejam explorar mais profundamente os mistérios que Metatron guarda. Este estudo não só enriquece a vida espiritual, mas também oferece insights práticos que podem ser aplicados no dia a dia.

Participar de comunidades espirituais que compartilham uma devoção a Metatron também pode ser extremamente benéfico. Esses grupos oferecem um espaço de apoio e troca de conhecimentos, permitindo que os devotos aprendam uns com os outros e aprofundem sua prática. Encontros regulares, meditações coletivas e celebrações podem fortalecer a conexão com Metatron e criar um ambiente de crescimento espiritual compartilhado.

Metatron, com sua presença luminosa e compassiva, continua a inspirar e guiar aqueles que buscam a verdade e a iluminação. Sua influência transcende o tempo e o espaço, oferecendo um farol de esperança e sabedoria em um mundo muitas vezes marcado pela incerteza. Ao honrar Metatron e seguir seus ensinamentos, os devotos podem encontrar um caminho de paz, propósito e transformação espiritual.

Em conclusão, Metatron é uma entidade de imensa relevância e poder no panteão angelical. Seu papel como escriba divino, guardião dos registros akáshicos, mestre da geometria sagrada e guia espiritual o torna uma presença indispensável para aqueles que buscam elevar sua consciência e viver uma vida alinhada com os princípios divinos. Ao invocar Metatron e integrar seus ensinamentos, os devotos podem experimentar uma jornada espiritual rica e transformadora, iluminada pela luz eterna deste anjo extraordinário.

Capítulo 9
Sandalphon
Anjo da Música e da Oração

Sandalphon, o Anjo da Música e da Oração, é uma entidade divina cuja existência está profundamente enraizada na harmonia e na espiritualidade. Seu nome significa "irmão", refletindo sua conexão próxima com outro anjo poderoso. A criação de Sandalphon remonta aos tempos antigos, onde ele desempenhou um papel vital na ligação entre o céu e a terra através da música divino e das preces dos fiéis.

De acordo com tradições antigas, Sandalphon foi inicialmente o profeta Elias, que ascendeu ao céu e foi transformado em um anjo devido à sua vida justa e devota. Sua transformação o dotou de habilidades únicas, permitindo-lhe transportar as orações dos seres humanos diretamente ao Criador. Ele é muitas vezes descrito como um ser imponente cercado por uma aura de luz brilhante e muitas vezes representado segurando um instrumento musical ou rodeado por notas musicais, simbolizando sua conexão com a música divina.

A missão de Sandalphon é dupla: ele é o condutor das preces dos seres humanos e o regente da música divino. Essas duas funções se entrelaçam, pois a música é uma forma de oração e um meio poderoso de conexão espiritual. Sandalphon assegura que cada oração seja ouvida e respondida, atuando como um mediador compassivo entre a humanidade e o divino.

A presença angélica de Shekinah é muitas vezes associada a Sandalphon, criando um equilíbrio harmonioso de forças masculinas e femininas. Shekinah, com sua força suave e acolhedora, complementa a força e a determinação de Sandalphon, formando uma parceria divino que trabalha para elevar e proteger a humanidade.

Os fractais de alma de Sandalphon são extensões de sua essência divina, operando em diferentes planos e dimensões para assegurar que sua influência atinja todos os cantos do universo.

Esses fractais agem como embaixadores de sua força, difundindo a harmonia e a serenidade que ele personifica.

A música, sob a regência de Sandalphon, não é meramente um som, mas uma vibração que transcende o físico e toca as almas de todos os seres. Cada melodia e cada nota carregam consigo a essência do divino, funcionando como um canal direto para a comunicação com os céus. A música divino, guiada por Sandalphon, é ouvida não apenas pelos humanos, mas por todas as criaturas e entidades espirituais, promovendo a união e a harmonia universal.

A história de Sandalphon é rica em simbolismos e ensinamentos espirituais. Sua transformação de profeta a anjo exemplifica a potencialidade de ascensão espiritual e a recompensa de uma vida dedicada à justiça e à devoção. Ele é um exemplo vivo de que através da fé e da retidão, é possível alcançar os mais altos níveis de conexão com o divino.

A música, como meio de expressão universal, tem o poder de transcender as barreiras linguísticas e culturais, unindo a humanidade em um só coro de adoração e agradecimento. Por meio de Sandalphon, as orações dos fiéis se transformam em melodias divinas que ecoam pelo cosmos, chegando até o trono do Criador. Este processo de transformação e elevação das preces é um testemunho do papel vital que Sandalphon desempenha na intercessão divina.

Além de sua função como condutor de preces, Sandalphon é um guardião da harmonia. Ele trabalha incansavelmente para garantir que a paz e a serenidade prevaleçam entre os seres humanos, utilizando a música como uma ferramenta poderosa para acalmar e curar. As melodias celestiais sob sua regência têm a capacidade de tocar o coração e a alma, trazendo conforto e renovação espiritual.

Assim, Sandalphon não é apenas um anjo da música, mas um verdadeiro embaixador da paz e da harmonia, cuja presença serena inspira a humanidade a buscar a espiritualidade através da arte e da devoção. Sua influência é sentida em cada nota tocada, em cada melodia cantada, lembrando-nos constantemente da ligação sagrada entre o céu e a terra.

Ao explorar a influência de Sandalphon na música divino, percebemos que seu papel vai além de simplesmente reger harmonias divinas. Ele é um arquiteto de frequências que ressoam no coração dos seres, proporcionando não apenas uma experiência auditiva, mas uma jornada espiritual. Cada nota que ele inspira tem o poder de curar feridas emocionais e espirituais, trazendo um profundo senso de paz e conexão com o divino.

Sandalphon atua também como um guardião das sinfonias celestiais, assegurando que as músicas criadas no céu reflitam a pureza e a perfeição da criação divina. Ele inspira músicos e compositores na Terra, guiando suas mãos e mentes para criar obras que ressoem com a verdade universal e elevem o espírito humano. A música sob a influência de Sandalphon não é apenas arte; é uma oração em forma sonora, uma ponte entre o mundano e o sagrado.

Além de sua conexão com a música, Sandalphon desempenha um papel vital na condução das orações dos fiéis. Ele recolhe cada súplica, cada agradecimento, cada lamento e os transforma em melodias levadas diretamente ao Criador. Este processo de transformação das preces humanas em música divina assegura que cada oração receba a atenção devida, independentemente de sua origem ou intensidade.

A história de Sandalphon destaca também seu papel como protetor da harmonia espiritual. Em tempos de caos e desordem, ele intervém para restaurar a paz, utilizando a música como uma ferramenta de unificação e cura. Suas melodias são capazes de dissipar a negatividade e trazer luz aos cantos mais escuros da alma humana. Assim, Sandalphon não apenas conduz preces, mas atua como um farol de esperança e renovação espiritual.

A colaboração de Sandalphon com Shekinah é outro aspecto fascinante de sua missão. Juntos, eles representam o equilíbrio perfeito entre o masculino e o feminino, a força e a compaixão, a ação e a receptividade. Shekinah, com sua presença acolhedora e gentil, complementa a força protetora de Sandalphon, criando uma dinâmica que fortalece a conexão entre o divino e a humanidade. Esta parceria é fundamental para a missão de Sandalphon, pois permite que ele atue com uma profundidade e eficácia maiores, tocando os corações e mentes de todos os seres.

A música de Sandalphon é uma expressão da ordem divina, refletindo a estrutura harmoniosa do cosmos. Cada melodia é cuidadosamente tecida para ressoar com a frequência da criação, trazendo equilíbrio e alinhamento. Ao ouvir essas melodias, os seres humanos são convidados a se sintonizar com essa harmonia universal, elevando suas próprias vibrações e aproximando-se do divino.

Sandalphon também inspira a criação de instrumentos musicais sagrados por natureza. Estes instrumentos, quando tocados, não apenas produzem sons, mas emanam força espiritual que pode transformar ambientes e estados emocionais. Os músicos que tocam esses instrumentos sob a inspiração de Sandalphon muitas vezes relatam experiências de profunda conexão espiritual e inspiração divina.

Para os devotos, a presença de Sandalphon é sentida em momentos de prece e meditação, especialmente quando a música está envolvida. Cantar ou tocar um instrumento com intenção espiritual pode ser uma forma poderosa de invocar sua presença e receber sua orientação. Ele incentiva a todos a utilizar a música como uma forma de expressão espiritual, uma maneira de comunicar com o divino de uma forma que palavras sozinhas não podem alcançar.

Em rituais e cerimônias, a invocação de Sandalphon através da música cria um ambiente sagrado onde as forças divinas podem se manifestar com maior intensidade. Eleve suas orações através do canto ou da música instrumental e sinta a presença tranquilizadora e poderosa de Sandalphon, elevando suas preces ao Criador. Este ato de devoção musical é uma maneira de honrar a missão de Sandalphon e de se conectar mais profundamente com o divino.

A música divino de Sandalphon transcende a experiência sensorial, agindo como um elo poderoso entre o humano e o divino.

Cada melodia que ele inspira carrega a essência da criação, vibrando em harmonia com as forças do universo. Para os devotos, essa música não é apenas um som, mas uma experiência transformadora que eleva a alma e purifica o espírito.

Sandalphon também é reconhecido por sua capacidade de unir as orações individuais em um grande coro divino. Ele coleta cada prece, cada suspiro e cada expressão de fé, e as entrelaça em uma sinfonia de adoração apresentada ao Criador. Esta sinfonia não é apenas uma oferenda, mas um testemunho da fé coletiva da humanidade, ecoando pelos reinos celestiais e reforçando a conexão entre o céu e a terra.

A transformação das orações em música divina também reflete a crença de que cada ser humano possui uma voz única e valiosa na grande tapeçaria da existência. Sandalphon nos lembra que nossas preces, não importa quão pequenas ou insignificantes possam parecer, têm um lugar vital no grande esquema divino. Ao transformar nossas palavras em música, ele amplifica nossa devoção e assegura que cada voz seja ouvida e honrada.

A história de Sandalphon, como o profeta Elias transformado em anjo, serve como um poderoso lembrete do potencial de transformação espiritual. Elias, reconhecido por sua fé inabalável e sua dedicação a Deus, foi elevado a um estado angélico como recompensa por sua vida devota. Esta transformação não apenas elevou Elias, mas também trouxe ao mundo um anjo cuja missão é elevar e proteger as orações dos fiéis. A narrativa de Sandalphon é um testemunho da possibilidade de transcendência e de se tornar um canal para a força divina.

A música também desempenha um papel crucial na comunicação espiritual. Em muitas tradições religiosas, os cânticos, hinos e melodias são utilizados como formas de oração e meditação, ajudando os devotos a se conectarem com o divino. Sandalphon, como patrono da música divino, incentiva essa prática, inspirando compositores e músicos a criarem obras que ressoem com a espiritualidade e a devoção. Ele guia suas mãos e corações, assegurando que suas criações musicais sirvam como pontes entre o humano e o divino.

Além de sua influência na música, Sandalphon atua como um guardião da serenidade e da harmonia espiritual. Em tempos de tumulto e desordem, sua presença pode ser invocada para trazer paz e equilíbrio. A música que ele inspira tem o poder de acalmar mentes inquietas e corações aflitos, proporcionando um refúgio de tranquilidade em meio ao caos. Ao sintonizar-se com as melodias celestiais, os devotos podem encontrar conforto e clareza, mesmo nas circunstâncias mais desafiadoras.

A prática de invocar Sandalphon pode ser realizada de várias maneiras. Um método comum é através da música, seja cantando, tocando instrumentos ou simplesmente ouvindo melodias que evocam a espiritualidade. A criação de um ambiente musical sagrado pode ajudar a atrair a presença de Sandalphon e facilitar uma conexão mais profunda com o divino. Além disso, meditações guiadas que incorporam música podem intensificar essa conexão, permitindo que a força de Sandalphon flua livremente e traga cura e inspiração.

Outra forma de honrar Sandalphon é através da construção de altares dedicados a ele. Esses altares podem incluir símbolos musicais, como instrumentos ou notas, bem como velas e cristais que ressoam com sua força. Acender uma vela e oferecer uma prece enquanto se ouve uma música sagrada pode criar um espaço de devoção onde a presença de Sandalphon é palpável. Este espaço sagrado pode servir como um refúgio para oração e meditação, permitindo que os devotos se conectem com sua força protetora e harmonizadora.

A colaboração entre Sandalphon e Shekinah também é uma fonte de inspiração para os devotos. Juntos, eles exemplificam a união perfeita entre a força e a compaixão, a ação e a receptividade. Essa dinâmica pode ser refletida nas práticas espirituais diárias, onde os devotos são encorajados a equilibrar suas ações com a introspecção e a empatia. Ao seguir o exemplo de Sandalphon e Shekinah, podemos cultivar uma vida de devoção harmoniosa, onde a música e a oração se entrelaçam para criar uma existência plena e espiritual.

Ao considerar a influência de Sandalphon na música e na oração, é importante entender como essa interação molda a vida espiritual dos devotos. A música, sob sua regência, não apenas eleva as preces, mas também transforma a própria essência da devoção, tornando-a uma experiência mais profunda e envolvente. Através da música, Sandalphon oferece aos fiéis uma maneira de expressar suas emoções e aspirações mais profundas, conectando-se com o divino em um nível mais íntimo.

Sandalphon também serve como um guia espiritual para aqueles que buscam uma conexão mais próxima com Deus. Ele inspira os devotos a usar a música como um meio de introspecção e meditação, ajudando-os a encontrar respostas para suas questões mais profundas e a desenvolver uma compreensão mais clara de seu propósito espiritual. Sob sua orientação, a música se torna uma ferramenta poderosa para a transformação pessoal e o crescimento espiritual.

As melodias inspiradas por Sandalphon são muitas vezes descritas como possuidoras de uma qualidade transcendente, capaz de tocar a alma de maneiras que palavras simples não podem. Essas melodias têm o poder de curar feridas emocionais, trazer paz a mentes inquietas e proporcionar uma sensação de unidade com o divino. Muitos devotos relatam sentir uma presença reconfortante e edificante quando se envolvem com a música sob a influência de Sandalphon, uma presença que os ajuda a navegar pelos desafios da vida com maior serenidade e confiança.

A prática da oração musical pode ser uma forma especialmente eficaz de invocar Sandalphon. Esta prática envolve a integração da música em momentos de oração, utilizando cânticos, hinos ou instrumentos musicais para elevar as preces. Ao transformar a oração em uma experiência musical, os devotos podem acessar um estado mais profundo de devoção e conexão espiritual. A música atua como um amplificador de intenção, tornando cada prece mais poderosa e sincera.

Além disso, a música inspirada por Sandalphon pode ser usada como uma forma de terapia espiritual. Em tempos de estresse ou dificuldade, ouvir ou tocar música pode ajudar a equilibrar as emoções e restaurar o bem-estar. Sandalphon, como guardião da harmonia, assegura que a música seja uma fonte de conforto e cura, oferecendo um caminho para a paz interior e a reconciliação espiritual. A terapia musical guiada por sua força pode ser particularmente eficaz para aqueles que enfrentam desafios emocionais ou espirituais, proporcionando um alívio suave e eficaz.

A construção de altares dedicados a Sandalphon pode incluir elementos que simbolizem sua conexão com a música e a oração. Além de instrumentos musicais e notas, outros itens como penas, que representam leveza e ascensão, e cristais como o quartzo, que amplificam a força espiritual, podem ser incorporados. Esses altares servem como um ponto focal para a devoção, criando um espaço onde a presença de Sandalphon pode ser sentida e onde as preces podem ser oferecidas com intenção e reverência.

Os devotos também podem incorporar práticas de gratidão em suas devoções a Sandalphon. A gratidão é uma forma poderosa de oração que eleva as vibrações espirituais e fortalece a conexão com o divino. Ao expressar gratidão através da música, seja compondo canções de agradecimento ou simplesmente dedicando tempo para ouvir música com intenção devocional, os fiéis podem cultivar uma relação mais profunda e significativa com Sandalphon. Esta prática não apenas honra o anjo, mas também enriquece a própria vida espiritual do devoto.

Em rituais e cerimônias, a presença de Sandalphon pode ser invocada para abençoar e elevar a força do evento. A música desempenha um papel central nesses rituais, atuando como um meio para canalizar a força divina e criar um ambiente sagrado. Ao invocar Sandalphon, os participantes podem sentir uma elevação espiritual, um aumento na clareza mental e emocional, e uma sensação de união com o divino. Esses rituais são oportunidades para celebrar a conexão com o anjo e reforçar os laços espirituais que unem a comunidade de devotos.

A influência de Sandalphon se estende também à criatividade artística. Músicos, compositores e artistas visuais podem invocar sua presença para inspirar suas criações, garantindo que suas obras ressoem com a verdade espiritual e a beleza divina. Sob sua orientação, a arte se torna um veículo para a expressão espiritual, uma maneira de compartilhar a mensagem divina e de tocar as almas daqueles que a experienciam. Sandalphon inspira não apenas a criação de música, mas também a produção de arte que eleva e transforma.

A inspiração artística sob a tutela de Sandalphon é uma forma de canalizar a força divina para o mundo físico. Músicos e artistas que trabalham com sua influência muitas vezes relatam um fluxo de criatividade que parece transcender suas próprias habilidades, como se fossem meros instrumentos de uma força maior. Esta experiência é um testemunho do poder transformador da conexão com Sandalphon, que pode elevar a arte a novos patamares de espiritualidade e beleza.

Os ensinamentos de Sandalphon sobre a música e a oração também nos lembram da relevância da intenção pura. A verdadeira essência da música divino não reside apenas nas notas ou nas melodias, mas na intenção espiritual por trás de cada criação. Sandalphon nos incentiva a abordar a música e a oração com corações puros e mentes abertas, permitindo que a força divina flua livremente por meio de nós. Este ato de devoção sincera é o que transforma a música em uma forma de oração poderosa e eficaz.

Para aqueles que buscam aprofundar sua conexão com Sandalphon, a prática regular da música espiritual pode ser extremamente benéfica. Isso pode incluir a criação de listas de reprodução com músicas que evocam uma sensação de sacralidade, participar de grupos musicais espirituais ou simplesmente dedicar um tempo diário para ouvir e meditar sobre música devocional. A chave é permitir que a música se torne uma parte integral da vida espiritual, utilizando-a como uma ferramenta para elevar as preces e conectar-se mais profundamente com o divino.

A colaboração entre Sandalphon e Shekinah é um exemplo de como forças complementares podem trabalhar juntas para criar uma harmonia espiritual mais profunda. Enquanto Sandalphon canaliza a força e a estrutura da música divino, Shekinah adiciona uma camada de suavidade e acolhimento. Este equilíbrio é essencial para criar uma experiência espiritual completa e satisfatória, onde a força e a ternura se unem para guiar e proteger os devotos.

Os altares dedicados a Sandalphon podem ser enriquecidos com elementos que simbolizam sua conexão com a música e a oração. Além de instrumentos musicais e cristais, as velas azuis, que representam a paz e a serenidade, podem ser adicionadas para intensificar a atmosfera espiritual. Incensos com fragrâncias suaves como lavanda ou sândalo também podem ser usados para criar um ambiente propício à meditação e à prece, invocando a presença tranquilizadora de Sandalphon.

Em momentos de oração, os devotos podem visualizar Sandalphon recebendo suas preces e transformando-as em melodias divinas. Este exercício de visualização não só fortalece a conexão espiritual, mas também traz uma sensação de conforto e segurança, sabendo que suas orações estão sendo cuidadas por um anjo tão poderoso e compassivo. A prática regular desta visualização pode ajudar a desenvolver uma relação mais íntima e pessoal com Sandalphon, tornando cada oração um momento de profunda conexão espiritual.

A música, sob a influência de Sandalphon, também pode ser utilizada em práticas de cura espiritual. Sons e frequências específicas podem ser incorporados em sessões de meditação e cura energética, ajudando a alinhar os chakras e a equilibrar a força do corpo. Sandalphon, com sua habilidade de transformar música em uma ferramenta de cura, pode ser invocado para guiar essas sessões e proporcionar uma cura profunda e duradoura.

Participar de celebrações e festivais dedicados a Sandalphon, como eventos musicais espirituais, pode ser uma maneira poderosa de honrar sua presença e fortalecer a conexão com ele. Estas celebrações são oportunidades para unir-se a outros devotos em um coro de adoração e gratidão, criando uma força coletiva amplificada pela música sagrada. A participação nestes eventos não só celebra Sandalphon, mas também reforça os laços comunitários e espirituais.

Os devotos também podem praticar a gratidão através da música. Compor canções de agradecimento ou simplesmente dedicar tempo para cantar, ou tocar instrumentos em honra a Sandalphon é uma forma poderosa de expressar gratidão. Este ato de devoção não apenas fortalece a conexão com o anjo, mas também enriquece a própria vida espiritual do devoto, trazendo uma sensação de paz e contentamento.

A influência de Sandalphon se estende à inspiração diária. Ele nos encoraja a buscar a beleza e a harmonia em todas as coisas, lembrando-nos de que a música e a oração são presentes divinos que podem transformar nossas vidas. Ao abrir nossos corações para a música divino e permitir que nossas preces sejam elevadas a novas alturas, nos alinhamos com a força transformadora de Sandalphon, vivendo uma vida de devoção, harmonia e paz.

Assim, ao longo de nossa jornada espiritual, Sandalphon permanece como um guia e protetor, suas melodias nos inspirando e suas preces nos elevando. Ele nos mostra que através da música e da oração, podemos encontrar a conexão mais profunda com o divino, tocando a essência da criação e trazendo a luz divino para nossas vidas diárias.

Capítulo 10
Anael
Anjo do Amor e da Beleza

Anael é reconhecido como o Anjo do Amor e da Beleza, sendo uma entidade divino de extrema relevância para a disseminação de sentimentos positivos e harmonia entre os seres humanos. Desde sua criação, Anael foi encarregado da missão de espalhar amor e beleza pelo universo, canalizando a força do planeta Vênus, o qual é a personificação da harmonia e do amor incondicional.

A presença de Anael é muitas vezes associada a uma luz rosada e acolhedora que emana uma sensação de paz e atração irresistível. Seu objetivo principal é inspirar e curar corações humanos, ajudando-os a encontrar beleza nas pequenas coisas e promovendo a aceitação do amor verdadeiro. Anael influencia diretamente os artistas, poetas e indivíduos que buscam expressar o amor e a beleza em suas vidas e obras.

Para aqueles que enfrentam dificuldades amorosas ou sentem que a beleza da vida lhes escapa, Anael oferece uma presença confortante e curativa. Ele é particularmente ativo em momentos de dor emocional, proporcionando uma renovada sensação de esperança e ajudando os indivíduos a redescobrir a alegria e a beleza ao seu redor.

Anael também desempenha um papel vital na promoção da paz e da harmonia em comunidades e relações interpessoais. Sua força pode transformar ambientes de conflito em lugares de entendimento mútuo e reconciliação. Ele encoraja os seres humanos a cultivarem relacionamentos baseados na honestidade, compaixão e carinho genuíno, enfatizando que o verdadeiro amor começa com a autoaceitação e o respeito mútuo.

Invocar a presença de Anael pode ser feito por meio de práticas espirituais e rituais específicos. Muitos acreditam que acender uma vela rosa ou verde enquanto fazem uma oração pedindo a ajuda de Anael pode intensificar a conexão com sua força. Meditações focadas em Anael, visualizando sua luz e sentindo sua presença, também são métodos eficazes para atrair sua influência benéfica.

Anael é representado em várias tradições espirituais e esotéricas, onde é invocado como um guardião do amor e da beleza. Sua força é chamada para purificar espaços, curar corações e inspirar atos de bondade e criatividade. Ele é visto como uma entidade poderosa de amor e compaixão, sempre disponível para ajudar aqueles que buscam sua orientação e apoio.

O impacto de Anael vai além dos indivíduos, afetando comunidades inteiras. Ele promove a paz e a harmonia em tempos de desentendimento, ajudando a transformar conflitos em oportunidades para o crescimento e a compreensão. Sua missão eterna é assegurar que a humanidade nunca perca de vista a relevância do amor e da beleza, continuando a inspirar e guiar todos que estão dispostos a abrir seus corações para a sua luz.

Anael desempenha um papel multifacetado dentro do reino angelical, influenciando não apenas indivíduos, mas também grandes coletivos. Sua força é muitas vezes descrita como suave e penetrante, capaz de atingir os cantos mais profundos do coração humano. Ele atua como um guia para aqueles que buscam compreender e expressar o amor de maneira plena e autêntica.

Uma das formas pelas quais Anael manifesta sua influência é através da arte. Muitos artistas e criadores sentem uma conexão especial com Anael, que os inspira a criar obras que tocam os corações das pessoas e elevam seus espíritos. A presença de Anael pode ser sentida em pinturas, músicas, poesias e outras formas de expressão artística que capturam a essência do amor e da beleza.

Além de influenciar a criação artística, Anael também é um poderoso agente de cura emocional. Ele ajuda aqueles que sofreram desilusões amorosas ou que carregam cicatrizes emocionais profundas a encontrar um caminho para a recuperação. Através de sua força curativa, ele promove a autoaceitação e o perdão, permitindo que os indivíduos deixem para trás a dor do passado e se abram para novas experiências amorosas.

Os rituais associados a Anael são numerosos e variam segundo a tradição espiritual. Uma prática comum é a meditação guiada, na qual se visualiza Anael cercado por uma luz rosada, transmitindo calor e compaixão. Durante essas meditações, os praticantes muitas vezes sentem uma profunda sensação de paz e amor, como se estivessem sendo abraçados por uma presença divina.

Outro ritual popular é a criação de um altar dedicado a Anael. Esse altar pode incluir velas, cristais, flores e outras oferendas que simbolizam amor e beleza. Os cristais mais associados a Anael são o quartzo rosa, reconhecido por suas propriedades de cura emocional, e a esmeralda, que simboliza o amor e a harmonia. Manter esses cristais perto durante as práticas devocionais pode ajudar a intensificar a conexão com Anael.

No contexto das relações interpessoais, Anael trabalha para fortalecer os laços entre as pessoas. Ele inspira honestidade e abertura, ajudando a resolver conflitos e promover a compreensão mútua. Em momentos de tensão ou desentendimento, invocar Anael pode trazer uma sensação de calma e clareza, facilitando a comunicação e a reconciliação.

Anael também tem um papel importante na promoção do amor-próprio. Ele lembra às pessoas que antes de amar os outros, é essencial amar e aceitar a si. A força de Anael ajuda a dissolver sentimentos de inadequação e autocrítica, substituindo-os por uma profunda aceitação e apreço por quem somos verdadeiramente. Essa autocompaixão é fundamental para construir relacionamentos saudáveis e amorosos com os outros.

Além dos aspectos espirituais, Anael tem uma presença marcante na literatura esotérica e nas tradições de cura holística. Muitos terapeutas e curandeiros invocam Anael durante suas sessões para promover a cura emocional e espiritual em seus pacientes. Acredita-se que sua presença possa abrir o coração e a mente, facilitando o processo de cura e transformação.

A missão de Anael é eterna e abrange todos os aspectos do amor e da beleza na vida humana. Ele trabalha incansavelmente para assegurar que a humanidade continue a valorizar e cultivar esses aspectos essenciais. Anael inspira atos de bondade, promove a paz interior e exterior e ajuda as pessoas a encontrar um sentido mais profundo de conexão e propósito através do amor.

A presença de Anael é um lembrete constante de que o amor é a força mais poderosa do universo. Independentemente dos desafios ou das circunstâncias, o amor verdadeiro pode transformar qualquer situação, trazendo luz e esperança onde antes havia escuridão e desespero. Ao se abrir para a força de Anael, os indivíduos podem encontrar uma fonte inesgotável de amor e beleza que os guiará em suas jornadas espirituais e emocionais.

A influência de Anael vai além das fronteiras da espiritualidade individual e penetra em aspectos mais amplos da vida comunitária e social. Sua força é essencial para a criação de ambientes harmoniosos onde o amor e a beleza possam florescer, promovendo a paz e a cooperação entre as pessoas.

Anael também é invocado em rituais e cerimônias destinadas a fortalecer relacionamentos amorosos. Muitos casais recorrem a ele para abençoar suas uniões, buscando a sua orientação para construir um relacionamento baseado em confiança, respeito e carinho mútuo. Durante essas cerimônias, é comum acender velas rosadas e utilizar rosas ou outras flores associadas ao amor e à beleza como oferendas.

Além disso, Anael é muitas vezes associado à natureza, onde a beleza e a harmonia são manifestas em sua forma mais pura. Ele é visto como um guardião das plantas, flores e paisagens naturais que inspiram serenidade e paz. Passeios pela natureza, jardins bem cuidados e flores frescas são maneiras de se conectar com Anael e atrair sua força benéfica para a vida diária.

Anael também atua como um intermediário entre o reino dos anjos e a humanidade, ajudando a transmitir mensagens de amor e esperança. Aqueles que se sentem perdidos ou desanimados podem invocar Anael para receber orientação e apoio. Ele ajuda a clarear a mente e abrir o coração, permitindo que as pessoas sintam a presença divina e recebam inspiração para seguir em frente.

A força de Anael é particularmente útil em momentos de transição e mudança. Ele oferece suporte e encorajamento para enfrentar novos desafios com confiança e otimismo. Seja em mudanças de carreira, novos relacionamentos ou qualquer outra fase importante da vida, Anael ajuda a encontrar a beleza e o amor em cada nova experiência.

Os ensinamentos de Anael também enfatizam a relevância da compaixão e da empatia. Ele inspira as pessoas a serem mais gentis e compreensivas, promovendo ações que beneficiam não apenas a si mesmas, mas também aos outros. Atos de bondade e caridade são maneiras poderosas de honrar Anael e incorporar seus princípios de amor e beleza na vida cotidiana.

Para aqueles que desejam aprofundar sua conexão com Anael, a prática regular de meditação pode ser extremamente benéfica. Durante a meditação, visualizar Anael envolto em luz rosada pode ajudar a sintonizar-se com sua força. Repetir mantras ou afirmações de amor e beleza também pode fortalecer essa conexão e atrair a influência positiva de Anael.

Os cristais, como o quartzo rosa e a esmeralda, continuam a ser ferramentas importantes para amplificar a presença de Anael. Esses cristais podem ser usados em meditações, carregados como amuletos ou colocados em altares dedicados a Anael. Eles ajudam a canalizar a força do anjo, promovendo cura emocional e atraindo amor e harmonia.

Anael também é celebrado em várias tradições espirituais e religiosas, com festas e rituais que honram sua contribuição para o amor e a beleza no mundo. Essas celebrações muitas vezes envolvem música, dança e outras formas de expressão artística que refletem a essência de Anael. Participar dessas celebrações pode ser uma maneira poderosa de sentir a sua presença e fortalecer a conexão com sua força.

Além de suas manifestações mais conhecidas, Anael trabalha silenciosamente nos bastidores, ajudando a alinhar os desejos do coração humano com a vontade divina. Ele guia aqueles que estão em busca do propósito de suas vidas, ajudando-os a encontrar caminhos que ressoem com o amor e a beleza universais. Sua influência pode ser sutil, mas profunda, tocando cada aspecto da existência com graça e compaixão.

A missão de Anael é contínua e abrangente. Ele está sempre disponível para aqueles que buscam sua ajuda, seja para encontrar o amor verdadeiro, curar um coração partido ou simplesmente apreciar a beleza do mundo ao seu redor. Anael lembra a todos que o amor e a beleza estão sempre presentes, esperando para serem descobertos e celebrados.

A presença de Anael é essencial para a manutenção do equilíbrio emocional e espiritual das pessoas. Sua força é uma fonte contínua de inspiração para aqueles que buscam uma vida mais plena e harmoniosa. Anael auxilia não apenas no plano individual, mas também em aspectos coletivos, promovendo a paz e a compreensão em comunidades e grupos.

Anael é muitas vezes invocado em momentos de meditação e oração, onde sua presença pode ser sentida mais intensamente. Praticantes recomendam criar um ambiente tranquilo, talvez com música suave e velas aromáticas, para facilitar a conexão com Anael. Durante esses momentos, é comum recitar orações ou afirmações de amor e beleza, convidando Anael a participar e guiar o processo de cura e inspiração.

Na vida cotidiana, Anael incentiva as pessoas a cultivarem atitudes dc gratidão e apreciação. Ele ensina que a beleza pode ser encontrada nas coisas mais simples, como um pôr do sol, uma flor desabrochando ou um gesto gentil de um estranho. Ao apreciar esses momentos, as pessoas se abrem para a força positiva de Anael, o que pode transformar sua perspectiva e enriquecer sua experiência de vida.

Para muitos, Anael é uma entidade de apoio em momentos de desafio emocional. Ele oferece uma presença confortante que ajuda a aliviar a dor e o sofrimento. Aqueles que se sentem isolados ou desanimados podem encontrar consolo na força de Anael, que trabalha para renovar a esperança e restaurar a fé no amor e na bondade.

Anael também desempenha um papel crucial na promoção do autoamor. Ele ensina que, para amar os outros de maneira plena, é necessário primeiro amar e aceitar a si. Este autoamor é a base para relacionamentos saudáveis e satisfatórios. Ao cultivar uma profunda aceitação e respeito por si, as pessoas são capazes de oferecer amor genuíno e incondicional aos outros.

No contexto das práticas de cura, Anael é muitas vezes invocado para liberar bloqueios emocionais e energéticos. Terapias que utilizam cristais, reiki, ou outras formas de cura energética podem se beneficiar enormemente da presença de Anael. Sua força purificadora pode ajudar a remover as forças negativas e promover um fluxo harmonioso de amor e compaixão.

Em termos de trabalho comunitário, Anael incentiva ações que promovam a união e a cooperação. Ele inspira líderes e membros de comunidades a trabalharem juntos em prol do bem comum, promovendo projetos que beneficiem a todos. Sua influência ajuda a criar ambientes onde a colaboração e o respeito mútuo são valorizados, contribuindo para a construção de uma sociedade mais justa e harmoniosa.

Além de sua atuação direta, Anael também inspira mudanças sutis, mas significativas nas atitudes e comportamentos das pessoas. Ele promove a empatia, encorajando os indivíduos a se colocarem no lugar dos outros e a agirem com compaixão e compreensão. Essas pequenas mudanças no comportamento diário podem ter um impacto profundo nas relações interpessoais e na dinâmica das comunidades.

Para aqueles que desejam aprofundar sua conexão com Anael, é recomendável manter uma prática espiritual regular que inclua meditação, oração e rituais dedicados ao anjo. A criação de um diário espiritual pode ser uma ferramenta valiosa para registrar experiências, insights e mensagens recebidas durante esses momentos de conexão. Esse diário serve como um recurso para refletir sobre o crescimento pessoal e a evolução espiritual ao longo do tempo.

Anael também é um aliado poderoso em momentos de tomada de decisão. Ele oferece clareza e perspectiva, ajudando as pessoas a fazerem escolhas alinhadas com seus valores mais elevados. Invocar Anael antes de tomar decisões importantes pode trazer uma sensação de paz e certeza, garantindo que as ações sejam guiadas pelo amor e pela integridade.

A missão de Anael é infinita e sempre relevante. Ele está constantemente trabalhando para assegurar que a essência do amor e da beleza permeie todas as esferas da existência humana. Sua influência suave e constante lembra a todos que, independentemente das circunstâncias, o amor é sempre uma escolha possível e que a beleza pode ser encontrada em todos os aspectos da vida.

Anael, em seu papel de anjo do amor e da beleza, também influencia a maneira como as pessoas se relacionam com o meio ambiente. Ele inspira um profundo respeito e apreço pela natureza, encorajando práticas sustentáveis e harmoniosas que promovam a preservação do planeta. A conexão com Anael pode levar a um maior entendimento da interdependência entre todos os seres vivos e o mundo natural.

Os jardins e espaços verdes são muitas vezes associados a Anael, servindo como locais de meditação e reflexão onde sua presença pode ser mais facilmente sentida. Passar tempo em tais ambientes permite que as pessoas se reconectem com a essência da beleza e da serenidade, encontrando paz e renovação espiritual. Plantar e cuidar de um jardim pode ser uma prática devocional que honra Anacl, ao mesmo tempo que promove a saúde mental e emocional.

Em rituais de purificação, a presença de Anael é invocada para limpar ambientes e indivíduos de forças negativas. Esses rituais podem envolver o uso de incenso, cristais e água, elementos que simbolizam a pureza e a renovação. Anael ajuda a transformar a força de um espaço, tornando-o mais acolhedor e propício ao amor e à beleza.

A influência de Anael se estende também às áreas de saúde e bem-estar. Ele inspira profissionais de saúde a tratar seus pacientes com compaixão e cuidado, promovendo não apenas a cura física, mas também o bem-estar emocional e espiritual. Terapias alternativas, como aromaterapia e musicoterapia, são formas de canalizar a força de Anael para promover a cura e o relaxamento.

Além disso, Anael é uma entidade central em várias práticas esotéricas, onde é invocado para auxiliar na manifestação de desejos e intenções que estão alinhados com o amor e a beleza. Praticantes de magia e espiritualidade muitas vezes recorrem a Anael para pedir orientação em questões de relacionamento e autoamor, utilizando símbolos e amuletos que representam sua força.

Os símbolos mais comuns associados a Anael incluem corações, flores, especialmente rosas, e a cor rosa, que simboliza amor e compaixão. Esses símbolos podem ser incorporados em altares, amuletos e práticas devocionais para fortalecer a conexão com Anael e atrair sua força para a vida cotidiana.

Anael também ensina a relevância do perdão como um caminho para o amor e a paz interior. Ele ajuda as pessoas a liberar ressentimentos e mágoas, promovendo a cura emocional e permitindo que o amor flua livremente. Praticar o perdão, tanto em relação aos outros quanto a si, é uma maneira poderosa de honrar Anael e cultivar um coração aberto e compassivo.

Em contextos educacionais, Anael inspira professores e mentores a abordar o ensino com amor e paciência. Ele promove um ambiente de aprendizado onde a beleza do conhecimento é valorizada e onde cada estudante é encorajado a florescer em seu próprio ritmo. A influência de Anael pode ser sentida em salas de aula e instituições que priorizam a empatia e a compreensão como pilares da educação.

A mensagem de Anael é clara e eterna: o amor e a beleza são forças transformadoras que podem curar e elevar a humanidade. Ao se conectar com Anael, as pessoas são lembradas de sua própria capacidade de amar e criar beleza em suas vidas e na vida daqueles ao seu redor. Ele nos lembra que cada ato de bondade, cada momento de apreciação pela beleza, é uma expressão do amor divino que permeia o universo.

Para manter uma conexão constante com Anael, é útil cultivar hábitos diários que celebrem o amor e a beleza. Isto pode incluir práticas simples, como começar o dia com uma oração ou meditação dedicadas a Anael, expressar gratidão por pequenos momentos de beleza e realizar atos de bondade ao longo do dia. Esses hábitos ajudam a manter a presença de Anael viva em nossas vidas, promovendo uma existência mais harmoniosa e amorosa.

Anael, como um guardião do amor e da beleza, continuará a guiar e inspirar todos os que buscam uma vida mais rica em amor, compaixão e harmonia. Sua missão eterna é assegurar que a essência do amor divino nunca se perca e que a beleza continue a florescer em todos os aspectos da existência humana.

Capítulo 11
Cassiel
Anjo da Solidão e das Lágrimas

Cassiel, reconhecido como o Anjo da Solidão e das Lágrimas, é uma entidade de profunda contemplação e introspecção no panteão divino. Seu nome significa "Velocidade de Deus" ou "Cobertura de Deus", simbolizando sua capacidade de observar o fluxo do tempo e a transitoriedade da vida. Cassiel foi criado do silêncio e da reflexão, imbuído da responsabilidade de guiar as almas através dos momentos mais solitários e melancólicos de suas jornadas.

Frequentemente representado como uma entidade solitária envolta em um manto cinzento com uma expressão de serena tristeza, Cassiel traz consigo uma presença calmante e reconfortante. Ele é uma fonte de paz e aceitação para aqueles que sofrem. Desde sua criação, Cassiel tem a tarefa de acompanhar as almas em momentos de profunda introspecção, ajudando-as a encontrar significado e propósito na solidão e nas lágrimas.

A força de Cassiel é especialmente forte durante os períodos de transição e mudança, quando as pessoas enfrentam perdas, luto e separação. Ele oferece uma presença constante e compreensiva, permitindo que as pessoas processem suas emoções e encontrem uma nova perspectiva através da reflexão e do tempo.

O complemento divino de Cassiel é Azrael, o Anjo da Morte, que guia as almas na transição entre a vida e a morte. Juntos, Cassiel e Azrael formam um par harmonioso, representando os ciclos de vida e morte, tristeza e aceitação. Enquanto Azrael ajuda as almas a atravessar o limiar da vida, Cassiel cuida delas nos momentos de solidão e reflexão que seguem, proporcionando consolo e orientação.

Os fractais de alma de Cassiel são anjos menores que compartilham sua missão de trazer conforto e introspecção. Estes fractais atuam como embaixadores de sua força, ajudando a aliviar a dor emocional e a encontrar significado na solidão. Eles trabalham discretamente, muitas vezes invisíveis, mas sempre presentes, guiando as pessoas através de suas emoções mais profundas e sombrias.

Cassiel e seus fractais de alma também têm um papel crucial na cura emocional. Eles ajudam a reparar corações partidos e a restaurar a fé e a esperança, guiando as pessoas a encontrar paz interior e força através da aceitação e da introspecção.

Cassiel desempenha um papel vital na relação entre os seres humanos, atuando como o anjo que guia as almas através dos períodos de solidão e tristeza. Ele ajuda as pessoas a abraçarem seus sentimentos, a processarem suas emoções e a encontrarem significado na solitude. Cassiel inspira uma compreensão profunda da vida e da morte, promovendo a aceitação e a sabedoria que vêm da introspecção.

Além de guiar as pessoas durante os momentos de solidão, Cassiel também encoraja a reflexão e a meditação. Ele inspira as almas a olharem para dentro de si mesmas, buscando respostas e insights que podem ser encontrados apenas na quietude e na introspecção. Este processo de autoexploração pode levar a um crescimento pessoal importante, permitindo que as pessoas compreendam melhor suas vidas e suas jornadas espirituais.

Cassiel é muitas vezes invocado por aqueles que estão enfrentando períodos difíceis de luto ou transição. Suas bênçãos são procuradas para trazer paz e clareza em momentos de incerteza. Muitas pessoas criam altares dedicados a ele, decorados com velas cinzentas e símbolos de introspecção, onde realizam meditações e orações em sua honra.

Ao conectar-se com Cassiel, as pessoas podem encontrar um caminho para a cura e a aceitação, transformando sua dor em sabedoria e compreensão. Ele ensina que a solidão não é algo a ser temido, mas sim um estado que pode trazer grande insight e crescimento espiritual. A presença de Cassiel é um lembrete constante de que, mesmo nos momentos mais sombrios, há sempre uma luz de compreensão e paz à espera de ser descoberta.

A aceitação da solidão e das lágrimas como partes naturais da experiência humana é central para a missão de Cassiel. Ele nos encoraja a não fugir de nossas emoções, mas a enfrentá-las com coragem e honestidade. Ao fazer isso, podemos encontrar uma nova profundidade de compreensão e compaixão, tanto por nós mesmos quanto pelos outros.

A presença de Cassiel em momentos de solidão e introspecção é uma fonte de força e sabedoria para aqueles que estão dispostos a aceitar a profundidade de suas emoções. Ele oferece uma perspectiva que vai além da dor imediata, ajudando as pessoas a encontrar um significado mais profundo e uma compreensão mais ampla de suas experiências. Em tempos de luto, Cassiel está lá para guiar as almas através do processo de cura, permitindo que elas transformem suas lágrimas em aprendizado e crescimento.

Cassiel encoraja a prática da meditação e da reflexão como meios de se conectar com o eu interior e com o universo. Através dessas práticas, as pessoas podem explorar suas emoções em um ambiente seguro e sagrado, onde a dor pode ser transformada em sabedoria. Ele ensina que, embora a solidão possa ser dolorosa, ela também pode ser uma oportunidade para o crescimento espiritual e a autodescoberta.

Aqueles que buscam a orientação de Cassiel muitas vezes encontram conforto em suas visões e sonhos. Ele se comunica por meio de sinais sutis, ajudando as pessoas a entenderem suas emoções e a encontrarem o caminho para a cura. Suas mensagens são muitas vezes de aceitação e paciência, lembrando-nos que o tempo é um grande curador e que a dor, embora intensa, eventualmente se suaviza.

A prática de criar altares dedicados a Cassiel é comum entre seus devotos. Estes altares são espaços sagrados onde as pessoas podem se conectar com sua força e encontrar consolo em sua presença. Velas cinzentas, cristais de ametista e símbolos de introspecção, como espelhos ou livros, são muitas vezes usados nesses altares para simbolizar a reflexão e a cura. A prática de acender uma vela e meditar diante do altar pode ajudar a invocar a presença de Cassiel e a sentir sua orientação e proteção.

Cassiel também trabalha em conjunto com outros anjos para proporcionar uma cura completa e abrangente. Por exemplo, em colaboração com Rafael, o Anjo da Cura, Cassiel ajuda a curar as feridas emocionais e espirituais, proporcionando uma cura holística que abrange o corpo, a mente e o espírito. Juntos, eles criam um ambiente de paz e segurança onde as almas podem se curar e se renovar.

A oração é uma prática poderosa para se conectar com Cassiel. Orações simples, que pedem sua presença e orientação durante momentos de solidão, podem ser extremamente reconfortantes. Através da oração, as pessoas podem expressar suas emoções e buscar a sabedoria e a paz que Cassiel oferece. As palavras não precisam ser elaboradas; a sinceridade do coração é o que realmente importa.

Um exemplo de oração a Cassiel poderia ser:

"Querido Cassiel, anjo da solidão e das lágrimas, esteja comigo neste momento de introspecção. Ajude-me a encontrar paz e sabedoria em minha solidão. Conforte meu coração e guie minhas lágrimas, transformando-as em compreensão e crescimento. Que sua presença me traga clareza e serenidade. Amém."

Além de sua função como guia durante momentos de tristeza, Cassiel também é um protetor das almas solitárias. Ele oferece um escudo de proteção contra forças negativas e influências externas que podem agravar a dor emocional. Ao invocar Cassiel, as pessoas podem sentir um senso de segurança e apoio, sabendo que estão sendo cuidadas e protegidas em seus momentos mais vulneráveis.

A presença de Cassiel é muitas vezes sentida em momentos de grande perda ou transição. Ele é chamado para oferecer conforto durante o luto, ajudando as pessoas a aceitarem a perda e a encontrarem um caminho para a cura. Sua força suave e compreensiva permite que as pessoas processem suas emoções sem pressa, encontrando consolo em sua própria velocidade.

Cassiel também inspira criatividade e autoexpressão como meios de lidar com a solidão e a tristeza. Através da arte, da escrita ou da música, as pessoas podem canalizar suas emoções e encontrar uma saída saudável para seus sentimentos. Ele encoraja a expressão artística como uma forma de cura, permitindo que as almas solitárias se conectem com suas emoções de uma maneira positiva e transformadora.

Em momentos de silêncio e reflexão, Cassiel está presente, guiando suavemente as almas através de seus pensamentos e emoções. Ele nos lembra que a solidão não é um castigo, mas uma oportunidade de crescimento e autodescoberta. Sua sabedoria profunda nos ensina a valorizar o tempo que passamos sozinhos, usando-o para explorar nossos corações e mentes e para encontrar a paz dentro de nós mesmos.

Ao final, Cassiel é um anjo de grande compaixão e sabedoria, oferecendo conforto e orientação em nossos momentos mais sombrios. Ele nos ajuda a navegar pela complexidade de nossas emoções, transformando a dor em entendimento e a solidão em crescimento espiritual. Sua presença é um farol de luz e esperança, lembrando-nos de que nunca estamos verdadeiramente sozinhos.

A interação com Cassiel durante períodos de solidão pode ser uma experiência transformadora. Ele nos ensina que, ao invés de fugir da dor, devemos encará-la de frente, permitindo que ela revele suas lições ocultas. Cassiel incentiva a aceitação do momento presente, ajudando-nos a perceber que a dor e a tristeza são partes naturais da vida e podem ser portas para um crescimento mais profundo.

Muitas pessoas que buscam a ajuda de Cassiel relatam sentir uma sensação de paz e clareza após invocá-lo. Sua presença serena ajuda a acalmar a mente e o coração, permitindo uma introspecção profunda. Este estado de quietude interior é propício para a meditação e para a reflexão, ajudando as pessoas a encontrarem respostas para suas perguntas mais profundas.

Cassiel também é um guardião do tempo. Ele nos lembra que a cura emocional não é algo que pode ser apressado. Cada um de nós tem seu próprio ritmo, e Cassiel nos encoraja a respeitar nosso tempo de luto e reflexão. Ele nos ensina a sermos pacientes conosco mesmos e a confiar no processo natural de cura. A aceitação desse ritmo pessoal é fundamental para a verdadeira recuperação e crescimento.

A solidão, embora muitas vezes vista como algo negativo, é uma oportunidade para o autoconhecimento. Cassiel nos guia para dentro de nós mesmos, onde podemos descobrir nossas verdadeiras paixões, medos e desejos. Esta jornada interior, embora desafiadora, pode levar a uma autocompreensão profunda e a um senso renovado de propósito.

Aqueles que trabalham com Cassiel muitas vezes usam a escrita como uma ferramenta de cura. Manter um diário onde possam registrar seus pensamentos, sentimentos e sonhos pode ser uma forma poderosa de se conectar com suas emoções e com a orientação de Cassiel. Escrever permite que as pessoas expressem o que estão sentindo de uma maneira segura e privada, ajudando-as a processar suas emoções de forma saudável.

Cassiel também é reconhecido por trazer sonhos importantes que podem oferecer insights e orientação. Prestar atenção aos sonhos e refletir sobre seus significados pode ser uma forma de receber mensagens de Cassiel. Esses sonhos podem trazer conforto, clareza e uma nova perspectiva sobre situações difíceis. Manter um diário de sonhos pode ajudar a capturar esses insights valiosos e a integrá-los na vida diária.

A prática de rituais simples, como acender uma vela e fazer uma oração antes de dormir, pode ajudar a criar um espaço sagrado onde a presença de Cassiel possa ser sentida mais fortemente. Este ato simbólico de invocação pode proporcionar um senso de segurança e paz, preparando o terreno para uma noite de descanso e sonhos reveladores.

Através de sua conexão com a natureza, Cassiel nos ensina a encontrar conforto no mundo natural. Passar tempo ao ar livre, em silêncio e contemplação, pode ser uma forma de se conectar com a força de Cassiel. A natureza tem um efeito calmante e curativo, e Cassiel nos incentiva a buscar essa conexão para encontrar paz interior. Caminhadas em florestas, a observação do pôr do sol ou simplesmente sentar à beira de um rio podem ser experiências profundamente restauradoras.

Cassiel também nos lembra da relevância de cuidar de nós mesmos durante os momentos de solidão e tristeza. Praticar o autocuidado, seja por meio de uma alimentação saudável, exercício físico ou simplesmente tirando um tempo para relaxar, é essencial para a recuperação emocional. Ele nos encoraja a sermos gentis e compassivos conosco mesmos, reconhecendo que cuidar de nosso bem-estar físico também é uma forma de cura espiritual.

A música é outra forma poderosa de se conectar com Cassiel e processar emoções. Canções que evocam sentimentos de paz, reflexão e introspecção podem ajudar a acalmar a mente e o coração. Ouvir música instrumental suave ou compor canções próprias pode ser uma forma de expressar emoções e encontrar alívio na arte. A música tem a capacidade de tocar a alma de maneiras profundas, e Cassiel nos incentiva a usar essa ferramenta para nossa cura emocional.

Além de guiar as almas humanas, Cassiel também é um protetor dos animais solitários e abandonados. Sua compaixão se estende a todas as criaturas, e ele inspira os humanos a cuidarem dos animais que precisam de amor e atenção. Adotar ou cuidar de um animal de estimação pode ser uma maneira de se conectar com a força de Cassiel e de encontrar conforto na companhia de um ser vivo que também busca carinho e cuidado.

Cassiel, como anjo da introspecção, nos lembra da relevância de olhar para dentro e buscar a verdade em nossos próprios corações. Ele nos guia para uma compreensão mais profunda de nós mesmos, ajudando-nos a encontrar a paz na aceitação de quem somos. Esta jornada interior, embora difícil, é essencial para o crescimento espiritual e para a verdadeira cura emocional.

Através de sua orientação, Cassiel nos mostra que a solidão pode ser uma ferramenta poderosa para o autoconhecimento e a transformação pessoal. Ele nos encoraja a abraçar nossos momentos de solitude como oportunidades para refletir, crescer e descobrir nossa verdadeira essência. Em suas asas, encontramos não apenas consolo, mas também a força para enfrentar nossos medos e emergir mais fortes e mais sábios.

Ao explorar a natureza introspectiva de Cassiel, percebemos que ele não apenas observa a dor e a solidão, mas também celebra a resiliência humana. A solidão, para Cassiel, não é um fim em si, mas um meio de autodescoberta e renovação. Ele nos ensina que, ao enfrentar nossos momentos mais sombrios, podemos emergir com uma compreensão mais profunda de nós mesmos e do mundo ao nosso redor.

Cassiel trabalha silenciosamente nos bastidores, muitas vezes sem ser notado, mas sua influência é palpável para aqueles que buscam seu apoio. Ele é especialmente ativo durante os períodos de mudança e transição, ajudando as pessoas a navegar pelas águas turbulentas da vida. Seja por meio de uma meditação tranquila ou de uma oração silenciosa, sua presença pode ser sentida como um toque suave, um lembrete de que não estamos sozinhos em nossa jornada.

A conexão com Cassiel pode ser fortalecida por meio de práticas espirituais que promovem a introspecção e a cura. Meditações guiadas focadas na presença de Cassiel podem ajudar a abrir portas internas para o autoconhecimento e a paz. Visualizar Cassiel em um ambiente tranquilo, como uma floresta ou uma praia silenciosa, pode criar um espaço seguro onde as emoções podem ser exploradas e compreendidas.

A prática de registrar pensamentos e emoções em um diário também é uma forma eficaz de se conectar com a força de Cassiel. Este ato de escrita não apenas libera emoções reprimidas, mas também serve como um registro pessoal de crescimento e transformação. Revisitar essas entradas ao longo do tempo pode revelar padrões e insights que podem ser cruciais para a cura emocional.

Cassiel nos ensina a relevância de aceitar a impermanência da vida. Ele nos lembra que a dor e a solidão são transitórias e que, ao aceitá-las, podemos encontrar a paz. Esta aceitação é um passo crucial para a cura, pois permite que as emoções fluam livremente, sem resistência. Cassiel nos guia para uma compreensão mais profunda de que tudo na vida é temporário, e essa percepção pode trazer uma sensação de alívio e serenidade.

A interação com a natureza é outra forma de se conectar com Cassiel. Ele nos incentiva a buscar a tranquilidade e a beleza do mundo natural como um meio de refletir sobre nossas vidas e encontrar paz interior. Caminhar na floresta, sentar-se à beira de um lago ou simplesmente observar as estrelas pode ser uma experiência profundamente restauradora, oferecendo uma perspectiva mais ampla sobre nossos problemas e preocupações.

Cassiel também trabalha para proteger aqueles que se sentem isolados ou marginalizados. Ele oferece uma presença reconfortante para aqueles que se sentem desconectados da sociedade, ajudando-os a encontrar um sentido de pertencimento e propósito. Sua força pode ser um farol de esperança para aqueles que se sentem perdidos, guiando-os para um lugar de aceitação e paz.

A música e a arte são poderosos aliados na jornada com Cassiel. Ele inspira a expressão criativa como um meio de lidar com a solidão e a tristeza. Através da pintura, da escultura, da música ou da escrita, as pessoas podem canalizar suas emoções de maneiras construtivas e curativas. A arte permite que as emoções sejam expressas e compreendidas de uma maneira que as palavras sozinhas não conseguem alcançar.

Além de suas funções como guia e protetor, Cassiel também nos lembra da relevância de servir aos outros. Ajudar aqueles que estão passando por momentos de solidão e tristeza pode ser uma forma poderosa de se conectar com a força de Cassiel. Atos de bondade e compaixão para com os outros não apenas trazem alívio e conforto, mas também reforçam nossa própria resiliência e capacidade de cura.

Cassiel nos ensina que a verdadeira força vem da vulnerabilidade e da aceitação. Ao permitir-nos sentir nossas emoções plenamente, sem julgamentos, podemos encontrar uma fonte de força interna que nos sustenta em tempos difíceis. Esta força não é a ausência de dor, mas a capacidade de enfrentá-la com coragem e compaixão.

A presença de Cassiel nos momentos de solidão é um lembrete constante de que não estamos sozinhos. Mesmo nos momentos mais escuros, sua luz suave e reconfortante nos guia para uma compreensão mais profunda e uma aceitação serena de nossas experiências. Ele nos ensina que a solidão, longe de ser um estado de desespero, pode ser um espaço sagrado de crescimento e renovação.

Em sua essência, Cassiel é um guardião da alma humana, protegendo e guiando através dos desafios emocionais. Sua sabedoria e compaixão oferecem um farol de esperança para aqueles que buscam a cura e a paz. Ao nos conectar com Cassiel, podemos encontrar não apenas consolo, mas também uma força renovada para enfrentar as adversidades da vida.

Através de sua orientação, aprendemos a ver a solidão e a tristeza como partes integrais de nossa jornada espiritual. Cassiel nos mostra que, ao abraçar essas experiências, podemos encontrar uma profundidade de entendimento e um senso de propósito que nos enriquece e nos fortalece. Ele é um anjo de grande compaixão e sabedoria, guiando-nos para a paz e a compreensão em nossos momentos mais desafiadores.

A jornada com Cassiel é uma exploração contínua da alma e das emoções humanas. Ele nos guia através das sombras de nossa própria existência, iluminando os caminhos escondidos da mente e do coração. Em momentos de crise, sua presença é como um farol, oferecendo orientação e conforto, ajudando-nos a encontrar a força para continuar.

Cassiel ensina a relevância de estar presente no momento, de sentir plenamente cada emoção e de não fugir da dor. Este processo de aceitação é essencial para a cura e o crescimento pessoal. Ele nos lembra que, ao enfrentar nossos sentimentos, estamos nos dando a oportunidade de crescer e nos transformar. Esta aceitação é um passo vital na jornada de autodescoberta e cura.

Uma das maneiras de honrar a presença de Cassiel é através da criação de rituais pessoais que celebrem a introspecção e a reflexão. Isso pode incluir acender velas, usar incenso ou meditar em um espaço sagrado. Esses atos simbólicos podem criar um ambiente onde a presença de Cassiel é sentida mais fortemente, proporcionando uma sensação de paz e segurança.

Além disso, Cassiel nos incentiva a buscar atividades que promovam a quietude e a reflexão. Ler livros de filosofia, espiritualidade ou poesia pode ser uma forma de alimentar a mente e o espírito. Essas atividades ajudam a criar um espaço mental onde a introspecção pode ocorrer, permitindo que insights e compreensões profundas surjam naturalmente.

A prática da gratidão também é uma maneira poderosa de se conectar com a força de Cassiel. Manter um diário de gratidão, onde você registra diariamente coisas pelas quais é grato, pode ajudar a mudar a perspectiva e a encontrar alegria nas pequenas coisas. Cassiel nos lembra que mesmo nos momentos de dor e solidão, sempre há algo pelo qual podemos ser gratos, e essa gratidão pode ser um passo importante para a cura.

A presença de Cassiel é especialmente sentida em momentos de transição, como o luto ou a mudança de vida. Ele oferece uma fonte constante de apoio e compreensão, ajudando-nos a navegar pelas águas incertas dessas transições. Sua sabedoria nos ensina a confiar no processo e a acreditar que, apesar da dor, há sempre um caminho para a renovação e a esperança.

Cassiel também nos encoraja a compartilhar nossas histórias e experiências com os outros. A troca de experiências pode ser uma forma de cura tanto para quem compartilha quanto para quem ouve. Através da narrativa, podemos encontrar significado em nossas experiências e ajudar os outros a encontrar o caminho através de suas próprias jornadas de dor e solidão.

Além de seu papel de guia, Cassiel é um anjo que promove a conexão com o divino. Ele nos lembra que, em nossos momentos mais solitários, podemos encontrar conforto na presença do divino. Este relacionamento espiritual pode ser uma fonte de força e esperança, ajudando-nos a enfrentar os desafios da vida com uma fé renovada.

Cassiel também trabalha para fortalecer a nossa conexão com os outros seres humanos. Ele nos encoraja a construir relacionamentos baseados na empatia e na compreensão mútua.

Através da compaixão e do apoio aos outros, podemos criar uma rede de apoio que nos sustenta em nossos momentos mais difíceis. Cassiel nos mostra que, embora a solidão seja uma parte natural da vida, a conexão humana é igualmente importante para a cura e o crescimento.

No final, a jornada com Cassiel é uma exploração profunda da alma. Ele nos guia através dos momentos de tristeza e solidão, ajudando-nos a encontrar a luz na escuridão. Sua presença é um lembrete constante de que nunca estamos verdadeiramente sozinhos, e que a dor e a tristeza podem ser transformadas em oportunidades de crescimento e entendimento.

Cassiel, como anjo da solidão e das lágrimas, oferece uma visão única e compassiva sobre a experiência humana. Ele nos ensina a abraçar nossas emoções e a encontrar força e sabedoria na introspecção. Através de sua orientação, podemos transformar a dor em compreensão e a solidão em um espaço sagrado de autodescoberta.

Ao concluir este capítulo, podemos refletir sobre a sabedoria de Cassiel e aplicar seus ensinamentos em nossas vidas diárias. Ele nos mostra que a verdadeira cura vem da aceitação e da compaixão, tanto por nós mesmos quanto pelos outros. Cassiel é um anjo de grande poder e compreensão, sempre pronto para nos guiar através das tempestades emocionais para a paz e a clareza.

Capítulo 12
Sachiel
Anjo da Abundância e da Fortuna

Sachiel, o Anjo da Abundância e da Fortuna, é uma entidade divino reverenciada por sua capacidade de trazer prosperidade e generosidade àqueles que buscam sua ajuda. Seu nome significa "Cobertura de Deus", refletindo sua missão de cobrir a Terra com a abundância divina. Sachiel foi criado em um momento de esplendor divino, quando Deus, em sua infinita sabedoria e amor, decidiu que a criação precisava de um guardião que pudesse promover a prosperidade e o bem-estar.

A origem de Sachiel remonta à formação dos primeiros reinos celestiais. Ele foi gerado a partir da pura essência da luz divina, uma força vibrante e dourada que simboliza a riqueza e a generosidade infinitas de Deus. Desde o início, Sachiel foi imbuído com a missão de distribuir a prosperidade de maneira justa e equilibrada, assegurando que cada ser pudesse desfrutar dos dons celestiais.

Sachiel é muitas vezes associado a elementos da natureza que simbolizam crescimento e fecundidade, como campos férteis, árvores frondosas e rios caudalosos. Esses símbolos refletem sua capacidade de nutrir e sustentar a vida em todas as suas formas. Ele é invocado por aqueles que desejam atrair abundância material e espiritual, sendo um aliado poderoso na superação de dificuldades financeiras e na busca por uma vida plena e próspera.

A presença de Sachiel é descrita como uma sensação de calor e luz, muitas vezes acompanhada por visões de campos dourados e frutos maduros. Pessoas que invocam Sachiel relatam sentir uma paz profunda e uma confiança renovada em suas capacidades de atrair e gerir recursos. Sua influência é percebida não apenas na esfera material, mas também no fortalecimento de valores como a generosidade, a gratidão e o altruísmo.

A missão de Sachiel abrange diversas áreas da vida humana, incluindo finanças, negócios, agricultura e relações pessoais. Ele atua como um guia e conselheiro, inspirando as pessoas a tomarem decisões sábias e a adotarem práticas que promovam o bem-estar coletivo. Sachiel encoraja uma abordagem equilibrada e ética em relação à prosperidade, lembrando sempre que a verdadeira abundância está enraizada no amor e no serviço ao próximo.

Para fortalecer a conexão com Sachiel, muitos praticantes adotam rituais que incluem meditações, orações e a utilização de símbolos associados ao anjo. Acender velas douradas ou verdes, cores tradicionalmente ligadas à abundância e à fertilidade, é uma prática comum. Além disso, a visualização de campos férteis e a recitação de mantras específicos podem ajudar a sintonizar-se com a força de Sachiel.

Sachiel também é reconhecido por sua capacidade de ajudar na resolução de conflitos relacionados a questões materiais. Ele é invocado em situações de disputas financeiras, heranças, negociações comerciais e qualquer outra circunstância onde a justiça e a equidade precisem ser restauradas. Sua presença traz clareza e discernimento, ajudando as partes envolvidas a encontrarem soluções harmoniosas que beneficiem a todos.

O anjo da abundância trabalha em estreita colaboração com outros seres celestiais, especialmente aqueles ligados à proteção e à cura. Essa colaboração visa garantir que a prosperidade seja alcançada de maneira saudável e sustentável. Sachiel acredita que a verdadeira riqueza vai além dos bens materiais, englobando também a saúde, o bem-estar emocional e a realização espiritual.

Em muitas tradições espirituais, Sachiel é celebrado em rituais de agradecimento pela colheita e pelas bênçãos recebidas ao longo do ano. Festivais e celebrações em sua honra são marcados por oferendas de frutas, grãos e outros produtos da terra, simbolizando a gratidão pela generosidade divina. Essas celebrações não apenas fortalecem a conexão com Sachiel, mas também promovem a consciência sobre a relevância de partilhar e cuidar do meio ambiente.

O papel de Sachiel como guardião da abundância envolve também a educação e a conscientização sobre o uso responsável dos recursos. Ele inspira líderes e educadores a promoverem práticas sustentáveis e a ensinarem sobre a relevância do equilíbrio entre o consumo e a preservação. A visão de Sachiel para um mundo abundante é aquela onde todos têm acesso aos recursos necessários para uma vida digna, sem comprometer as necessidades das futuras gerações.

A relação de Sachiel com os seres humanos é caracterizada por um profundo respeito e compaixão. Ele entende as dificuldades e os desafios que muitas pessoas enfrentam em suas jornadas para alcançar a prosperidade. Por isso, ele oferece seu apoio incondicional, guiando e protegendo aqueles que estão dispostos a seguir um caminho de honestidade e integridade.

Para invocar a ajuda de Sachiel, recomenda-se criar um espaço sagrado onde se possa meditar e refletir sobre as bênçãos desejadas. Este espaço pode ser decorado com símbolos de abundância, como moedas, plantas e imagens que representem fartura. Durante a meditação, é importante focar na intenção de atrair prosperidade não apenas para si, mas também para o bem maior da comunidade e do mundo.

A prática de orações dedicadas a Sachiel é uma maneira eficaz de fortalecer a conexão com esse anjo. Uma oração comum pode incluir palavras de gratidão pelas bênçãos já recebidas e pedidos específicos de assistência em áreas onde se deseja mais abundância. A sinceridade e a clareza das intenções são fundamentais para estabelecer uma comunicação profunda e significativa com Sachiel.

Além das práticas individuais, Sachiel encoraja a formação de grupos e comunidades que trabalhem juntos para promover a prosperidade coletiva. Projetos de cooperação, iniciativas de caridade e movimentos sociais que visam reduzir a pobreza e a desigualdade são especialmente favorecidos por sua força. Ele acredita que a abundância deve ser compartilhada e que a verdadeira riqueza está em contribuir para o bem-estar de todos.

Uma das mensagens centrais de Sachiel é a relevância de cultivar uma mentalidade de abundância. Isso significa reconhecer e valorizar as bênçãos presentes em nossas vidas, por menores que

133

possam parecer. Ao focar no que já temos e expressar gratidão, abrimos espaço para que mais bênçãos fluam para nós. Esta atitude positiva não apenas atrai prosperidade, mas também melhora nosso bem-estar geral e nossas relações interpessoais.

A visão de Sachiel sobre a abundância está profundamente ligada aos princípios espirituais de amor e serviço. Ele nos lembra que a riqueza material é efêmera e que a verdadeira prosperidade vem de viver uma vida alinhada com os valores divinos. Isso inclui ser generoso, compassivo e estar disposto a ajudar os outros em suas próprias jornadas de crescimento e realização.

Para aqueles que enfrentam dificuldades financeiras, Sachiel oferece esperança e orientação. Ele ensina que, mesmo nas circunstâncias mais desafiadoras, há sempre um caminho para a recuperação e o crescimento. Ao trabalhar com Sachiel, é possível desenvolver uma nova perspectiva sobre os recursos e descobrir maneiras criativas de superar os obstáculos.

Práticas de visualização são particularmente eficazes ao trabalhar com Sachiel. Imaginar-se rodeado por uma luz dourada, simbolizando a força de abundância, pode ajudar a atrair prosperidade e afastar pensamentos de escassez. Visualizar os objetivos sendo alcançados e sentir a alegria e a gratidão antecipadas por essas realizações também são métodos poderosos para manifestar a abundância desejada.

A colaboração com Sachiel não se limita ao âmbito espiritual. Ele também oferece insights práticos sobre gestão financeira, investimentos e planejamento de recursos. Muitas pessoas que trabalham com Sachiel relatam receber ideias inspiradoras e soluções inovadoras para melhorar suas finanças e alcançar seus objetivos materiais. Essa orientação pode se manifestar através de sonhos, intuições ou encontros fortuitos com pessoas que oferecem conselhos valiosos.

Sachiel ensina que a prosperidade deve ser buscada de maneira ética e responsável. Ele adverte contra práticas que possam prejudicar os outros ou o meio ambiente em nome do lucro. Em vez disso, ele promove uma abordagem sustentável e compassiva, onde o sucesso financeiro é alcançado de forma justa e benéfica para todos os envolvidos. Este princípio de justiça e equidade é central para a missão de Sachiel e reflete os valores mais elevados do reino divino.

As histórias de pessoas que tiveram experiências transformadoras ao invocar Sachiel são numerosas e inspiradoras. Muitos relatam ter encontrado novas oportunidades de emprego, recebido aumentos inesperados ou experimentado melhorias significativas em suas situações financeiras após pedir a ajuda de Sachiel. Essas histórias servem como testemunho do poder e da benevolência desse anjo.

A influência de Sachiel vai além das finanças pessoais. Ele também trabalha para promover a prosperidade em comunidades e nações inteiras. Projetos de desenvolvimento comunitário, iniciativas de sustentabilidade e programas de assistência social podem se beneficiar de sua orientação e bênçãos. Sachiel acredita que quando uma comunidade prospera, todos os seus membros têm a chance de florescer.

Para aqueles que desejam aprofundar sua conexão com Sachiel, é útil estudar e meditar sobre textos sagrados e ensinamentos relacionados à abundância e à prosperidade. Essas práticas podem oferecer insights valiosos e fortalecer a fé na capacidade de Sachiel de trazer mudanças positivas. Ler histórias de milagres e intervenções divinas também pode inspirar e motivar a buscar uma relação mais próxima com esse anjo.

A jornada com Sachiel é uma parceria contínua de crescimento e descoberta. Ele oferece não apenas bênçãos materiais, mas também uma compreensão mais profunda do que significa viver uma vida verdadeiramente abundante. Ao abrir o coração e a mente para a orientação de Sachiel, é possível experimentar uma transformação significativa e duradoura, tanto no plano material quanto espiritual.

Ao final de cada dia, é recomendável reservar um momento para refletir sobre as bênçãos recebidas e expressar gratidão a Sachiel. Essa prática simples pode fortalecer a conexão com ele e manter o fluxo de abundância em nossas vidas. Escrever um diário de gratidão, onde se registram as pequenas e grandes bênçãos, é uma maneira eficaz de manter a consciência da presença de Sachiel e das suas intervenções diárias.

Sachiel também incentiva a prática da generosidade. Doar parte dos recursos, seja tempo, dinheiro ou habilidades, é uma maneira poderosa de manter o ciclo de abundância em movimento. Acredita-se que a generosidade cria um espaço para que novas bênçãos entrem em nossas vidas, reforçando o princípio de que quanto mais damos, mais recebemos.

A conexão com Sachiel pode ser reforçada através da participação em rituais comunitários, onde a intenção coletiva de atrair prosperidade é amplificada pela força conjunta dos participantes. Esses rituais podem incluir meditações guiadas, cânticos e a partilha de testemunhos sobre as bênçãos recebidas. A força criada nesses encontros pode ser muito poderosa, fortalecendo a fé e a determinação de cada indivíduo.

Em última análise, Sachiel nos ensina que a verdadeira abundância é um estado de espírito e um modo de vida. Ele nos lembra que somos todos merecedores das bênçãos divinas e que, ao alinhar nossas vidas com os princípios da generosidade, gratidão e serviço, podemos atrair uma prosperidade duradoura e significativa. A jornada com Sachiel é uma aventura de descoberta e crescimento, onde cada passo é guiado pela luz e pela sabedoria desse anjo benevolente.

Integrar as lições de Sachiel em nossas vidas diárias pode trazer não apenas prosperidade material, mas também uma profunda sensação de paz e satisfação. Ele nos encoraja a ver a abundância em todas as coisas, a cultivar a gratidão por cada momento e a compartilhar nossas bênçãos com o mundo. Ao seguir sua orientação, podemos criar uma vida rica em significado, propósito e alegria.

A mensagem de Sachiel é clara: a verdadeira abundância está disponível para todos que estão dispostos a abrir seus corações e mentes para a generosidade divina. Ele está sempre presente, pronto para guiar e abençoar aqueles que o invocam com sinceridade e fé. Ao confiar na sua sabedoria e seguir seus ensinamentos, podemos transformar nossas vidas e o mundo ao nosso redor, criando um futuro brilhante e abundante para todos.

Capítulo 13
Sariel
Anjo da Orientação e da Verdade

Sariel, cujo nome significa "Mandamento de Deus", é reconhecido como o Anjo da Orientação e da Verdade. Sua presença no panteão angelical é vital, pois ele oferece clareza, sabedoria e verdade divina aos seres humanos. Sua entidade é muitas vezes associada à busca pela verdade e à necessidade de orientação em tempos de incerteza e dúvida.

Desde os tempos antigos, Sariel tem sido um guia para aqueles que procuram a verdade e a compreensão. Em várias tradições esotéricas, ele é descrito como um portador de luz que ilumina o caminho dos buscadores da verdade. Sua missão é ajudar os seres humanos a ver além das ilusões do mundo material e a encontrar a verdadeira essência das coisas.

A conexão com Sariel pode ser cultivada por meio de práticas espirituais específicas que visam abrir a mente e o coração para a verdade divina. Meditações focadas em Sariel geralmente envolvem visualizações de luz branca ou dourada, que simbolizam a pureza e a clareza que ele traz. Durante essas meditações, é comum pedir a orientação de Sariel para questões específicas ou para obter uma visão mais clara de situações complexas.

Além de meditações, orações dedicadas a Sariel podem ser uma maneira poderosa de se conectar com sua força. Estas orações muitas vezes pedem clareza mental, discernimento e a capacidade de ver a verdade nas situações do dia a dia. Um exemplo de oração poderia ser: "Sariel, Anjo da Verdade, ilumina meu caminho com tua sabedoria. Ajuda-me a ver além das ilusões e a encontrar a verdade em todas as coisas."

Sariel também é reconhecido por sua capacidade de revelar segredos e trazer à luz aquilo que está oculto. Em muitas histórias antigas, ele aparece para desvendar mistérios ou para oferecer conselhos que ajudam a esclarecer situações confusas. Esta habilidade de revelar a verdade faz dele um aliado poderoso para aqueles que buscam conhecimento e compreensão.

No campo da numerologia, Sariel está associado ao número sete, que é muitas vezes visto como um número sagrado que simboliza a perfeição e a completude espiritual. Este número reflete a missão de Sariel de trazer a verdade completa e pura aos que a buscam. Muitos devotos de Sariel usam o número sete em seus rituais e práticas devocionais para fortalecer sua conexão com ele.

Além de suas associações com a verdade e a sabedoria, Sariel também é um protetor contra enganos e mentiras. Ele ajuda a discernir a verdade da falsidade, oferecendo uma camada extra de proteção espiritual para aqueles que estão expostos a enganos ou manipulações. Incluir símbolos ou amuletos associados a Sariel em sua vida diária pode ajudar a manter essa proteção constante.

Em momentos de decisão, invocar Sariel pode fornecer a clareza necessária para fazer escolhas informadas e sábias. Sua orientação pode ser particularmente útil em situações onde a verdade não é clara ou onde há muitas facetas a serem consideradas. Pedir a Sariel para iluminar o caminho pode trazer uma sensação de paz e certeza, sabendo que as decisões estão sendo guiadas por uma força divina.

A devoção a Sariel pode se manifestar de várias formas, desde a inclusão de práticas devocionais em sua rotina diária até a criação de altares dedicados a ele. Estes altares podem incluir velas brancas, cristais como quartzo transparente, e imagens ou símbolos que representem Sariel. Manter um espaço sagrado para Sariel pode ajudar a fortalecer a conexão e a manter sua presença próxima.

Sariel também encoraja a prática da verdade em todos os aspectos da vida. Isso inclui ser honesto consigo mesmo e com os outros, bem como viver segundo os próprios valores e princípios. A verdade, para Sariel, não é apenas um conceito abstrato, mas uma prática diária que deve ser incorporada em todas as ações e decisões.

Sariel, além de ser um guia da verdade, é também um guardião das almas em busca de iluminação espiritual. Sua função transcende as simples interações do dia a dia, penetrando profundamente na jornada espiritual de cada indivíduo. Ao invocar Sariel, os devotos estão buscando não apenas respostas para questões imediatas, mas também um entendimento mais profundo do seu propósito espiritual e do seu lugar no universo.

Muitas tradições espirituais sugerem que Sariel trabalha incansavelmente para ajudar os indivíduos a superar as ilusões e os enganos que obscurecem muitas vezes a verdade. Em um mundo cheio de desinformação e superficialidade, a orientação de Sariel é essencial para aqueles que desejam viver vidas autênticas e iluminadas. Ele é muitas vezes invocado durante momentos de introspecção e reflexão, especialmente quando se busca uma verdade interior que pode estar sendo escondida por camadas de autoengano ou medo.

Os relatos históricos de Sariel destacam sua presença em várias tradições religiosas, incluindo o judaísmo e o cristianismo. Na literatura apócrifa, como o Livro de Enoque, Sariel é mencionado como um dos anjos que revelam segredos celestiais aos humanos. Ele é descrito como um anjo com grande conhecimento e sabedoria, capaz de ensinar sobre os mistérios do céu e da terra. Este papel como revelador de segredos sublinha sua conexão profunda com a verdade e a orientação espiritual.

Além dos textos sagrados, muitas culturas desenvolveram rituais específicos para honrar Sariel e pedir sua orientação. Esses rituais podem variar desde simples preces até cerimônias mais elaboradas que envolvem a criação de mandalas ou a queima de incensos específicos que simbolizam a pureza e a clareza. A prática regular desses rituais pode ajudar a manter uma conexão constante com Sariel, permitindo que sua orientação seja uma presença constante na vida do devoto.

Um aspecto importante da devoção a Sariel é o compromisso com a integridade pessoal. Sariel não apenas revela verdades externas, mas também incentiva a honestidade interna. Isso significa enfrentar e reconhecer verdades pessoais, mesmo

141

quando elas são desconfortáveis ou desafiadoras. Este processo de autoconhecimento é fundamental para o crescimento espiritual e é uma das maneiras pelas quais Sariel ajuda seus devotos a evoluírem.

Para muitos, a orientação de Sariel é sentida como uma intuição forte ou uma "voz interior" que guia suas ações e decisões. Esta forma de comunicação é sutil e requer um nível elevado de sensibilidade espiritual para ser percebida e compreendida. Desenvolver essa sensibilidade pode envolver práticas como meditação regular, jejum espiritual e a prática de atos de caridade, que purificam o espírito e permitem uma conexão mais clara com as forças divinas.

Em momentos de crise, Sariel pode ser um farol de esperança e clareza. Sua presença é muitas vezes associada a uma sensação de paz e certeza, mesmo em meio à confusão e ao caos. Muitos relatam sentir uma luz suave e calmante ou uma sensação de alívio imediato ao invocar Sariel, especialmente em momentos de grande necessidade emocional ou espiritual. Essa experiência de conforto e orientação é uma das razões pelas quais Sariel é tão reverenciado em várias tradições espirituais.

A prática de registrar insights e revelações recebidos durante a meditação ou oração a Sariel pode ser extremamente benéfica. Manter um diário espiritual permite que os devotos reflitam sobre suas experiências e reconheçam padrões e temas recorrentes que podem oferecer uma visão mais profunda de sua jornada espiritual. Este diário pode se tornar um recurso valioso ao longo do tempo, fornecendo orientação e inspiração contínua.

Sariel também é reconhecido por sua capacidade de ajudar na interpretação de sonhos. Muitos acreditam que ele pode oferecer clareza sobre os significados ocultos dos sonhos, ajudando os indivíduos a decifrar mensagens importantes que vêm do subconsciente. Pedir a ajuda de Sariel antes de dormir, por meio de uma breve oração ou meditação, pode facilitar a recepção de sonhos mais claros e importantes, bem como uma melhor compreensão de seu conteúdo ao acordar.

A orientação de Sariel não se limita apenas à revelação de verdades espirituais, mas também se estende à vida prática. Ele pode ajudar a resolver conflitos, a tomar decisões difíceis e a encontrar o caminho certo em situações complexas. Invocar Sariel para orientação prática pode trazer uma sensação de direção e propósito, ajudando a alinhar as ações diárias com os valores e a verdade interior do indivíduo.

Além de sua capacidade de trazer clareza e orientação, Sariel desempenha um papel crucial na promoção da justiça e da moralidade. Ele é um defensor da verdade, não apenas no sentido de revelar fatos ocultos, mas também de garantir que a verdade prevaleça em todas as situações. Isso inclui a correção de injustiças e a restauração do equilíbrio onde ele foi perturbado.

Em muitas tradições, Sariel é visto como um juiz imparcial que ajuda a discernir entre o bem e o mal, o justo e o injusto. Esta capacidade de julgamento faz dele uma entidade essencial na manutenção da ordem divina e na aplicação das leis cósmicas. Sua presença é invocada em tribunais espirituais e em momentos de tomada de decisão moral, onde sua sabedoria pode ajudar a orientar para o resultado mais justo e equitativo.

A influência de Sariel na justiça e na moralidade é particularmente importante em tempos de crise ética. Quando enfrentamos dilemas morais complexos, invocar Sariel pode nos ajudar a ver a situação com mais clareza e a tomar decisões baseadas em princípios éticos sólidos. Sua orientação nos encoraja a agir com integridade, mesmo quando é difícil ou impopular.

A história de Sariel também está entrelaçada com o conceito de arrependimento. Ele não apenas revela verdades, mas também oferece a oportunidade de redenção através do reconhecimento e correção dos próprios erros. Em muitas tradições, ele é visto como um anjo que auxilia no processo de confissão e arrependimento, ajudando as almas a se purificarem e a se alinharem novamente com a vontade divina.

O arrependimento, sob a orientação de Sariel, é visto como um processo transformador. Não se trata apenas de admitir erros, mas de compreender profundamente as causas e os efeitos desses erros e de fazer um esforço consciente para mudar. Este processo é fundamental para o crescimento espiritual e para a evolução da alma. Sariel guia aqueles que buscam essa transformação, oferecendo apoio e sabedoria ao longo do caminho.

Além de suas funções de orientação e justiça, Sariel também desempenha um papel importante na proteção espiritual. Ele é invocado para proteger contra a influência de forças negativas e para garantir que a verdade seja protegida contra distorções e falsidades. Sua presença oferece uma barreira contra o engano, garantindo que aqueles sob sua proteção sejam guiados pela verdade e pela clareza.

A prática de invocar Sariel para proteção pode envolver o uso de amuletos e talismãs consagrados. Estes itens, quando devidamente abençoados, podem servir como símbolos tangíveis de sua proteção contínua. Portar um talismã de Sariel ou colocá-lo em um espaço sagrado pode ajudar a manter uma conexão constante com sua força protetora.

Para aqueles que buscam uma conexão mais profunda com Sariel, a criação de um altar dedicado a ele pode ser uma prática poderosa. Este altar pode incluir velas, cristais, e outros símbolos que representam a verdade e a orientação. Passar tempo neste espaço sagrado, meditando ou orando, pode fortalecer a conexão e permitir uma comunicação mais clara com Sariel.

Além das práticas devocionais, a leitura de textos sagrados e de literatura espiritual que discutem Sariel pode ampliar a compreensão de seu papel e de suas funções. Livros e manuscritos que detalham suas aparições e ações ao longo da história oferecem insights valiosos e inspiração para os devotos. Estes textos não só fortalecem a fé, mas também oferecem exemplos práticos de como a orientação de Sariel pode ser aplicada na vida cotidiana.

Sariel também é uma entidade importante na interpretação dos sinais e símbolos do mundo espiritual. Ele pode ajudar a decifrar mensagens e a compreender os sinais enviados pelos reinos celestiais. Esta capacidade de interpretação é especialmente útil para aqueles que trabalham em campos esotéricos ou que buscam uma compreensão mais profunda dos mistérios do universo.

Práticas como a leitura de cartas, a análise de sonhos, e a interpretação de eventos sincrônicos podem ser realizadas com a ajuda de Sariel. Pedir sua orientação antes de começar uma sessão de leitura ou análise pode trazer clareza e precisão aos insights recebidos. Este processo não só fortalece a conexão com Sariel, mas também enriquece a prática espiritual do indivíduo.

A devoção a Sariel envolve um compromisso contínuo com a busca da verdade e com a prática da justiça. Isto significa viver segundo os princípios que ele representa, buscando sempre a verdade em todas as situações e agindo com integridade e justiça. Esta devoção não é apenas uma prática espiritual, mas um modo de vida que traz paz, clareza e orientação divina a cada aspecto da existência.

Além de sua influência na orientação e justiça, Sariel desempenha um papel crucial na cura espiritual. Ele ajuda os indivíduos a se libertarem de padrões negativos e a encontrarem um caminho de renovação e crescimento. A cura sob a orientação de Sariel não é apenas física, mas também emocional e espiritual, proporcionando uma transformação completa que permite às pessoas viverem em harmonia com a verdade e a integridade.

A prática de invocar Sariel para a cura espiritual pode envolver diversas técnicas, como a meditação profunda, onde se visualiza a presença de Sariel irradiando uma luz purificadora que remove bloqueios e forças negativas. Esta luz pode ser imaginada como uma chama dourada ou branca que limpa e revitaliza o corpo, a mente e o espírito. Durante estas meditações, é útil manter a intenção clara de buscar a cura e a orientação de Sariel, permitindo que sua força flua livremente por meio de todas as áreas necessitadas.

Sariel também é reconhecido por sua capacidade de ajudar na resolução de traumas emocionais. Muitas pessoas recorrem a ele para obter alívio de feridas antigas que ainda afetam suas vidas. Ao trabalhar com Sariel, é possível trazer à superfície emoções reprimidas e lidar com elas de maneira saudável e transformadora.

Isso permite que os indivíduos avancem em suas jornadas espirituais com um senso renovado de paz e clareza.

Além de práticas de meditação, orações específicas podem ser feitas para pedir a intervenção de Sariel na cura espiritual. Um exemplo de oração poderia ser: "Sariel, Anjo da Verdade e da Cura, ilumina meu ser com tua luz divina. Purifica minha mente, corpo e espírito, e ajuda-me a encontrar a paz e a verdade dentro de mim. Guia-me no caminho da cura e da renovação, e permite-me viver em harmonia com a verdade."

Os cristais também podem ser usados como ferramentas para fortalecer a conexão com Sariel e facilitar a cura. Cristais como o quartzo transparente e a ametista são reconhecidos por suas propriedades purificadoras e podem ser mantidos em um altar dedicado a Sariel ou usados durante meditações e orações. Estes cristais atuam como amplificadores da força de Sariel, ajudando a canalizar sua luz curativa de maneira mais eficaz.

Outro aspecto importante do trabalho de Sariel é sua capacidade de ajudar na interpretação e no entendimento de experiências espirituais profundas. Muitas vezes, ao passar por experiências místicas ou espirituais intensas, os indivíduos podem se sentir confusos ou incertos sobre o significado dessas experiências. Sariel pode oferecer clareza e orientação, ajudando a decifrar as mensagens e a compreender o propósito dessas vivências.

A capacidade de Sariel de revelar verdades ocultas também se estende ao autoconhecimento. Ele auxilia os indivíduos a reconhecerem aspectos de si que podem estar ocultos ou reprimidos. Este processo de autorrevelação é crucial para o crescimento espiritual, pois permite que as pessoas integrem todas as partes de si mesmas, vivendo de maneira mais completa e autêntica.

A devoção contínua a Sariel envolve não apenas práticas espirituais regulares, mas também um compromisso com a busca constante pela verdade. Isto significa estar aberto a aprender e crescer, aceitando novos insights e permitindo que a verdade se revele em todas as áreas da vida. Este compromisso com a verdade é uma jornada contínua que requer coragem, honestidade e uma disposição para enfrentar tanto a luz quanto a sombra dentro de si.

Em termos de aplicação prática, a orientação de Sariel pode ser invocada em decisões diárias e em momentos de crise. Ao enfrentar uma decisão importante ou um dilema, pedir a orientação de Sariel pode trazer uma nova perspectiva e ajudar a tomar decisões alinhadas com a verdade e a integridade. Esta prática pode ser especialmente útil em contextos profissionais e pessoais onde a clareza e a justiça são essenciais.

Além de sua influência individual, Sariel também tem um papel na orientação de comunidades e grupos. Ele pode ser invocado para trazer harmonia e verdade a situações coletivas, ajudando grupos a encontrar soluções justas e equitativas para problemas comuns. Sua força pode facilitar a comunicação aberta e honesta, promovendo a cooperação e a compreensão mútua.

Em rituais comunitários, a presença de Sariel pode ser invocada por meio de cerimônias de grupo que incluem meditação coletiva, orações em grupo e a criação de altares comunitários. Estes rituais podem ajudar a fortalecer os laços dentro da comunidade e a promover um senso de unidade e propósito comum, guiado pela verdade e pela justiça que Sariel representa.

É importante lembrar que a relação com Sariel, como qualquer prática espiritual, é profundamente pessoal e evolutiva. Cada indivíduo pode encontrar maneiras únicas de se conectar com ele, baseadas em suas próprias experiências e necessidades espirituais. Esta flexibilidade permite que a devoção a Sariel seja uma prática viva e dinâmica, que cresce e se adapta ao longo do tempo.

Sariel é uma entidade que inspira devoção contínua e uma busca incessante pela verdade e pela justiça. Ao longo dos tempos, sua presença tem sido um farol para aqueles que buscam orientação espiritual e clareza em suas vidas. A relação com Sariel, como mencionado, é pessoal e evolutiva, permitindo que cada indivíduo encontre uma conexão única e significativa com este anjo poderoso.

A integração das práticas devocionais a Sariel na vida cotidiana pode transformar a maneira como uma pessoa lida com os desafios e as incertezas. Manter um diário espiritual, por exemplo, pode ser uma maneira eficaz de registrar os insights e as revelações recebidas durante as meditações e orações a Sariel. Este diário pode servir como um guia contínuo, ajudando a refletir sobre o progresso espiritual e a manter um registro das verdades descobertas ao longo do caminho.

Além das práticas devocionais, a leitura de textos sagrados e a participação em estudos espirituais podem aprofundar a compreensão de Sariel e de seu papel no universo espiritual. Textos como o "Livro de Enoque" e outros manuscritos apócrifos oferecem uma visão rica e detalhada das funções e responsabilidades de Sariel, proporcionando um contexto histórico e teológico para sua veneração. Esses textos não apenas fortalecem a fé, mas também oferecem exemplos práticos de como a orientação de Sariel pode ser aplicada na vida diária.

A prática da visualização também pode ser uma ferramenta poderosa para fortalecer a conexão com Sariel. Durante a meditação, visualizar Sariel como um ser de luz radiante pode ajudar a sintonizar-se com sua força. Imaginar-se envolto em sua luz protetora e purificadora pode trazer uma sensação de segurança e clareza, permitindo uma conexão mais profunda e uma comunicação mais eficaz.

Participar de retiros espirituais ou encontros dedicados à meditação e ao estudo dos anjos pode ser uma maneira eficaz de aprofundar a relação com Sariel. Esses retiros oferecem um ambiente imersivo onde os participantes podem se concentrar exclusivamente em suas práticas espirituais, longe das distrações da vida cotidiana. Estar em um ambiente de grupo com outros devotos também pode proporcionar suporte e inspiração, criando uma comunidade de prática espiritual dedicada.

No dia a dia, pequenos rituais podem ser incorporados para manter a presença de Sariel próxima. Acender uma vela em um momento de oração ou reflexão, carregar um cristal consagrado, ou simplesmente reservar alguns minutos para uma oração silenciosa podem ser práticas eficazes para manter a conexão com Sariel. Estes rituais simples, mas importantes, ajudam a integrar a força de Sariel em todos os aspectos da vida.

Sariel também encoraja a prática da verdade e da integridade em todas as ações. Isso significa ser honesto consigo mesmo e com os outros, mesmo quando é desafiador. Viver segundo a verdade não é apenas um ideal espiritual, mas uma prática diária que envolve coragem, clareza e compromisso. Este compromisso com a verdade é a base da relação com Sariel e é fundamental para a evolução espiritual.

A influência de Sariel pode ser particularmente poderosa em momentos de transição ou crise. Em tais momentos, sua orientação pode trazer a clareza e a força necessárias para enfrentar desafios e tomar decisões importantes. Pedir a ajuda de Sariel pode proporcionar uma sensação de calma e certeza, mesmo em meio à incerteza e ao caos. Esta presença tranquilizadora é um dos muitos dons que Sariel oferece a seus devotos.

A proteção de Sariel também pode ser invocada para proteger contra influências negativas e perigos espirituais. Sua luz protetora pode ser imaginada como um escudo que repele forças negativas e protege a integridade espiritual. Manter esta imagem em mente pode ser especialmente útil em ambientes ou situações onde se sinta vulnerável, ou exposto a forças negativas.

Além das práticas individuais, a celebração de festivais e dias sagrados dedicados a Sariel pode fortalecer a devoção e a conexão com ele. Participar de celebrações comunitárias, realizar rituais especiais, e compartilhar a devoção com outros podem criar uma atmosfera de reverência e espiritualidade profunda. Estas celebrações não apenas honram Sariel, mas também reforçam a comunidade espiritual e a conexão entre os devotos.

É importante lembrar que a relação com Sariel é uma jornada contínua de descoberta e crescimento. Cada interação, cada oração, e cada meditação são passos neste caminho espiritual, levando a uma compreensão mais profunda e a uma conexão mais forte. A devoção a Sariel é um compromisso com a verdade, a justiça, e a busca incessante pela luz divina.

Ao concluir este capítulo sobre Sariel, é evidente que sua presença e influência são fundamentais para aqueles que buscam viver em harmonia com a verdade e a justiça. Sua orientação oferece uma luz que ilumina o caminho, ajudando os indivíduos a navegar pelas complexidades da vida com clareza e integridade. A devoção a Sariel é uma prática rica e transformadora, que continua a inspirar e guiar os devotos em suas jornadas espirituais.

Capítulo 14
Remiel
Anjo da Esperança e da Ressurreição

Remiel, cujo nome significa "misericórdia de Deus", é uma entidade central no panteão angelical, associado profundamente à esperança e à ressurreição. Este anjo foi criado no alvorecer dos tempos, quando o Criador percebeu a necessidade de um ser divino capaz de trazer conforto aos que sofrem e guiar as almas no caminho da renovação espiritual.

Remiel é muitas vezes representado com asas luminosas e um semblante sereno, emanando uma luz suave que simboliza sua habilidade de guiar as almas através da escuridão. Em sua mão, ele segura um bastão de luz, um símbolo de sua missão de iluminar os caminhos sombrios e oferecer a promessa de um novo começo. Sua presença é um lembrete constante de que, independentemente das adversidades, a misericórdia de Deus está sempre presente, oferecendo uma segunda chance e a promessa de renovação.

A essência de Remiel é a pura misericórdia divina, infundida com uma luz acolhedora que renova e fortalece. Ele atua como um farol de esperança, lembrando os seres humanos que a compaixão e a redenção estão sempre ao alcance. Sua missão é confortar os aflitos, inspirar os desesperados e guiar os perdidos de volta à luz.

A presença de Remiel é particularmente sentida em momentos de grande necessidade e transformação. Ele é invocado durante períodos de sofrimento e perda, oferecendo consolo e encorajando a perseverança. Sua força envolve aqueles que buscam sua ajuda, proporcionando um refúgio de paz e um sentimento de renovação.

A influência de Remiel também se estende ao reino da ressurreição espiritual. Ele guia as almas que estão no limiar da transformação, ajudando-as a deixar para trás velhos padrões e a abraçar novas formas de ser. Sua orientação é sutil, mas poderosa, conduzindo aqueles que o invocam para uma compreensão mais profunda de si e de seu propósito espiritual.

No contexto da vida cotidiana, a conexão com Remiel pode ser fortalecida por meio de práticas devocionais e rituais específicos. Criar um espaço sagrado em casa, dedicado a Remiel, pode servir como um ponto focal para meditação e oração. Este espaço pode incluir uma imagem ou estátua de Remiel, velas, cristais e outros símbolos sagrados que ressoam com sua força de esperança e renovação.

A prática regular de meditação, focada na luz suave de Remiel, pode ajudar a cultivar uma sensação de paz e clareza. Durante a meditação, visualize a luz de Remiel envolvendo seu ser, trazendo conforto e esperança. Permita que essa luz penetre em todas as áreas de sua vida, iluminando os cantos mais escuros e trazendo uma renovada sensação de propósito.

Além da meditação, as orações dedicadas a Remiel são uma forma poderosa de fortalecer a conexão com este anjo. As orações podem ser simples invocações pedindo orientação e conforto, ou elaborados rituais de agradecimento e celebração de sua presença em sua vida. A chave é a sinceridade e a abertura para receber a luz e a misericórdia que Remiel oferece.

A interação com Remiel também pode ser aprofundada através da leitura de textos sagrados e escritos que discutem sua missão e atributos. Esses estudos não apenas aumentam o conhecimento sobre Remiel, mas também inspiram a aplicação prática de suas qualidades de misericórdia e esperança em sua vida diária.

É importante lembrar que Remiel é um anjo da comunidade e da conexão. Participar de grupos espirituais ou comunidades que compartilham uma devoção a Remiel pode proporcionar um senso de apoio e inspiração mútua. Compartilhar experiências e práticas com outros devotos pode enriquecer sua própria jornada espiritual e fortalecer o vínculo com este anjo divino.

Ao integrar essas práticas em sua vida, você pode experimentar uma transformação profunda, guiada pela luz e misericórdia de Remiel. Ele está sempre presente, pronto para oferecer esperança e renovação, ajudando você a navegar pelas sombras e a encontrar o caminho de volta à luz divina.

Remiel, além de ser um farol de esperança, desempenha um papel crucial na jornada de ressurreição espiritual. Ele atua como um guia para as almas que estão em transição, ajudando-as a abandonar velhos padrões e abraçar novas formas de existência. Sua influência é sentida profundamente em momentos de mudança e transformação, onde sua luz oferece uma direção clara e um propósito renovado.

Através dos tempos, Remiel tem sido uma presença constante nas vidas daqueles que enfrentam desafios aparentemente insuperáveis. Sua intervenção é muitas vezes descrita como uma sensação de conforto repentino ou uma clareza inesperada que surge em meio à confusão. Ele é o anjo que sussurra palavras de encorajamento aos corações aflitos, lembrando-os de que a escuridão é temporária e que a luz sempre prevalecerá.

A conexão com Remiel pode ser cultivada de várias maneiras. Uma prática eficaz é a criação de um altar pessoal dedicado a ele. Este altar pode ser um espaço simples, mas importante, onde você pode acender velas e colocar cristais que ressoam com a força de Remiel, como a ametista e o quartzo rosa. Esses cristais são reconhecidos por suas propriedades de cura e amor, complementando a misericórdia e a esperança que Remiel oferece.

Meditações guiadas focadas em Remiel são uma excelente maneira de fortalecer essa conexão. Durante a meditação, visualize-se envolto em uma luz suave e acolhedora, emanada por Remiel. Sinta essa luz penetrando cada parte de seu ser, dissipando a escuridão e trazendo uma sensação de paz e renovação. Permaneça nessa visualização por alguns minutos, permitindo que a força de Remiel se integre completamente em sua consciência.

As orações também desempenham um papel vital na interação com Remiel. Uma oração simples e sincera, pedindo por orientação e conforto, pode fazer uma diferença significativa. Aqui está um exemplo de uma oração que você pode usar:

"Anjo Remiel, portador da misericórdia de Deus, envolva-me com sua luz e guie-me através das sombras. Traga-me esperança nos momentos de desespero e força para enfrentar os desafios. Ajude-me a encontrar paz e renovação, e a caminhar sempre na luz divina. Amém."

A prática regular dessa oração, especialmente em momentos de necessidade, pode fortalecer seu vínculo com Remiel e trazer uma sensação de conforto e proteção em sua vida.

Além das práticas devocionais, a leitura de textos sagrados que mencionam Remiel pode proporcionar uma compreensão mais profunda de sua missão e influência. Esses textos muitas vezes destacam a natureza compassiva de Remiel e seu papel crucial na ressurreição espiritual. Estudar essas obras pode inspirar você a incorporar as qualidades de Remiel em sua própria vida, cultivando a misericórdia e a esperança em suas interações diárias.

Participar de grupos de estudo ou comunidades espirituais que compartilham uma devoção a Remiel pode ser extremamente benéfico. Esses grupos oferecem um espaço para compartilhar experiências, aprender novas práticas e encontrar apoio mútuo. A interação com outros devotos pode fortalecer sua própria jornada espiritual e proporcionar uma rede de suporte valiosa.

Remiel também é reconhecido por sua capacidade de ajudar na cura emocional. Muitas pessoas relatam sentir uma presença calmante e reconfortante durante momentos de dor emocional intensa. Ele atua como um guardião do coração, ajudando a curar feridas profundas e a restaurar a fé na bondade e na misericórdia divina.

Para aprofundar essa conexão, você pode praticar exercícios de visualização que envolvem Remiel. Por exemplo, ao enfrentar um desafio emocional, visualize Remiel ao seu lado, oferecendo sua luz curativa e sussurrando palavras de encorajamento. Imagine essa luz dissipando a dor e trazendo uma sensação de paz e renovação ao seu coração.

Ao integrar essas práticas em sua vida, você pode experimentar uma transformação significativa, guiada pela luz e misericórdia de Remiel. Ele está sempre presente, pronto para oferecer esperança e renovação, ajudando você a navegar pelas sombras e a encontrar o caminho de volta à luz divina.

A presença de Remiel é particularmente significativa em momentos de perda e luto. Ele é muitas vezes invocado para oferecer consolo às almas que estão de luto pela perda de entes queridos. Sua força suave e compassiva atua como um bálsamo, ajudando a aliviar a dor e a tristeza. Remiel guia as almas através do processo de cura, oferecendo a promessa de que, mesmo na morte, existe a esperança da ressurreição e da renovação.

Para aqueles que estão passando por um período de luto, a criação de um espaço sagrado em honra a Remiel pode ser extremamente reconfortante. Este espaço pode incluir uma vela acesa em memória do ente querido, flores, e um cristal de quartzo rosa, reconhecido por suas propriedades de cura emocional. Passar tempo neste espaço, em oração ou meditação, pode ajudar a conectar-se com a força de Remiel e trazer um senso de paz.

Uma prática meditativa útil durante o luto é a visualização de Remiel envolvendo o ente querido perdido em sua luz suave, guiando-o para a paz e a luz divina. Esta visualização pode trazer conforto, sabendo que Remiel está cuidando do ente querido e ajudando-o na transição para o outro lado. Ao mesmo tempo, visualize Remiel envolvendo você e oferecendo consolo e esperança.

Além da meditação, a escrita de cartas ao ente querido pode ser uma maneira eficaz de processar a dor e encontrar consolo. Escreva como se estivesse conversando com Remiel, pedindo sua ajuda para transmitir suas palavras e sentimentos ao ente querido. Esta prática pode proporcionar uma sensação de encerramento e paz, sabendo que suas palavras foram ouvidas e entregues com amor e compaixão.

Remiel também desempenha um papel importante em momentos de transformação pessoal e espiritual. Ele é o guia das almas que buscam renascer, deixando para trás velhas formas de ser e abraçando novos começos. Sua luz oferece clareza e direção, ajudando a navegar pelos desafios da transformação com coragem e esperança.

Durante períodos de transição, a prática de rituais de renovação pode ser especialmente benéfica. Um exemplo de ritual é o uso da água como símbolo de purificação e renovação. Em um espaço tranquilo, encha uma tigela com água limpa e adicione algumas gotas de óleo essencial de lavanda, reconhecido por suas propriedades calmantes. Segure a tigela em suas mãos e visualize a luz de Remiel brilhando sobre a água, infundindo-a com sua força de renovação. Lentamente, lave suas mãos na água, sentindo a força de Remiel purificando e renovando seu ser.

Outra prática poderosa é a recitação de afirmações positivas durante a meditação. Escolha afirmações que ressoem com a força de Remiel, como "Eu sou renovado pela luz da misericórdia de Remiel" ou "A esperança e a renovação guiam meu caminho". Repita essas afirmações em voz alta ou silenciosamente durante a meditação, permitindo que a força de Remiel fortaleça sua fé e esperança.

A leitura de textos inspiradores que discutem a ressurreição e a renovação também pode proporcionar insights valiosos e encorajamento. Busque obras que explorem a jornada de transformação e a promessa de novos começos, permitindo que essas histórias inspirem e motivem sua própria jornada espiritual.

Participar de retiros espirituais ou workshops focados em renovação e crescimento pessoal pode ser uma excelente maneira de fortalecer sua conexão com Remiel. Esses eventos oferecem a oportunidade de aprender novas práticas, compartilhar experiências e receber apoio de uma comunidade de indivíduos com mentalidade semelhante. A interação com outros participantes pode proporcionar uma sensação de camaradagem e inspiração mútua.

Remiel, com sua força de esperança e ressurreição, está sempre presente para guiar e apoiar aqueles que buscam transformação e renovação. Integrar suas práticas e ensinamentos em sua vida diária pode trazer uma profunda sensação de paz, clareza e propósito, ajudando você a navegar pelos desafios e a abraçar novos começos com confiança e esperança.

A luz suave de Remiel é um constante lembrete de que a misericórdia divina está sempre ao alcance, oferecendo a promessa de um novo começo e a renovação espiritual. Ao cultivar sua conexão com este anjo divino, você pode encontrar consolo e inspiração para viver uma vida plena de esperança e propósito.

Remiel também é reconhecido por seu papel em ajudar as almas a encontrarem seu propósito divino. Ele oferece orientação para aqueles que se sentem perdidos ou incertos sobre o caminho que devem seguir. Sua luz é uma bússola espiritual, direcionando as almas para a realização de seu potencial mais elevado e para a compreensão de sua missão de vida.

Para fortalecer essa conexão com Remiel, práticas de autorreflexão são altamente recomendadas. Reservar um tempo diariamente para refletir sobre suas metas, sonhos e aspirações pode ajudar a trazer clareza. Durante esses momentos de reflexão, peça a Remiel que ilumine o seu caminho e revele o propósito divino que Deus tem para você. Escrever em um diário pode ser uma ferramenta poderosa para documentar suas reflexões e insights, permitindo que você acompanhe seu progresso e reconheça os sinais de orientação de Remiel.

A prática de visualização também pode ser útil para alinhar-se com seu propósito. Durante a meditação, visualize Remiel ao seu lado, guiando você por um caminho iluminado. Imagine-se caminhando ao longo desse caminho com confiança e clareza, sabendo que cada passo está sendo guiado pela luz divina de Remiel. Esta prática pode ajudar a fortalecer sua confiança e determinação para seguir seu verdadeiro caminho.

Além disso, buscar sabedoria através da leitura de escrituras sagradas e textos espirituais que discutam o propósito divino pode proporcionar insights valiosos. Estudos sobre a vida dos santos, anjos e entidades espirituais que seguiram seu propósito divino podem inspirar e motivar você em sua própria jornada. Permitir-se ser guiado pela sabedoria de Remiel e por esses ensinamentos pode abrir novas portas de entendimento e clareza.

Remiel também é um defensor da cura emocional profunda. Ele ajuda a liberar sentimentos de culpa, arrependimento e tristeza, permitindo que as almas encontrem paz interior e renovação emocional. Práticas de perdão, tanto a si quanto aos outros, são fundamentais para esse processo de cura. Pedir a Remiel para liberar esses sentimentos pode ser um passo poderoso em direção à paz interior.

Uma prática de perdão que pode ser integrada na sua rotina espiritual é a visualização de Remiel envolvido em luz dourada, colocando suavemente suas mãos sobre seu coração. Imagine essa luz dourada penetrando profundamente em seu ser, dissolvendo todas as mágoas, arrependimentos e ressentimentos. Sinta a força de Remiel purificando seu coração e permitindo que a paz e o perdão preencham o espaço vazio deixado pelas dores passadas.

Participar de cerimônias de cura e rituais de purificação também pode ajudar a liberar bloqueios emocionais. Essas práticas podem incluir a queima de ervas como sálvia ou lavanda, conhecidas por suas propriedades de purificação e cura. Durante essas cerimônias, peça a Remiel que limpe e renove sua força, trazendo uma sensação de leveza e clareza.

Remiel também trabalha em estreita colaboração com outros anjos e guias espirituais para proporcionar uma experiência de cura completa. Ele coordena suas forças com os anjos da guarda e outros seres celestiais, criando uma rede de apoio espiritual que ajuda a guiar e proteger aqueles que buscam sua assistência. Esta colaboração harmoniosa assegura que cada pessoa receba o cuidado e a orientação necessários para sua jornada de cura e renovação.

Para aqueles que desejam aprofundar sua conexão com Remiel, a participação em retiros espirituais focados em cura emocional e renovação espiritual pode ser altamente benéfica. Esses retiros oferecem um ambiente seguro e sagrado para explorar suas emoções, liberar bloqueios e encontrar um novo sentido de propósito e direção. A presença de facilitadores experientes e a força coletiva de outros participantes podem amplificar a experiência de cura e proporcionar insights valiosos.

A integração de práticas devocionais, meditação e rituais de cura na sua vida diária pode fortalecer significativamente sua conexão com Remiel. Ele está sempre presente, pronto para oferecer sua luz de esperança e renovação. Ao abrir seu coração e sua mente para a orientação de Remiel, você pode encontrar um caminho de paz, clareza e propósito divino, vivendo uma vida cheia de significado e luz.

Através dessas práticas e da sua devoção sincera, Remiel se tornará uma presença constante em sua vida, guiando e protegendo você em cada passo da jornada. Ele é o anjo da misericórdia e da renovação, sempre pronto para ajudar as almas a encontrarem seu verdadeiro caminho e a realizarem seu potencial divino.

Remiel também desempenha um papel importante na transição das almas após a morte. Ele é muitas vezes chamado para guiar as almas que estão deixando o mundo terreno e entrando na vida após a morte. Sua luz suave e acolhedora oferece conforto às almas em transição, ajudando-as a encontrar paz e aceitação no próximo estágio de sua jornada espiritual.

Para as famílias que estão lidando com a perda de um ente querido, invocar a presença de Remiel pode trazer um grande conforto. Criar um espaço sagrado em casa, onde fotos e memórias do ente querido podem ser exibidas, junto com uma vela acesa e cristais de quartzo rosa, pode ser um ponto focal para a oração e a meditação. Este espaço não só honra a memória do ente querido, mas também serve como um lugar de conexão com a força de Remiel, oferecendo consolo e esperança.

A prática de oração específica para Remiel pode ser particularmente útil durante esses momentos. Aqui está um exemplo de oração para a transição das almas:

"Anjo Remiel, guardião das almas em transição, envolva [nome do ente querido] com sua luz de misericórdia. Guie [nome do ente querido] para a paz e a luz divina. Conforte os corações daqueles que ficaram e traga-lhes a esperança da renovação e da ressurreição. Amém."

Recitar esta oração regularmente pode proporcionar um grande alívio e um senso de conexão com o ente querido que partiu, sabendo que Remiel está cuidando dele e guiando-o para a luz.

Além das práticas de luto, Remiel também pode ser invocado para ajudar na cura de traumas profundos e experiências difíceis. Sua presença oferece um refúgio seguro para aqueles que estão lutando para superar eventos traumáticos. Meditações focadas em liberar traumas com a ajuda de Remiel podem ser extremamente benéficas.

Durante essas meditações, visualize Remiel ao seu lado, irradiando uma luz suave e curativa. Permita que essa luz penetre profundamente em seu ser, dissolvendo qualquer escuridão ou dor associada ao trauma. Sinta a presença reconfortante de Remiel, ajudando a liberar o peso do passado e a abrir espaço para a cura e a renovação.

A prática do autocuidado é essencial para aqueles que buscam curar traumas com a ajuda de Remiel. Além das práticas espirituais, é importante cuidar do corpo físico e emocional. Isso pode incluir atividades como ioga, exercícios de respiração, e buscar o apoio de terapeutas ou conselheiros que possam ajudar no processo de cura.

Remiel também incentiva a prática da gratidão como uma ferramenta poderosa para a renovação espiritual. Manter um diário de gratidão, onde você escreve diariamente sobre as coisas pelas quais é grato, pode ajudar a mudar o foco da dor para a apreciação das bênçãos presentes em sua vida. A gratidão abre o coração e permite que a luz de Remiel penetre ainda mais profundamente, trazendo uma sensação de paz e contentamento.

A participação em cerimônias e rituais comunitários que celebram a vida e a renovação pode fortalecer a conexão com Remiel. Eventos como celebrações de equinócios, solstícios e outras ocasiões sagradas podem proporcionar uma oportunidade para honrar a luz de Remiel e renovar seus votos de viver uma vida cheia de propósito e esperança.

Além disso, a integração de práticas artísticas, como a pintura, escrita ou música, pode ser uma forma poderosa de expressar e processar emoções, ao mesmo tempo em que fortalece a conexão espiritual. Criar arte em homenagem a Remiel ou inspirada pela sua força de renovação pode ser uma forma terapêutica e inspiradora de aprofundar sua devoção.

Remiel é um anjo de esperança e renovação, sempre presente para guiar e confortar as almas que buscam transformação. Sua luz oferece uma bússola espiritual em momentos de incerteza, sofrimento e transição. Integrar as práticas de meditação, oração, autocuidado e gratidão em sua vida diária pode trazer uma profunda sensação de paz, clareza e propósito, ajudando você a navegar pelos desafios com confiança e esperança.

Ao abrir seu coração e sua mente para a orientação de Remiel, você pode experimentar uma transformação espiritual profunda, encontrando a renovação e a misericórdia divina em cada etapa de sua jornada. Ele está sempre ao seu lado, pronto para oferecer sua luz de esperança e guiar você para um futuro cheio de promessas e possibilidades.

Capítulo 15
Jophiel
Anjo da Iluminação e da Beleza

Jophiel, cujo nome significa "Beleza de Deus", é um dos anjos mais reverenciados no panteão divino. Sua criação remonta aos primórdios dos tempos, quando Deus desejou um ser que pudesse trazer luz, sabedoria e beleza ao mundo. Jophiel foi criado da pura essência da luz divina, imbuído de uma força que ilumina a mente e o espírito. Representado muitas vezes com uma aura dourada e um livro ou pergaminho, ele é o anjo da sabedoria divina e da beleza que transcende o físico.

Desde sua criação, Jophiel tem a missão de ajudar a humanidade a alcançar um estado mais elevado de consciência, promovendo a iluminação espiritual e a apreciação da beleza em todas as suas formas. Sua presença é sentida em momentos de inspiração, quando uma ideia brilhante surge ou quando se encontra beleza nas pequenas coisas da vida. Jophiel nos lembra que a verdadeira beleza vem de dentro e que a iluminação espiritual é um caminho contínuo de crescimento e aprendizado.

O complemento divino de Jophiel é Raziel, o anjo dos mistérios e do conhecimento secreto. Juntos, formam uma parceria harmoniosa que une a iluminação e a sabedoria esotérica. Raziel ajuda a desvendar os mistérios do universo, enquanto Jophiel ilumina o caminho para que esses conhecimentos sejam compreendidos e aplicados. Essa união simboliza o equilíbrio entre o entendimento profundo e a clareza da mente.

Os fractais de alma de Jophiel são seres angelicais menores que compartilham sua missão de promover a iluminação e a beleza. Esses fractais atuam como extensões de Jophiel, espalhando sua luz por todas as partes do universo. Cada um desses seres carrega uma fração da sabedoria e beleza de Jophiel, atuando em diversas dimensões para inspirar e guiar os seres humanos em suas jornadas espirituais.

Para aqueles que buscam uma conexão mais profunda com Jophiel, existem várias práticas que podem ser incorporadas na vida diária. A meditação é uma das formas mais eficazes de se conectar com sua força. Durante a meditação, visualize uma luz dourada brilhante que representa a presença de Jophiel. Sinta essa luz envolvendo seu corpo, trazendo paz, clareza e uma profunda sensação de beleza interior.

A oração também é um meio poderoso de se conectar com Jophiel. Uma oração simples, porém sincera, pedindo sua orientação e iluminação, pode abrir caminhos para uma conexão espiritual mais profunda. Além disso, recitar mantras ou cânticos dedicados a Jophiel pode elevar a vibração espiritual e facilitar a comunicação com ele.

Criar um espaço sagrado em sua casa, dedicado a Jophiel, pode ser uma prática extremamente benéfica. Este espaço pode incluir uma imagem ou estátua de Jophiel, velas douradas, cristais como o citrino ou o quartzo dourado, e outros símbolos que representem iluminação e beleza. Passar tempo nesse espaço, oferecendo orações e meditações, pode ajudar a manter uma conexão constante com a força de Jophiel.

Praticar atos de beleza e iluminação em sua vida cotidiana é outra forma prática de honrar Jophiel. Isso pode incluir desde a criação de arte, como pintura ou escultura, até a escrita de poesias ou a decoração de seu espaço com elementos naturais que tragam beleza e harmonia. Cada ato de criação artística ressoa com a força de Jophiel, trazendo mais luz e elevação espiritual ao mundo.

Jophiel é muitas vezes associado à arte e à criatividade. Ele inspira artistas, escritores, músicos e todos os que buscam expressar a beleza do mundo através de suas criações. Quando sentimos uma explosão de criatividade ou um profundo apreço pela beleza ao nosso redor, podemos reconhecer a influência de Jophiel. Ele nos encoraja a ver o mundo com olhos cheios de admiração e a encontrar beleza em todas as coisas, desde uma paisagem natural até os pequenos detalhes do cotidiano.

Para aqueles que buscam melhorar sua conexão com Jophiel, a prática da gratidão é essencial. Agradecer pelas belezas que encontramos diariamente, mesmo as mais simples, ajuda a cultivar uma mente aberta e um coração receptivo à iluminação espiritual. Um diário de gratidão pode ser uma ferramenta valiosa, onde se anota diariamente as coisas belas e inspiradoras que se percebeu. Isso não só eleva a vibração pessoal, mas também fortalece a ligação com a força de Jophiel.

Participar de atividades que promovem a beleza e a iluminação também é uma forma de honrar Jophiel. Isso pode incluir a participação em grupos artísticos, a visita a museus e galerias de arte, ou a prática de hobbies que envolvem criação e expressão artística. Essas atividades não apenas alimentam a alma, mas também criam um ambiente propício para a presença inspiradora de Jophiel.

Além disso, Jophiel pode ser invocado em momentos de estudo e aprendizagem. Ele auxilia na compreensão e assimilação de conhecimentos, especialmente aqueles que expandem a consciência e promovem a sabedoria. Pedir a Jophiel clareza mental antes de iniciar uma sessão de estudo ou meditação pode facilitar a absorção de informações e a percepção de insights profundos.

Jophiel também nos lembra da relevância de manter nossos pensamentos e intenções puros e elevados. Ele nos guia para cultivar uma mentalidade positiva e a focar em pensamentos que promovam o crescimento espiritual e a harmonia. A prática de afirmações positivas pode ser uma maneira eficaz de alinhar nossa mente com a força de Jophiel. Afirmações como "Eu sou uma fonte de beleza e luz", "Eu vejo a beleza em todas as coisas" e "Eu estou em harmonia com a sabedoria divina" podem ajudar a reforçar essa conexão.

A presença de Jophiel é sentida fortemente em momentos de epifania ou clareza espiritual. Essas experiências muitas vezes ocorrem quando menos esperamos, mas são marcadas por uma sensação de paz profunda e uma nova compreensão das situações ou desafios que enfrentamos. Jophiel nos ajuda a ver além das aparências e a reconhecer a verdade essencial que reside em todas as coisas.

Para aqueles que estão em um caminho de crescimento espiritual, a orientação de Jophiel pode ser especialmente valiosa. Ele nos encoraja a buscar sempre a verdade e a beleza, mesmo nos momentos difíceis. Sua presença é um lembrete de que a beleza pode ser encontrada em todos os aspectos da vida, e que cada experiência, por mais desafiadora que seja, oferece uma oportunidade de crescimento e aprendizado.

Jophiel também desempenha um papel importante na cura emocional. Sua força de luz e beleza pode ajudar a aliviar sentimentos de tristeza, ansiedade e desesperança. Invocar Jophiel durante momentos de dificuldade emocional pode trazer um conforto profundo e uma renovada esperança. Ele nos lembra que, mesmo nas situações mais sombrias, há sempre uma luz de beleza e sabedoria esperando para ser descoberta.

A integração das práticas devocionais a Jophiel na rotina diária pode trazer grandes benefícios espirituais e emocionais. Isso pode incluir momentos de oração, meditação, contemplação de beleza natural e a criação de arte. Cada ato de devoção e cada esforço para ver e criar beleza no mundo é uma forma de honrar Jophiel e fortalecer nossa conexão com ele.

Além das práticas individuais, participar de comunidades ou grupos espirituais que compartilham uma devoção a Jophiel pode ser extremamente enriquecedor. Esses grupos oferecem apoio, inspiração e a oportunidade de compartilhar experiências e práticas devocionais. A conexão com outros devotos pode fortalecer ainda mais a sua própria prática espiritual e criar um senso de comunidade e pertencimento.

A influência de Jophiel se estende além da simples apreciação da beleza física. Ele nos ensina a ver a beleza intrínseca de todas as coisas, incluindo as pessoas ao nosso redor. Isso envolve reconhecer a divindade em cada ser humano, valorizando suas qualidades únicas e respeitando suas jornadas pessoais. Jophiel nos incentiva a praticar a empatia e a compaixão, vendo além das imperfeições superficiais para entender e apreciar a verdadeira essência das pessoas.

Uma forma poderosa de conectar-se com Jophiel é através da natureza. Ele é muitas vezes associado à beleza natural e à harmonia que encontramos no mundo ao nosso redor. Passar tempo na natureza, seja caminhando em um parque, jardinar ou simplesmente sentar-se ao ar livre, pode ajudar a sintonizar-se com a força de Jophiel. A observação da beleza natural — desde as cores vibrantes das flores até a complexidade das formas das árvores — pode ser uma meditação em si, promovendo um estado de paz e conexão espiritual.

Além disso, a prática do mindfulness, ou atenção plena, pode ser um caminho para integrar a presença de Jophiel em sua vida diária. Ao estar plenamente presente em cada momento, você pode perceber a beleza e a sabedoria que existem em todas as situações. Esta prática não só melhora a sua conexão com Jophiel, mas também promove um estado de consciência elevada e um profundo senso de gratidão pela vida.

Jophiel também pode ser um guia poderoso em momentos de transformação pessoal. Sua luz e sabedoria são especialmente úteis durante períodos de mudança, ajudando a clarear o caminho e a encontrar sentido e propósito nos novos começos. Invocar Jophiel durante esses momentos pode proporcionar a clareza necessária para tomar decisões importantes e seguir em frente com confiança e otimismo.

No campo da cura, Jophiel trabalha não apenas no nível emocional, mas também no mental e espiritual. Sua força pode ajudar a dissipar pensamentos negativos e padrões de crença limitantes, promovendo uma mentalidade de crescimento e positividade. Trabalhar com Jophiel pode envolver a prática de técnicas de visualização onde se imagina sua luz dourada preenchendo e purificando a mente, removendo toda a negatividade e substituindo-a por clareza e sabedoria.

A colaboração de Jophiel com outros anjos também é um aspecto importante de sua influência. Em particular, sua parceria com o Arcanjo Uriel, o anjo da sabedoria e da verdade, cria uma poderosa dinâmica de iluminação e entendimento. Juntos, eles trabalham para guiar a humanidade em direção a uma compreensão mais profunda das verdades espirituais e a uma apreciação mais completa da beleza divina.

Para aqueles que trabalham em profissões que envolvem ensino, escrita ou qualquer forma de comunicação, Jophiel pode ser um aliado poderoso. Ele ajuda a inspirar clareza e eloquência, permitindo que as ideias sejam expressas de forma clara e bela. Pedir a Jophiel orientação antes de palestras, apresentações ou qualquer forma de comunicação pública pode resultar em uma entrega mais impactante e inspiradora.

Além disso, Jophiel nos ensina a relevância de manter nossos espaços físicos limpos e organizados, pois ambientes ordenados promovem a clareza mental e espiritual. A prática de organizar e embelezar nossos espaços de vida e trabalho não só cria um ambiente mais agradável, mas também facilita a presença de Jophiel e outras forças angelicais. Esta prática pode ser vista como uma forma de honrar a beleza divina e criar um santuário pessoal onde a paz e a iluminação possam florescer.

A música é outro meio pelo qual Jophiel pode ser invocado e honrado. Apreciar ou criar música que eleve o espírito e inspire a mente é uma forma poderosa de conectar-se com a sua força. Música clássica, cânticos religiosos ou qualquer forma de música que ressoe profundamente com você pode servir como um canal para a presença de Jophiel, trazendo paz e inspiração.

Por fim, a devoção a Jophiel pode ser um caminho para o autoconhecimento e a realização espiritual. Ao buscar a iluminação e a beleza em todas as coisas, abrimos nossos corações e mentes para a verdade divina e nos alinhamos mais plenamente com nosso propósito espiritual. Cada passo que damos nesse caminho é um ato de honra a Jophiel, trazendo mais luz, sabedoria e beleza ao mundo.

A jornada com Jophiel é uma de autodescoberta e iluminação contínua. Ele nos desafia a ver além das aparências e a descobrir a beleza que reside na essência de todas as coisas. Essa busca por beleza não é superficial; é uma exploração profunda das verdades espirituais que sustentam o nosso mundo. Jophiel nos ajuda a entender que a verdadeira beleza é uma expressão do divino, refletida em cada aspecto da criação.

Jophiel também nos inspira a cultivar a beleza em nossas próprias vidas, não apenas esteticamente, mas em nossas ações e pensamentos. Ele nos incentiva a agir com bondade, compaixão e amor, transformando nossas interações diárias em reflexos de beleza interior. Ao fazer isso, criamos um ambiente de harmonia e paz, tanto para nós mesmos quanto para aqueles ao nosso redor.

Em momentos de dúvida ou confusão, a presença de Jophiel pode trazer uma clareza reconfortante. Ele ilumina nossos pensamentos, ajudando-nos a ver as situações com uma nova perspectiva. Isso é particularmente útil em tempos de decisão, quando precisamos discernir o melhor caminho a seguir. A prática de pedir a orientação de Jophiel antes de tomar decisões importantes pode proporcionar a sabedoria e a confiança necessárias para seguir em frente.

Para muitos, a conexão com Jophiel se manifesta através da arte. Pintores, escultores, músicos e escritores muitas vezes sentem sua presença como uma força inspiradora que eleva suas criações a novos níveis de expressão e beleza. Jophiel nos lembra que a arte não é apenas uma forma de entretenimento, mas uma manifestação sagrada da alma humana. Cada obra de arte criada com intenção e amor é um tributo ao divino, uma expressão tangível da beleza espiritual.

Além de sua influência nas artes, Jophiel também nos guia em nossa vida cotidiana, ajudando-nos a ver a beleza nas pequenas coisas. Ele nos ensina a apreciar o simples ato de viver — o sorriso de uma criança, o som do vento nas árvores, a sensação de paz ao final do dia. Essas pequenas belezas são momentos de conexão com o divino, presentes que nos lembram da santidade da vida.

Jophiel trabalha em estreita colaboração com outros anjos e arcanjos para promover a luz e a sabedoria no mundo. Sua parceria com o Arcanjo Gabriel, o mensageiro de Deus, é especialmente poderosa. Gabriel traz as mensagens divinas, enquanto Jophiel ilumina a mente e o coração para compreender e aplicar essas mensagens. Juntos, eles formam uma dupla que guia a humanidade em direção à verdade e à iluminação.

Para aqueles que buscam uma conexão mais profunda com Jophiel, a prática de visualizações pode ser extremamente benéfica. Durante a meditação, visualize Jophiel como uma entidade radiante, cercada por uma luz dourada. Imagine essa luz se expandindo e preenchendo todo o seu ser, trazendo clareza, paz e um profundo senso de beleza. Sinta a presença de Jophiel como uma força reconfortante, sempre ao seu lado, guiando e inspirando.

A natureza é outra aliada poderosa na conexão com Jophiel. Passar tempo ao ar livre, cercado pela beleza natural, pode abrir seu coração e mente para a presença de Jophiel. Ele se manifesta na harmonia dos elementos, na complexidade das formas naturais e na serenidade que sentimos em meio à natureza. Cada momento passado em contemplação da natureza é uma oportunidade de se conectar mais profundamente com a força de Jophiel.

O poder da gratidão não pode ser subestimado na busca pela conexão com Jophiel. A gratidão abre o coração e eleva a vibração espiritual, tornando mais fácil sentir a presença dos anjos. Praticar a gratidão diariamente, seja por meio de um diário, orações ou simples reflexões, pode fortalecer a ligação com Jophiel e trazer mais beleza e luz à sua vida.

Em momentos de meditação ou oração, é útil ter uma afirmação ou mantra que ressoe com a força de Jophiel. Frases como "Eu sou uma expressão da beleza divina" ou "Eu vejo a luz e a beleza em todas as coisas" podem ajudar a alinhar sua mente e espírito com a presença de Jophiel. Repetir essas afirmações regularmente pode criar um campo de força positiva que atrai ainda mais luz e inspiração.

A colaboração com Jophiel é uma jornada contínua de descoberta e crescimento. Ele nos guia gentilmente, ajudando-nos a ver além das superfícies e a encontrar a beleza e a sabedoria que estão sempre presentes, mesmo nas circunstâncias mais desafiadoras. Ao abraçar a força de Jophiel, abrimos nossas vidas para um fluxo constante de inspiração e iluminação, vivendo cada dia como uma expressão da beleza divina.

A conexão contínua com Jophiel promove uma vida de profunda sabedoria e beleza. Ele nos ensina que cada experiência, seja de alegria ou desafio, é uma oportunidade de crescimento espiritual. Ao abraçar essa perspectiva, começamos a ver a vida com mais otimismo e serenidade, reconhecendo que cada momento tem um propósito divino.

Jophiel nos lembra constantemente da relevância de manter um coração aberto e uma mente receptiva. A prática da aceitação é crucial aqui — aceitar tanto os momentos de luz quanto os de sombra como partes essenciais do nosso caminho espiritual. Ele nos ajuda a entender que as dificuldades muitas vezes trazem lições valiosas, iluminando aspectos de nós mesmos que precisam de atenção e cura.

O papel de Jophiel na cura emocional é igualmente importante. Sua luz dourada pode ser invocada para curar feridas emocionais profundas, trazendo paz e restauração. Em momentos de tristeza ou desespero, visualizações de Jophiel envolvendo você em sua luz reconfortante proporciona alívio e esperança. Ele atua como um guia gentil, levando você através das sombras até um espaço de renovação e clareza.

Além das práticas individuais, Jophiel nos inspira a criar e participar de comunidades que promovem a beleza e a sabedoria. Essas comunidades podem ser grupos de meditação, círculos de arte ou qualquer grupo que celebre a beleza e a espiritualidade. A interação com outras pessoas que compartilham essa visão pode fortalecer sua conexão com Jophiel e enriquecer sua vida espiritual.

Jophiel também nos ensina sobre a relevância do autocuidado e do amor-próprio. Cuidar de si — física, emocional e espiritualmente — é fundamental para manter a conexão com a força de Jophiel. Isso pode incluir práticas de bem-estar como ioga, exercícios, alimentação saudável e tempo dedicado à reflexão e meditação. O autocuidado não é apenas um ato de amor-próprio, mas também um reconhecimento da beleza divina que reside em cada um de nós.

Outro aspecto vital do trabalho de Jophiel é nos ajudar a desenvolver uma visão mais ampla da vida. Ele nos encoraja a olhar além das preocupações imediatas e a considerar o quadro maior. Isso pode incluir a reflexão sobre seu propósito de vida, seus sonhos e aspirações. Jophiel nos guia a alinhar nossas ações diárias com esses objetivos maiores, criando uma vida que reflete nossa verdadeira essência e propósito divino.

A música continua a ser uma ferramenta poderosa para invocar a presença de Jophiel. Criar ou ouvir música que eleve o espírito pode facilitar uma conexão mais profunda com ele. A música clássica, os cânticos gregorianos e outras formas de música espiritual são particularmente eficazes. Esses momentos de conexão através da música podem abrir seu coração e mente para novas inspirações e insights.

Os rituais sazonais também são uma excelente maneira de honrar Jophiel. As mudanças de estação oferecem oportunidades naturais para renovar seu compromisso com a beleza e a sabedoria. Durante o equinócio da primavera, por exemplo, você pode criar um altar com flores frescas, cristais e velas, dedicando esse espaço a Jophiel. Realizar um ritual de gratidão e renovação pode fortalecer sua conexão com ele e trazer uma nova força para sua vida.

Em tempos de transição, Jophiel pode ser um aliado poderoso. Mudanças de carreira, mudanças de residência ou transições pessoais significativas são momentos em que sua orientação pode ser crucial. Pedir a Jophiel clareza e sabedoria durante esses períodos pode ajudar a navegar essas transições com mais confiança e serenidade. Ele ilumina o caminho, mostrando que cada mudança é uma oportunidade de crescimento e expansão.

É importante lembrar que a relação com Jophiel é uma parceria contínua. Ele está sempre presente, oferecendo sua luz e sabedoria, mas cabe a nós abrir nossos corações e mentes para recebê-las. A prática regular de meditação, oração e gratidão fortalece essa parceria, criando uma vida rica em beleza e iluminação.

Capítulo 16
Zadkiel
Anjo da Misericórdia e do Perdão

Zadkiel, reconhecido como o Anjo da Misericórdia e do Perdão, é uma entidade de grande relevância na hierarquia divino. Sua existência remonta aos primórdios da criação, onde recebeu a missão divina de trazer a graça e a compaixão de Deus ao mundo. Zadkiel é muitas vezes associado à esfera de Chesed (Misericórdia) na Árvore da Vida cabalística, refletindo sua essência de amor e bondade infinitos.

Na tradição judaico-cristã, Zadkiel é muitas vezes identificado como o anjo que impediu Abraão de sacrificar seu filho Isaac. Este evento, reconhecido como o Sacrifício de Isaac, é um poderoso símbolo da intervenção divina e da misericórdia de Deus. A presença de Zadkiel nesse momento crucial demonstra sua capacidade de trazer alívio e compaixão em tempos de grande necessidade e angústia.

O complemento divino de Zadkiel é uma presença angélica que equilibra sua força de misericórdia com a de justiça e verdade. Esta entidade, muitas vezes visualizada como uma entidade feminina, representa a dualidade necessária para manter o equilíbrio entre compaixão e retidão no universo. Juntos, eles formam uma unidade harmoniosa que promove a justiça temperada com misericórdia.

Os fractais de alma de Zadkiel são manifestações de sua força divina que operam em várias dimensões. Cada fractal carrega um aspecto da misericórdia de Zadkiel, atuando em diferentes esferas para assegurar que sua influência benevolente permeie toda a criação. Esses fractais podem ser percebidos como anjos menores ou espíritos guias que trabalham sob a orientação direta de Zadkiel, ajudando a trazer paz e perdão às almas necessitadas.

Além de sua atuação na intervenção divina, Zadkiel também desempenha um papel crucial na transformação pessoal. Ele é reconhecido por ajudar as almas a liberar sentimentos de culpa e arrependimento, promovendo a cura emocional e espiritual. Invocar Zadkiel durante meditações ou orações pode facilitar a liberação de emoções negativas e permitir a aceitação do perdão divino.

Para fortalecer a conexão com Zadkiel, é útil engajar-se em práticas que promovam a misericórdia e o perdão. Atos de bondade e compaixão para com os outros ressoam com a força de Zadkiel e podem atrair sua presença benevolente. Além disso, criar um espaço sagrado dedicado a ele, utilizando velas lilases, cristais como a ametista, e símbolos de misericórdia, pode servir como um ponto focal para meditações e orações.

A prática regular de meditação também é uma maneira eficaz de se conectar com Zadkiel. Durante a meditação, visualize uma luz violeta suave envolvendo seu corpo, representando a presença calmante e purificadora de Zadkiel. Permita que essa luz penetre profundamente, dissipando quaisquer sentimentos de culpa, raiva ou ressentimento, e substituindo-os por paz, amor e perdão.

Os rituais sazonais são outra excelente maneira de honrar Zadkiel. Por exemplo, durante a Lua Cheia, que simboliza a plenitude c a liberação, você pode realizar um ritual de perdão. Escreva numa folha de papel os sentimentos ou eventos que deseja perdoar e queime-a, visualizando Zadkiel levando essas forças negativas embora e transmutando-as em luz e amor.

Zadkiel também pode ser um guia valioso em tempos de transição pessoal, como mudanças de carreira ou relações. Pedir sua orientação durante esses períodos pode trazer clareza e sabedoria, ajudando a navegar por essas mudanças com serenidade e confiança. Ele ilumina o caminho, mostrando que cada transição é uma oportunidade para crescimento e expansão.

É importante lembrar que a relação com Zadkiel é uma parceria contínua. Ele está sempre presente, oferecendo sua luz e sabedoria, mas cabe a nós abrir nossos corações e mentes para recebê-las. A prática regular de gratidão, oração e meditação fortalece essa parceria, criando uma vida rica em beleza, compaixão e perdão.

Zadkiel, como anjo da misericórdia, desempenha um papel essencial na promoção da paz interior e da harmonia entre as pessoas. Ele inspira a prática do perdão, um dos atos mais poderosos e transformadores que um ser humano pode realizar. O perdão não apenas libera o outro de seus erros, mas também libera quem perdoa do peso da mágoa e do ressentimento.

A força de Zadkiel é particularmente forte em momentos de arrependimento sincero e busca de reconciliação. Ele ajuda a cultivar uma atitude de compaixão e compreensão, facilitando a cura de relacionamentos rompidos e promovendo a reconciliação entre indivíduos e comunidades. Essa força de reconciliação é vital para a paz duradoura, tanto no nível pessoal quanto coletivo.

Além de seu papel na reconciliação, Zadkiel também auxilia na compreensão e aceitação das lições de vida. Ele ensina que cada experiência, mesmo as dolorosas, carrega uma lição valiosa que contribui para o crescimento espiritual. Ao ajudar as pessoas a reconhecerem e integrarem essas lições, Zadkiel promove um senso de propósito e resiliência.

A prática de invocação de Zadkiel pode ser integrada na rotina diária por meio de orações simples ou meditações. Uma oração poderosa para invocar sua presença pode ser algo como: "Querido Zadkiel, anjo da misericórdia, envolva-me com sua luz violeta. Ajude-me a liberar todo o ressentimento e dor, e guie-me no caminho do perdão e da compaixão. Que eu possa ser um canal de amor e paz, hoje e sempre."

Durante as meditações, visualizar Zadkiel cercado por uma luz violeta intensa pode ajudar a fortalecer a conexão. Imagine essa luz se expandindo, envolvendo você e purificando qualquer força negativa. Sinta a presença calmante de Zadkiel, trazendo um profundo senso de paz e alívio.

O papel de Zadkiel na vida cotidiana também se manifesta por meio de pequenos atos de bondade e compaixão. Praticar o perdão em situações cotidianas, como conflitos no trabalho ou desentendimentos familiares, é uma forma prática de alinhar-se com a força de Zadkiel. Cada ato de perdão, não importa quão pequeno, contribui para a construção de um mundo mais compassivo e harmonioso.

Além disso, Zadkiel pode ser um guia durante os momentos de autorreflexão e avaliação pessoal. Ele nos ajuda a ver nossos próprios erros com compaixão e a tomar medidas para corrigir nossos caminhos. Esta autorreflexão é essencial para o crescimento pessoal e espiritual, permitindo-nos evoluir e nos tornar versões melhores de nós mesmos.

A presença de Zadkiel pode ser sentida de maneira mais intensa durante os rituais de purificação. Estes rituais podem incluir banhos de ervas, onde plantas como lavanda e sálvia são usadas para limpar forças negativas. Durante esses rituais, peça a Zadkiel para purificar seu corpo, mente e espírito, e para renovar seu compromisso com a prática da misericórdia e do perdão.

Em momentos de crise ou desespero, invocar Zadkiel pode trazer um alívio imediato. Sua força é uma fonte de conforto e força, proporcionando uma sensação de proteção e segurança. Saber que Zadkiel está presente, oferecendo seu amor e compaixão, pode ser uma grande fonte de consolo em tempos difíceis.

Outro aspecto importante de Zadkiel é sua associação com a transformação e a transmutação. Ele ajuda a transformar forças negativas em positivas, promovendo a cura e o bem-estar. Esta capacidade de transmutação é crucial para a libertação de traumas passados e para a promoção de um estado de paz e equilíbrio.

A criação de um altar dedicado a Zadkiel em casa pode ser uma maneira poderosa de honrá-lo e fortalecer sua presença. Este altar pode incluir velas violeta, cristais como a ametista, e imagens ou símbolos associados a Zadkiel. Passar tempo em frente a este altar, fazendo orações ou meditando, pode intensificar a conexão e trazer uma sensação profunda de paz e cura.

Zadkiel é um guia compassivo e poderoso que nos ajuda a cultivar a misericórdia e o perdão em nossas vidas. Ao nos conectarmos com sua força, podemos promover a paz interior, a harmonia nos relacionamentos e a transformação pessoal. A prática regular de oração, meditação e atos de bondade em seu nome nos aproxima de sua presença divina e nos ajuda a viver segundo os princípios de compaixão e amor.

A força de Zadkiel também pode ser profundamente transformadora em momentos de grande sofrimento ou crise emocional. Ele oferece um caminho para a cura através da liberação do passado e da aceitação do presente. Ao ajudar as pessoas a perdoarem a si mesmas e aos outros, Zadkiel facilita um processo de renovação espiritual essencial para o crescimento pessoal.

Uma maneira de integrar a influência de Zadkiel na vida diária é através da prática da gratidão. Manter um diário de gratidão, onde você escreve diariamente coisas pelas quais é grato, pode ajudar a transformar sua perspectiva e atrair mais força positiva. A gratidão abre o coração e a mente, criando um espaço propício para a misericórdia e o perdão florescerem.

Além disso, Zadkiel pode ser invocado durante momentos de oração para interceder em situações de injustiça e sofrimento global. Pedir por sua intervenção em questões que afetam a humanidade como um todo, como guerras, desastres naturais e outras crises, pode trazer uma sensação de esperança e conexão com o poder divino. Sua presença pode ser uma fonte de conforto e força, lembrando-nos de que a compaixão e a misericórdia são forças poderosas que podem transformar o mundo.

Os ensinamentos de Zadkiel também nos lembram da relevância da autoaceitação e do autoamor. Perdoar a si é muitas vezes o passo mais difícil, mas também o mais crucial, no caminho da cura. Através da autoaceitação, podemos liberar as limitações autoimpostas e abraçar nosso verdadeiro potencial. Zadkiel nos guia nesse processo, oferecendo suporte e encorajamento para podermos nos ver com os mesmos olhos amorosos com que Deus nos vê.

As práticas de visualização podem ser uma ferramenta poderosa para se conectar com Zadkiel. Durante a meditação, imagine uma luz violeta radiante descendo do céu e envolvendo todo o seu ser. Sinta essa luz purificando e curando todas as áreas de sua vida que precisam de misericórdia e perdão. Permita que a força de Zadkiel penetre profundamente em seu coração, dissolvendo qualquer resistência e abrindo caminho para a paz e o amor.

Zadkiel também pode ser um aliado valioso em práticas de cura energética. Modalidades como Reiki e cura prânica podem ser intensificadas pela invocação de sua presença. Pedir a Zadkiel para guiar suas mãos e direcionar a força de cura pode aumentar a eficácia das sessões, trazendo um maior senso de bem-estar e equilíbrio para quem recebe a cura.

A música é outra forma poderosa de se conectar com Zadkiel. Ouvir ou cantar músicas que evocam sentimentos de paz e compaixão pode elevar sua vibração e criar um espaço sagrado onde a presença de Zadkiel pode ser sentida mais intensamente. Hinos, mantras e músicas instrumentais suaves podem ser incorporados em suas práticas diárias para fortalecer essa conexão.

A criação de mandalas de cura é outra prática que pode ser dedicada a Zadkiel. Desenhar ou colorir mandalas enquanto medita sobre a misericórdia e o perdão pode ser uma forma de canalizar a força de Zadkiel e integrá-la em sua vida. Essas mandalas podem ser colocadas em seu espaço sagrado como lembretes visuais de sua intenção de viver em compaixão e perdão.

Participar de grupos de estudo ou círculos de oração focados em anjos pode proporcionar um senso de comunidade e apoio espiritual. Compartilhar suas experiências e aprendizados com outras pessoas que também buscam a orientação de Zadkiel pode enriquecer sua jornada espiritual e oferecer novas perspectivas sobre como integrar seus ensinamentos em sua vida.

Em tempos de luto, Zadkiel pode ser uma presença especialmente confortante. Sua força de compaixão e consolo pode ajudar a aliviar a dor da perda e trazer um senso de paz. Invocar Zadkiel durante momentos de lembrança e honra aos entes queridos falecidos pode criar um espaço sagrado onde a cura e a aceitação podem florescer.

É importante lembrar que a prática da misericórdia e do perdão é um processo contínuo. Ao cultivar essas qualidades em sua vida diária, você não apenas se alinha com a força de Zadkiel, mas também contribui para a criação de um mundo mais amoroso e compassivo. Cada ato de perdão, cada momento de compaixão, é um passo em direção a uma existência mais plena e harmoniosa.

Zadkiel nos lembra que a misericórdia é um dom divino que devemos compartilhar uns com os outros. Ao abrir nossos corações para a compaixão e o perdão, permitimos que a luz divina flua por meio de nós, iluminando nossas vidas e as vidas daqueles ao nosso redor. Com a orientação de Zadkiel, podemos transformar nosso mundo interior e exterior, criando uma realidade fundamentada no amor e na misericórdia divina.

A atuação de Zadkiel na vida cotidiana vai além do perdão individual, estendendo-se à capacidade de perdoar em um nível mais amplo e comunitário. Ele inspira a criação de ambientes de reconciliação, onde a comunicação aberta e honesta pode ocorrer, permitindo que os conflitos sejam resolvidos de maneira pacífica e construtiva. Essa força de reconciliação é vital para a coesão social e para a construção de comunidades saudáveis e harmoniosas.

Zadkiel também desempenha um papel importante na educação moral e espiritual. Ele ajuda os indivíduos a desenvolverem uma consciência ética forte, guiando-os a agir de acordo com princípios de justiça e misericórdia. Essa orientação é especialmente importante para líderes e entidades de autoridade, que têm a responsabilidade de tomar decisões que afetam muitas pessoas. Invocar Zadkiel em momentos de dilema moral pode trazer clareza e discernimento, garantindo que as escolhas feitas estejam alinhadas com o bem maior.

A prática de atos de caridade é uma maneira tangível de honrar Zadkiel. Ajudar os necessitados, apoiar causas humanitárias e ser voluntário em sua comunidade são formas de manifestar a compaixão e a misericórdia que Zadkiel representa. Esses atos não apenas beneficiam aqueles que recebem ajuda, mas também fortalecem a conexão espiritual de quem os realiza, alinhando-os mais profundamente com a força de Zadkiel.

Outro aspecto importante da força de Zadkiel é sua capacidade de ajudar na cura de traumas passados. Traumas, sejam eles emocionais, físicos ou espirituais, podem criar bloqueios que impedem o crescimento e o bem-estar. Invocar Zadkiel para auxiliar na cura desses traumas pode ser extremamente eficaz. Sua força de compaixão pode suavizar as memórias dolorosas e ajudar a liberar os bloqueios, permitindo que a cura ocorra em um nível profundo.

As práticas de respiração consciente também podem ser usadas para se conectar com Zadkiel. Respirar profundamente e visualizar a luz violeta de Zadkiel preenchendo seu corpo a cada inalação pode ajudar a trazer uma sensação de calma e purificação. A exalação pode ser usada para liberar forças negativas e ressentimentos, limpando seu campo energético e criando espaço para a paz e a compaixão.

A tradição da escrita de cartas de perdão é outra prática que pode ser enriquecida pela força de Zadkiel. Escrever uma carta a alguém que você precisa perdoar, mesmo que nunca a envie, pode ser um processo terapêutico poderoso. Peça a Zadkiel para guiar suas palavras e sentimentos enquanto escreve, permitindo que sua compaixão flua por meio de você. Esta prática pode ajudar a liberar ressentimentos profundamente enraizados e a abrir caminho para a reconciliação.

Zadkiel também pode ser invocado para ajudar na resolução de conflitos familiares. As tensões dentro das famílias podem ser algumas das mais difíceis de resolver, devido aos laços profundos e às emoções intensas envolvidas. Pedir a Zadkiel para mediar essas situações pode trazer uma nova perspectiva e facilitar a comunicação aberta e amorosa entre os membros da família. Sua presença pode ajudar a dissolver mal-entendidos e promover a reconciliação.

Em ambientes de trabalho, a influência de Zadkiel pode ajudar a criar uma cultura de respeito e colaboração. Ele pode ser invocado para mediar conflitos entre colegas, promover um ambiente de trabalho justo e compassivo, e inspirar líderes a tomarem decisões éticas. Integrar práticas de mindfulness e sessões de meditação coletiva no ambiente de trabalho pode ajudar a cultivar a força de Zadkiel, promovendo um espaço mais harmonioso e produtivo.

A força de Zadkiel também é valiosa em práticas espirituais que envolvem a transmutação de forças negativas. Práticas como o Ho'oponopono, uma técnica havaiana de reconciliação e perdão, podem ser intensificadas pela invocação de Zadkiel. Este método envolve a repetição de frases como "Sinto muito. Por favor, me perdoe. Eu te amo. Sou grato." Visualizar a luz violeta de Zadkiel enquanto pratica o Ho'oponopono pode amplificar os efeitos curativos dessa técnica, promovendo uma limpeza profunda das emoções negativas.

A prática de manter um diário espiritual onde você registra suas experiências, orações e insights pode ser uma maneira eficaz de fortalecer sua conexão com Zadkiel. Este diário pode servir como um registro de sua jornada espiritual, ajudando-o a refletir sobre seu progresso e a identificar áreas onde você precisa de mais cura e perdão. Relatar suas experiências com Zadkiel pode também ajudar a consolidar a sua fé e a profundar a sua relação com ele.

Em tempos de celebração, como aniversários e feriados, dedicar um momento para honrar Zadkiel e agradecer por sua presença e orientação pode ser uma prática gratificante. Essas celebrações podem incluir orações especiais, meditações, ou mesmo atos de serviço aos outros em nome de Zadkiel. Ao integrar a força de misericórdia e perdão em suas celebrações, você reforça seu compromisso com esses princípios e fortalece sua conexão com Zadkiel.

Lembrar-se de expressar gratidão é essencial. Agradecer a Zadkiel por sua orientação, proteção e misericórdia fortalece a relação espiritual e abre caminho para uma conexão mais profunda. A gratidão é uma força poderosa que atrai mais bênçãos e ajuda divina, criando um ciclo positivo de força em sua vida.

A prática da misericórdia e do perdão sob a orientação de Zadkiel é um processo contínuo que envolve uma constante reflexão e crescimento espiritual. Zadkiel nos lembra que, ao perdoarmos, não estamos apenas libertando os outros, mas também a nós mesmos das amarras emocionais que nos impedem de alcançar a paz e a felicidade plenas.

Para aprofundar essa prática, é importante adotar uma atitude de aceitação e compreensão diante dos desafios da vida. Zadkiel nos ensina a ver cada dificuldade como uma oportunidade de aprendizado e crescimento. Ao adotar essa perspectiva, podemos transformar até mesmo as experiências mais dolorosas em fontes de sabedoria e força.

A oração contínua é uma maneira poderosa de manter a conexão com Zadkiel. Uma oração diária pode ser simples, como: "Zadkiel, anjo da misericórdia, guie-me no caminho do perdão e da compaixão. Ajude-me a ver com os olhos do amor e a agir com o coração cheio de bondade. Que sua luz violeta ilumine meu caminho, hoje e sempre." Repetir essa oração todas as manhãs pode estabelecer um tom de paz e compaixão para o dia.

Além das práticas diárias, também é valioso reservar um tempo para retiros espirituais focados na meditação e no perdão. Esses retiros podem ser realizados em casa ou em locais especialmente dedicados à espiritualidade. Durante esses períodos, dedicar-se intensivamente à meditação, oração e reflexão pode proporcionar insights profundos e curativos.

Os rituais de lua cheia, mencionados anteriormente, podem ser elaborados para incluir elementos específicos de purificação e renovação. Durante a lua cheia, a força está no auge, tornando-a um momento ideal para liberar o que não nos serve mais. Escrever cartas de perdão e queimá-las sob a luz da lua, enquanto se invoca Zadkiel, pode ser uma prática especialmente poderosa.

Zadkiel também pode ser invocado durante sessões de cura energética. Terapeutas de Reiki, por exemplo, podem chamar a presença de Zadkiel para intensificar a força de cura durante as sessões. Sua presença pode ajudar a liberar bloqueios emocionais e espirituais, facilitando uma cura mais profunda e completa.

Outra prática que pode ser enriquecida pela presença de Zadkiel é a arte terapêutica. Pintar, desenhar ou esculpir enquanto se medita sobre a força de Zadkiel pode ser uma maneira criativa de processar e liberar emoções. Este tipo de expressão artística pode ser profundamente curativo e pode ajudar a trazer à tona sentimentos que precisam ser liberados.

Em situações de estresse intenso ou ansiedade, a presença de Zadkiel pode ser invocada para trazer calma e clareza. Respirações profundas e conscientes, acompanhadas de uma visualização da luz violeta de Zadkiel, podem ajudar a estabilizar as emoções e trazer uma sensação de paz. Esta prática pode ser útil em qualquer lugar e a qualquer momento, proporcionando uma ferramenta valiosa para enfrentar desafios cotidianos.

A prática da visualização pode ser estendida para incluir a imaginação de um encontro direto com Zadkiel. Durante a meditação, visualize-se em um lugar seguro e tranquilo, onde você encontra Zadkiel. Sinta sua presença amorosa e compassiva enquanto ele estende suas asas de luz violeta ao seu redor. Permita-se receber sua força curativa e sentir sua orientação direta.

A gratidão, como mencionado anteriormente, é fundamental para fortalecer a conexão com Zadkiel. Manter um diário de gratidão, onde você escreve diariamente pelo que é grato, pode transformar sua perspectiva e atrair mais positividade. A gratidão não apenas eleva a força, mas também abre o coração para a compaixão e o perdão, alinhando você mais estreitamente com a força de Zadkiel.

É essencial integrar os ensinamentos de Zadkiel em todas as áreas da vida. Viver com compaixão, agir com misericórdia e perdoar generosamente são práticas que não só beneficiam você, mas também inspiram e elevam os outros ao seu redor. Cada ato de bondade e cada gesto de perdão contribuem para um mundo mais harmonioso e amoroso.

Lembre-se de que Zadkiel está sempre presente, oferecendo sua orientação e apoio. Ao abrir seu coração para a força de misericórdia e perdão, você permite que a luz divina flua por meio de você, transformando sua vida e as vidas daqueles ao seu redor. Com a orientação de Zadkiel, você pode viver segundo os princípios de compaixão e amor, criando uma existência mais plena e significativa.

Capítulo 17
Haniel
Anjo da Alegria e da Paixão

Haniel, o anjo da alegria e da paixão, é uma presença divino profundamente envolvida nas emoções humanas, refletindo o amor e a alegria divinos. Criado durante a formação dos céus e da terra, Haniel foi designado como um emissário de felicidade e entusiasmo, trazendo luz e vitalidade à existência humana. Este anjo é muitas vezes representado como uma entidade radiante, com asas brilhantes e uma aura de força vibrante que contagia todos ao seu redor.

A missão de Haniel é equilibrar as forças do amor e da alegria no universo, trabalhando em harmonia com seu complemento divino, Anael, o anjo do amor. Juntos, eles equilibram essas forças em suas formas mais puras, espalhando felicidade e paixão através de suas influências. Haniel inspira sentimentos de felicidade e entusiasmo, ajudando as pessoas a encontrarem prazer nas pequenas coisas da vida e a viverem com mais intensidade e propósito.

Além de inspirar alegria, Haniel desempenha um papel vital na transformação da paixão em uma força motivadora. Ele guia os indivíduos a perseguirem seus sonhos com determinação e fervor, promovendo uma vida cheia de objetivos e realizações. Sua presença é especialmente sentida em momentos de necessidade emocional, proporcionando um suporte energético que revitaliza a mente e o espírito.

Haniel também colabora estreitamente com os anjos da guarda, amplificando a capacidade destes de infundir alegria e paixão nas vidas de seus protegidos. A presença de Haniel cria um ambiente energético positivo, facilitando o crescimento pessoal e o bem-estar emocional. Ele é reconhecido por ajudar aqueles que buscam uma vida mais intensa e cheia de significado, guiando-os a encontrar caminhos que ressoem com suas paixões mais profundas.

Fortalecer a conexão com Haniel pode ser realizado por meio de diversas práticas espirituais. Meditações com velas coloridas, especialmente nas cores rosa e dourado, que estão associadas a Haniel, são uma forma eficaz de atrair sua força. Durante a meditação, visualizar a luz dessas velas preenchendo o coração com alegria e paixão pode intensificar a presença de Haniel na vida de uma pessoa.

Outra prática poderosa é recitar orações dedicadas a Haniel, pedindo por sua presença para trazer mais felicidade e entusiasmo. A oração pode ser um momento de introspecção e conexão profunda, permitindo que a força de Haniel flua livremente, trazendo uma sensação de renovação e vitalidade.

Além disso, Haniel é muitas vezes invocado em rituais que celebram a vida e a paixão, como cerimônias de casamento ou celebrações de novos começos. A presença dele nestes momentos é vista como uma bênção que garante alegria duradoura e paixão contínua. Estes rituais podem incluir oferendas de flores e fragrâncias, símbolos do amor e da alegria que Haniel representa.

Haniel é um exemplo vivo de como a força divina pode se manifestar de maneira vibrante e positiva no mundo. Sua presença é muitas vezes sentida nos momentos de alegria espontânea e nos momentos de intensa paixão. A capacidade de Haniel de transformar estados emocionais negativos em positivos é uma das suas características mais poderosas, permitindo que ele atue como um verdadeiro curador das emoções humanas.

Em momentos de tristeza ou desânimo, invocar Haniel pode trazer uma onda de alegria restauradora. Ele ajuda a liberar bloqueios emocionais, permitindo que a felicidade flua livremente. Muitas pessoas que se conectam com Haniel relatam sentir uma sensação imediata de alívio e um aumento na força positiva. Esta transformação emocional é essencial para uma vida equilibrada e gratificante.

Haniel também é reconhecido por incentivar a autoexpressão e a criatividade. Ele inspira artistas, músicos, escritores e qualquer pessoa que busca expressar suas paixões de maneira autêntica. A influência de Haniel pode ser vista nas obras de arte que transmitem alegria, nas músicas que elevam o espírito e nos escritos que inspiram corações. Ele encoraja a exploração das paixões pessoais e o uso dessas paixões para criar algo belo e importante.

A conexão com Haniel pode ser aprofundada através da prática regular de atividades que trazem alegria e satisfação pessoal. Seja através da dança, da música, da escrita ou de qualquer outra forma de expressão criativa, envolver-se em atividades que elevam o espírito é uma maneira de honrar e invocar Haniel. Estas práticas não apenas fortalecem a ligação com este anjo, mas também promovem um senso de bem-estar e realização pessoal.

Além disso, Haniel é muitas vezes associado a momentos de renovação e novos começos. Ele é invocado para abençoar novas fases da vida, como o início de um novo trabalho, o nascimento de um filho, ou qualquer outra mudança significativa. A presença de Haniel nesses momentos é um lembrete da alegria e da paixão que podem ser encontradas em cada nova etapa da vida.

A oração a Haniel pode ser uma prática simples, mas profundamente eficaz. Uma oração comum pode incluir pedidos de alegria, paixão e criatividade, bem como gratidão pela presença positiva de Haniel na vida. Manter um diário de gratidão, onde se anotam momentos de alegria e inspiração, também pode ser uma maneira poderosa de fortalecer a conexão com Haniel. Este diário serve como um lembrete constante da alegria que ele traz e das muitas bênçãos presentes na vida cotidiana.

Haniel também é reconhecido por ajudar nas relações amorosas, trazendo paixão e alegria aos relacionamentos. Ele é invocado para fortalecer laços afetivos, renovar o entusiasmo e promover a harmonia. Sua presença pode ajudar a transformar conflitos em oportunidades de crescimento e compreensão, trazendo uma nova luz aos relacionamentos.

O impacto de Haniel na vida das pessoas é vasto e variado. Desde ajudar a encontrar alegria nas pequenas coisas até inspirar grandes paixões, sua influência é sentida em muitos aspectos da vida. Ao honrar e invocar Haniel, as pessoas podem experimentar uma transformação profunda, descobrindo novas fontes de alegria e paixão que enriquecem suas vidas e as daqueles ao seu redor.

Haniel é uma entidade central na angelologia, representando a manifestação da alegria e da paixão divinas no mundo humano. Sua influência é particularmente poderosa em momentos de transição, quando as pessoas buscam renovação e um novo senso de propósito. A força de Haniel é tanto curativa quanto inspiradora, ajudando as pessoas a se reconectar com suas paixões e a encontrar alegria em suas jornadas pessoais.

Uma das maneiras pelas quais Haniel manifesta sua presença é por meio de sinais sutis e sincronicidades. Muitas pessoas relatam encontrar penas coloridas, ouvir músicas que elevam o espírito ou experimentar momentos de felicidade inesperada como indicações da presença de Haniel. Estes sinais servem como lembretes de que a alegria e a paixão são acessíveis e que Haniel está sempre presente para oferecer suporte emocional e inspiração.

Haniel também trabalha para equilibrar as emoções humanas, ajudando a transformar sentimentos negativos em positivos. Quando invocado, ele traz uma sensação de paz e contentamento, permitindo que as pessoas vejam as situações sob uma nova luz. Esta transformação emocional é essencial para superar desafios e encontrar alegria mesmo nas circunstâncias mais difíceis.

Além de promover a alegria, Haniel encoraja as pessoas a seguirem seus sonhos com determinação. Ele ajuda a identificar as verdadeiras paixões e a perseguir objetivos com vigor e entusiasmo. Esta orientação pode ser particularmente útil em momentos de dúvida ou incerteza, fornecendo clareza e motivação para seguir em frente. A presença de Haniel é um lembrete de que viver uma vida plena e apaixonada é não apenas possível, mas também um objetivo digno.

Para aqueles que buscam fortalecer sua conexão com Haniel, a prática da meditação é uma ferramenta poderosa. Durante a meditação, visualizar uma luz dourada e rosa envolvendo o corpo pode ajudar a atrair a força de Haniel. Respirar profundamente e concentrar-se em sentimentos de alegria e paixão pode intensificar essa conexão, trazendo uma sensação de bem-estar e revitalização.

Outra prática eficaz é criar um espaço sagrado dedicado a Haniel. Este espaço pode incluir velas, cristais e outros objetos que simbolizem alegria e paixão. Passar tempo neste espaço, oferecendo orações e reflexões, pode fortalecer a ligação com Haniel e criar um ambiente de força positiva e inspiradora. Manter este espaço limpo e organizado também pode ajudar a manter a força fluindo livremente.

Haniel é muitas vezes invocado em rituais de celebração e gratidão. Celebrar marcos importantes na vida, como aniversários e conquistas, com a presença de Haniel pode intensificar a alegria e a paixão desses momentos. Fazer oferendas de flores, especialmente rosas, que estão associadas a Haniel, é uma forma simbólica de expressar gratidão e atrair sua força.

Além disso, Haniel pode ser um guia poderoso na jornada de autodescoberta. Ele ajuda a revelar paixões ocultas e a explorar novos interesses. Esta exploração pode levar a uma maior realização pessoal e a um senso de propósito mais profundo. Haniel encoraja a curiosidade e a criatividade, promovendo um estilo de vida vibrante e dinâmico.

A presença de Haniel é um presente contínuo, oferecendo suporte e inspiração em todas as áreas da vida. Sua influência pode ser sentida não apenas em momentos de alegria, mas também em tempos de desafio, quando sua força ajuda a transformar dificuldades em oportunidades de crescimento. Ao honrar Haniel e integrar suas práticas na vida diária, é possível cultivar uma existência mais rica e apaixonada.

Haniel, como o anjo da alegria e da paixão, desempenha um papel vital na manutenção do equilíbrio emocional e espiritual dos seres humanos. Sua influência não só promove felicidade, mas também fortalece a capacidade de amar e se apaixonar profundamente, tanto por pessoas quanto por atividades e objetivos de vida. Haniel é uma presença que ajuda a cultivar uma vida rica em emoções positivas e experiências gratificantes.

A capacidade de Haniel de transformar a tristeza em alegria é uma de suas habilidades mais apreciadas. Em momentos de dor e desânimo, invocar Haniel pode trazer um alívio imediato, preenchendo o coração com uma sensação de esperança e renovação. Esta transformação emocional é essencial para a cura e para a capacidade de seguir em frente com otimismo e determinação.

Haniel também incentiva a exploração e a vivência de novas experiências. Ele guia as pessoas a saírem de suas zonas de conforto e a abraçarem a vida com entusiasmo. Seja ao aprender uma nova habilidade, iniciar um novo hobby ou embarcar em uma aventura, Haniel inspira coragem e curiosidade, promovendo um crescimento pessoal contínuo.

Para se conectar profundamente com Haniel, é importante cultivar práticas de gratidão. Agradecer diariamente pelas pequenas alegrias e pelas grandes conquistas pode ajudar a sintonizar-se com a força positiva de Haniel. Manter um diário de gratidão, onde se anotam momentos felizes e motivos de agradecimento, pode ser uma ferramenta poderosa para atrair mais alegria e paixão para a vida.

Além disso, Haniel pode ser invocado durante momentos de celebração e festividade. Ele é muitas vezes chamado para abençoar casamentos, nascimentos e outras ocasiões especiais, garantindo que esses momentos sejam preenchidos com felicidade duradoura e amor. Realizar rituais de celebração, como acender velas ou oferecer flores, pode intensificar a presença de Haniel nesses eventos, criando uma atmosfera de alegria e entusiasmo.

Haniel também é um mentor na busca de propósito e paixão na vida profissional. Ele ajuda a identificar vocações e a seguir carreiras que trazem satisfação e realização. Ao invocar Haniel, é possível encontrar clareza sobre os verdadeiros desejos do coração e a coragem para perseguir esses objetivos com determinação. Sua orientação pode transformar um trabalho comum em uma carreira apaixonante e gratificante.

A prática da meditação guiada é outra maneira eficaz de fortalecer a conexão com Haniel. Durante a meditação, imaginar um jardim radiante de flores coloridas pode ser uma maneira de visualizar a força de Haniel. Respirar profundamente e permitir que essa visão preencha a mente e o coração pode trazer uma sensação de paz e alegria, conectando mais profundamente com este anjo.

Para aqueles que enfrentam desafios emocionais, Haniel oferece suporte contínuo. Ele pode ser invocado para trazer clareza e calma em situações de estresse e ansiedade. Sua presença é um lembrete de que a alegria é uma escolha disponível em todas as circunstâncias, e que é possível encontrar luz mesmo nos momentos mais sombrios. Através de sua influência, as pessoas podem aprender a cultivar uma mentalidade positiva e a enfrentar os desafios com resiliência.

Haniel também trabalha em harmonia com outros anjos para promover a paz e a felicidade globais. Ele colabora com anjos da guarda e outros seres celestiais para criar um ambiente de amor e alegria no mundo. Sua missão é ajudar a humanidade a viver em harmonia, promovendo o respeito mútuo e a compreensão entre todas as pessoas.

A influência de Haniel se estende além da esfera pessoal, tocando também as dinâmicas sociais e comunitárias. Ele é um facilitador de relacionamentos saudáveis e harmoniosos, incentivando a comunicação aberta e honesta entre indivíduos. Haniel promove a empatia e a compreensão, ajudando a resolver conflitos e a fortalecer os laços entre amigos, familiares e colegas.

Em um contexto mais amplo, Haniel trabalha para infundir alegria e paixão nas comunidades. Ele inspira líderes e membros da comunidade a criar ambientes onde todos possam prosperar emocionalmente. Esta inspiração pode ser vista em eventos comunitários, celebrações e iniciativas que promovem a unidade e a felicidade coletiva. Haniel encoraja a participação ativa na vida comunitária, promovendo um senso de pertencimento e propósito compartilhado.

Para aqueles que lideram ou participam de grupos e organizações, invocar Haniel pode trazer uma força revitalizante que eleva o moral e incentiva a colaboração. Ele ajuda a fomentar um ambiente onde cada membro se sente valorizado e motivado a contribuir para o bem comum. Esta força positiva pode transformar a dinâmica de trabalho e promover um espírito de cooperação e entusiasmo.

Haniel também é reconhecido por sua capacidade de inspirar mudanças positivas e inovação. Ele encoraja a criatividade e o pensamento fora da caixa, ajudando as pessoas a encontrar soluções novas e eficazes para problemas antigos. Ao trabalhar com Haniel, é possível desbloquear potenciais inexplorados e trazer novas ideias à vida. Esta capacidade de inovar e transformar é crucial tanto no nível pessoal quanto no coletivo, permitindo avanços importantes e crescimento contínuo.

Práticas de visualização são especialmente úteis para fortalecer a conexão com Haniel. Visualizar um cenário onde as paixões pessoais são realizadas e onde a alegria permeia cada aspecto da vida pode ser uma prática poderosa. Estas visualizações não só atraem a força de Haniel, mas também ajudam a moldar a realidade de acordo com essas visões positivas.

Para aqueles que desejam aprofundar sua conexão espiritual, a criação de um altar dedicado a Haniel pode ser uma prática enriquecedora. Este altar pode incluir itens que simbolizem alegria e paixão, como flores coloridas, cristais, e imagens que representem momentos felizes. Passar tempo neste espaço, oferecendo orações e reflexões, pode criar um vínculo mais forte com Haniel e atrair sua força positiva para a vida cotidiana.

Além das práticas espirituais, Haniel incentiva o autocuidado e a atenção às necessidades emocionais. Ele ensina a relevância de cuidar de si para poder espalhar alegria aos outros. Praticar o autocuidado através de hobbies, exercícios, tempo com entes queridos e momentos de relaxamento pode ser uma maneira de honrar a força de Haniel.

A música é outra forma poderosa de se conectar com Haniel. Canções que evocam sentimentos de felicidade e paixão podem elevar o espírito e aproximar a presença de Haniel. Ouvir, cantar ou tocar música que ressoe com sua força pode ser uma prática diária que fortalece a conexão e promove bem-estar emocional.

Haniel também incentiva a prática de atos de bondade e generosidade. Ajudar os outros a encontrar alegria e paixão em suas vidas é uma forma de expandir a influência positiva de Haniel. Pequenos gestos de bondade, como oferecer um sorriso, um elogio ou uma ajuda, podem ter um impacto importante e promover um ciclo de positividade e felicidade.

Em resumo, Haniel é uma entidade angelical cuja missão é trazer alegria, paixão e renovação às vidas humanas. Sua presença é uma fonte constante de inspiração e transformação, ajudando a encontrar felicidade em cada momento e a perseguir os sonhos com fervor. Ao integrar as práticas recomendadas e manter um coração aberto para a força de Haniel, é possível viver uma vida mais plena, rica em emoções positivas e realizações. Haniel nos lembra que a verdadeira alegria está sempre ao nosso alcance, e que viver com paixão é um dos maiores presentes que podemos dar a nós mesmos e aos outros.

Capítulo 18
Kamael
Anjo da Força e da Coragem

Kamael, também reconhecido como Camael, é um anjo que personifica a força e a coragem. Sua origem é tão antiga quanto a própria criação dos anjos, sendo um dos primeiros seres criados pelo Criador para atuar como guardião da justiça e defensor da verdade. Kamael foi forjado a partir do fogo divino, imbuído com a essência da coragem indomável e da força imensurável, tornando-se um dos líderes das hostes angelicais.

Durante a revolta de Lúcifer, Kamael se destacou como um dos principais guerreiros na batalha divino, lutando ao lado de Miguel e outros arcanjos para manter a ordem divina. Sua presença era um farol de esperança e determinação para os anjos leais, e seu poder destrutivo era temido pelos rebeldes. Kamael demonstrou uma bravura inabalável, enfrentando inimigos poderosos e protegendo os céus da ameaça da desordem.

O complemento divino de Kamael é Haniel, o anjo da alegria e da paixão. Juntos, eles representam o equilíbrio perfeito entre força e alegria, coragem e paixão. Haniel tempera a intensidade de Kamael, enquanto Kamael oferece proteção e força para que Haniel possa espalhar sua luz e alegria sem impedimentos.

Os fractais de alma de Kamael são seres que carregam fragmentos de sua essência, manifestando-se em várias formas e desempenhando papéis específicos na criação divina. Esses fractais podem ser encontrados em líderes corajosos, defensores da justiça e em todos os que demonstram uma força interior inabalável frente às adversidades. A presença de um fractal de Kamael em uma pessoa indica uma missão especial de proteção e liderança, imbuída de coragem e determinação.

Kamael atua como um protetor e inspirador de coragem para os seres humanos. Ele é invocado em momentos de grande desafio, quando se necessita de força para superar obstáculos e coragem para enfrentar medos. Kamael auxilia as pessoas a encontrar sua própria força interior, incentivando-as a agir com bravura e a não recuar diante das dificuldades.

Além disso, Kamael desempenha um papel crucial na manutenção da justiça. Ele inspira aqueles que lutam contra a injustiça a perseverar e a defender a verdade, não importando o quão difícil seja a batalha. Kamael oferece sua força para que os humanos possam continuar firmes em suas convicções e princípios, promovendo um mundo mais justo e harmonioso.

A relação de Kamael com o anjo da guarda de cada indivíduo é de reforço e amplificação. Ele trabalha em conjunto com os anjos da guarda para oferecer proteção adicional e encorajar ações corajosas. Quando uma pessoa enfrenta uma situação de perigo ou injustiça, Kamael pode ser invocado para dar suporte ao anjo da guarda, amplificando sua capacidade de proteger e guiar.

Os rituais de invocação de Kamael muitas vezes envolvem a utilização de símbolos de fogo e coragem. Velas vermelhas ou douradas são acesas em sua honra, e orações específicas são recitadas para chamar sua presença e pedir sua ajuda. A prática de meditação focada na visualização de uma chama intensa pode ajudar a conectar-se com a força de Kamael, fortalecendo a coragem e a determinação.

A essência de Kamael também pode ser encontrada em diversas tradições religiosas e espirituais ao redor do mundo. Ele é reconhecido como um arquétipo de força e bravura, sendo venerado em templos e altares dedicados à justiça e à proteção. Sua imagem é muitas vezes associada a espadas flamejantes e armaduras brilhantes, simbolizando sua prontidão para a batalha e sua dedicação à causa divina.

Ao invocar Kamael, os devotos buscam não apenas proteção e coragem, mas também uma conexão mais profunda com a justiça divina. Kamael é um lembrete de que, mesmo nos momentos mais sombrios, a verdade e a força prevalecerão. Ele encoraja a perseverança e a ação justa, incentivando todos a lutar pelo bem maior com coragem e integridade.

Kamael é uma presença poderosa e inspiradora, sempre pronta para ajudar aqueles que buscam sua força e proteção. Ao integrar as práticas e rituais descritos, é possível fortalecer a conexão com este anjo divino, trazendo mais coragem e determinação para enfrentar os desafios da vida.

Invocar Kamael é uma prática que requer fé e intenção clara. Para aqueles que procuram fortalecer a coragem e a determinação em suas vidas, a conexão com Kamael pode ser uma fonte inesgotável de apoio espiritual. O primeiro passo para invocar sua presença é estabelecer um ambiente adequado para a prática espiritual. Um espaço tranquilo, onde se possa acender uma vela vermelha ou dourada e focar na meditação, é ideal.

Durante a meditação, visualize uma chama intensa e brilhante que simboliza a força e a coragem de Kamael. Sinta essa chama crescendo dentro de você, queimando qualquer medo ou dúvida, e preenchendo seu ser com determinação e bravura. Repetir mantras ou orações dedicadas a Kamael pode intensificar essa conexão. Uma oração poderosa para invocar Kamael poderia ser:

"Arcanjo Kamael, guardião da força e da coragem, eu invoco tua presença neste momento. Encha-me com tua força indomável, proteja-me com tua chama de justiça e guie-me na luta contra as adversidades. Que tua força esteja sempre comigo, e que eu possa agir com bravura e integridade. Amém."

Ao recitar essa oração, imagine Kamael ao seu lado, com sua espada flamejante pronta para proteger e sua aura de força imbuindo você com coragem. Sinta sua presença como uma armadura espiritual que te envolve, proporcionando um escudo contra qualquer negatividade ou injustiça.

Kamael também é reconhecido por ajudar aqueles que buscam justiça em suas vidas. Se você está enfrentando uma situação de injustiça, pode pedir a ajuda de Kamael para encontrar a coragem necessária para lutar por seus direitos. Ele inspira ações justas e oferece a força necessária para enfrentar adversários poderosos. Em momentos de conflito, visualizar Kamael ao seu lado pode proporcionar a confiança e a determinação necessárias para enfrentar a situação com coragem.

A influência de Kamael não se limita apenas aos grandes momentos de batalha ou conflito. Ele também pode ser invocado em situações cotidianas que exigem coragem, como enfrentar medos pessoais, tomar decisões difíceis ou defender suas crenças e valores. Sua força está disponível para todos os que buscam agir com integridade e coragem em todas as áreas de suas vidas.

A presença de Kamael é especialmente sentida durante tempos de crise ou grande desafio. Ele oferece uma fonte de força inesgotável, ajudando as pessoas a se manterem firmes e resilientes, mesmo nas circunstâncias mais difíceis. Muitos relatos de experiências pessoais com Kamael destacam sua capacidade de infundir coragem e força em momentos de necessidade, transformando o medo em ação positiva.

Além de sua conexão com os seres humanos, Kamael também trabalha em harmonia com outros anjos e arcanjos para manter a ordem e a justiça no universo. Sua colaboração com anjos como Miguel e Rafael exemplifica a união das forças celestiais em prol do bem maior. Juntos, eles formam uma frente imbatível contra as forças do mal, assegurando que a luz e a justiça prevaleçam.

No contexto da angelologia, Kamael é muitas vezes associado à quinta esfera da Árvore da Vida na Cabala, conhecida como Geburah. Esta esfera representa a justiça e a força, refletindo perfeitamente as qualidades de Kamael. Meditações cabalísticas focadas em Geburah podem ajudar a sintonizar-se com a força de Kamael, proporcionando insights profundos sobre a natureza da justiça divina e a força interior.

A integração da força de Kamael na vida diária pode trazer benefícios importantes. Aqueles que se conectam com ele muitas vezes relatam um aumento na confiança, determinação e capacidade de superar desafios. Sua presença pode ser sentida como um impulso de força positiva, proporcionando o suporte necessário para enfrentar qualquer situação com coragem e integridade.

Para aqueles que buscam aprofundar sua conexão com Kamael, é útil estudar textos sagrados e literaturas que exploram sua natureza e suas qualidades. Ler sobre suas aparições e intervenções pode oferecer uma compreensão mais profunda de como ele opera e como sua força pode ser acessada e utilizada para o bem. Além disso, participar de grupos de estudo ou comunidades espirituais dedicadas à angelologia pode proporcionar um ambiente de apoio para explorar e fortalecer essa conexão.

A influência de Kamael se estende além da proteção e da coragem individual, englobando também a inspiração para líderes e defensores da justiça em escala mais ampla. Líderes que buscam promover a justiça e a equidade em suas comunidades podem se beneficiar da força de Kamael, encontrando a força necessária para enfrentar a oposição e implementar mudanças positivas. Sua presença pode ser invocada em momentos de tomada de decisão, ajudando a assegurar que as escolhas feitas sejam justas e benéficas para o bem comum.

Rituais coletivos de invocação de Kamael, especialmente em tempos de crise social ou necessidade de reforma, podem ser extremamente poderosos. Grupos de pessoas reunidos com um propósito comum de justiça podem criar um ambiente de força positiva e determinação ao invocar a presença de Kamael. Esses rituais podem incluir a leitura de textos sagrados, a recitação de orações coletivas e a visualização de um círculo de proteção e força ao redor dos participantes.

A história está repleta de exemplos de líderes inspirados pela força de Kamael, que demonstraram coragem extraordinária em face da adversidade. Essas entidades servem como modelos de como a conexão com Kamael pode capacitar indivíduos a realizar feitos notáveis em prol da justiça. Estudar a vida e as ações desses líderes pode oferecer lições valiosas sobre a aplicação prática da coragem e da força em situações desafiadoras.

Além de sua associação com a coragem e a justiça, Kamael também desempenha um papel na cura emocional e espiritual. Muitas vezes, a coragem necessária para enfrentar desafios externos também é necessária para lidar com conflitos internos e traumas passados. Kamael pode ser invocado para superar medos profundamente enraizados, fortalecer a autoestima e promover a cura interior. Sua força pode proporcionar um suporte inestimável durante processos terapêuticos ou momentos de introspecção pessoal.

A prática de manter um diário espiritual focado na interação com Kamael pode ser uma ferramenta poderosa de autodescoberta e crescimento. Registrar experiências, insights e orações relacionadas a Kamael pode ajudar a reforçar a conexão com sua força e a monitorar o progresso pessoal ao longo do tempo. Este diário pode servir como um recurso valioso durante momentos de dúvida ou dificuldade, oferecendo um registro tangível de força e coragem obtidas através da prática espiritual.

A iconografia de Kamael, muitas vezes representada com uma espada flamejante e uma armadura reluzente, serve como um poderoso símbolo visual da sua presença e força. Ter imagens ou estátuas de Kamael em um altar pessoal, ou espaço sagrado pode ajudar a manter a conexão com sua força. Esses símbolos visuais atuam como lembretes constantes da força e da coragem disponíveis para aqueles que buscam sua ajuda.

Kamael também é associado à cor vermelha, que simboliza poder, paixão e força vital. Incorporar essa cor em rituais, vestimentas ou decoração de espaços sagrados pode ajudar a sintonizar-se com a força de Kamael. Velas vermelhas, tecidos ou pedras preciosas de cor vermelha, como rubis ou granadas, podem ser utilizados para criar um ambiente propício à invocação de Kamael.

A prática de visualização é uma técnica eficaz para fortalecer a conexão com Kamael. Durante a meditação, imagine-se envolvido em uma luz vermelha intensa, representando a força e a proteção de Kamael. Visualize sua espada flamejante cortando qualquer negatividade ou obstáculo em seu caminho, abrindo um caminho claro para a justiça e a coragem. Sinta a presença de Kamael como uma força indomável ao seu lado, proporcionando segurança e determinação.

Para aqueles que enfrentam desafios específicos, como enfrentar um julgamento ou defender-se contra uma injustiça, a invocação de Kamael pode oferecer um suporte crucial. Pedir sua orientação e proteção antes de enfrentar tais situações pode trazer uma sensação de calma e confiança, sabendo que não estão sozinhos na luta pela justiça.

A literatura e os textos sagrados muitas vezes mencionam as intervenções de Kamael em batalhas épicas e situações de crise, destacando sua capacidade de transformar o curso dos eventos com sua força. Essas histórias servem como lembretes poderosos da capacidade de Kamacl de influenciar o mundo material e espiritual, proporcionando esperança e inspiração para aqueles que buscam sua ajuda.

A devoção a Kamael, como com todos os seres celestiais, requer sinceridade e compromisso. Manter uma prática regular de oração, meditação e rituais é essencial para fortalecer a conexão com sua força. Quanto mais consistente e dedicada for a prática, mais perceptível será a presença e a influência de Kamael em sua vida diária.

A prática de invocação de Kamael é rica e multifacetada, permitindo que indivíduos se conectem com sua força de diversas maneiras. Além dos métodos tradicionais de oração e meditação, há também a possibilidade de integrar essa conexão em atividades diárias, promovendo um senso contínuo de proteção e coragem.

Uma maneira prática de manter a presença de Kamael em sua vida é por meio de afirmações diárias. Essas afirmações podem ser repetidas ao longo do dia, especialmente em momentos de dúvida ou medo, para reforçar a coragem e a determinação. Algumas afirmações poderosas incluem:

"Eu sou corajoso e forte, guiado pela força de Kamael."

"A força de Kamael me protege e me inspira a agir com justiça."

"Com Kamael ao meu lado, eu enfrento qualquer desafio com confiança."

Essas afirmações, quando recitadas com convicção, podem criar uma mentalidade positiva e resiliente, alinhada com as qualidades de Kamael. Escrever essas afirmações em cartões e colocá-los em locais visíveis, como no espelho do banheiro ou na mesa de trabalho, pode servir como lembretes constantes da força interior.

A arte também pode ser um meio poderoso de conexão espiritual. Desenhar ou pintar imagens de Kamael, ou criar mandalas com símbolos de fogo e força, pode ser uma forma meditativa de invocar sua presença. Essas criações artísticas não apenas servem como expressões pessoais de devoção, mas também como objetos sagrados que irradiam a força de Kamael.

Para aqueles que gostam de rituais mais estruturados, a criação de um altar dedicado a Kamael pode ser um projeto importante. Este altar pode incluir velas vermelhas, cristais como rubis ou granadas, imagens de Kamael e outros símbolos de força e coragem. Manter este espaço limpo e organizado, e passar tempo regularmente em oração ou meditação diante do altar, pode fortalecer a conexão com sua força.

Além disso, é possível incorporar a invocação de Kamael em práticas físicas, como ioga ou tai chi. Certas posturas e movimentos podem ser dedicados a invocar a força e a coragem de Kamael, criando uma conexão entre o corpo e a força espiritual. Praticar esses movimentos com intenção consciente pode ajudar a integrar a força de Kamael em sua própria força física e mental.

Os momentos de reflexão e gratidão também são importantes na prática espiritual com Kamacl. Reservar um tempo para refletir sobre as bênçãos recebidas e expressar gratidão pode fortalecer a relação com ele. Agradecer por sua proteção e coragem, e reconhecer as formas como sua presença influenciou positivamente a vida, pode criar um ciclo de força positiva e reciprocidade.

Para aqueles que se encontram em posições de liderança ou que enfrentam grandes responsabilidades, a invocação de Kamael pode oferecer uma base sólida de suporte espiritual. Líderes que precisam tomar decisões difíceis ou que enfrentam oposição significativa podem encontrar força e clareza ao pedir a orientação de Kamael. Sua força pode proporcionar a confiança necessária para tomar decisões justas e agir com integridade.

A colaboração com outros devotos de Kamael também pode amplificar a experiência espiritual. Participar de grupos de oração ou círculos de meditação focados em Kamael pode criar um campo de força coletiva poderoso. Esses grupos podem compartilhar experiências, orações e práticas, fortalecendo a conexão de todos os participantes com a força de Kamael.

Além das práticas espirituais, a leitura de textos e estudos sobre Kamael pode proporcionar uma compreensão mais profunda de sua natureza e seu papel na hierarquia angelical. Livros sobre angelologia, bem como textos sagrados que mencionam Kamael, podem oferecer insights valiosos e inspiradores. Estudar esses textos com uma mente aberta e receptiva pode abrir novas perspectivas sobre como invocar e trabalhar com sua força.

A presença de Kamael é um lembrete constante de que a coragem e a força são qualidades divinas acessíveis a todos. Integrar essas qualidades na vida cotidiana pode transformar a maneira como enfrentamos desafios e adversidades. Ao invocar Kamael, estamos chamando uma força poderosa que pode nos ajudar a viver com mais integridade, justiça e bravura.

Em momentos de desespero ou incerteza, lembrar-se de Kamael e invocar sua presença pode trazer uma sensação de calma e segurança. Saber que há uma força divina ao nosso lado, pronta para nos apoiar e proteger, pode ser uma fonte imensa de conforto e motivação.

A jornada espiritual com Kamael não se limita apenas às práticas individuais. Ela também pode ser enriquecida pela participação em comunidades espirituais que compartilham a devoção aos anjos e à busca pela justiça e coragem. Encontros e grupos de discussão podem oferecer um espaço seguro para compartilhar experiências, aprender novas práticas e fortalecer a fé coletiva.

Para aqueles que procuram uma conexão ainda mais profunda, retiros espirituais focados na angelologia e na força de Kamael podem ser extremamente benéficos. Esses retiros proporcionam um ambiente imersivo onde os participantes podem se concentrar inteiramente em sua prática espiritual, longe das distrações da vida cotidiana. Meditações guiadas, workshops sobre a história e a simbologia dos anjos, e rituais coletivos de invocação podem ajudar a aprofundar a conexão com Kamael.

Além dos aspectos espirituais e meditativos, a prática com Kamael também pode ter um impacto prático na vida diária. A força de Kamael pode ser invocada para lidar com situações de estresse, medo e insegurança. Por exemplo, antes de uma apresentação importante ou uma reunião difícil, uma breve meditação ou oração para Kamael pode proporcionar a calma e a confiança necessárias para enfrentar o desafio com coragem.

Kamael também pode ser uma fonte de inspiração para ações de justiça social. Aqueles que se dedicam a causas humanitárias e sociais podem invocar sua presença para fortalecer sua determinação e guiar suas ações. Seu apoio pode ser crucial para manter a motivação e a resiliência em face de desafios importantes, ajudando a assegurar que os esforços sejam bem-sucedidos e justos.

Na esfera pessoal, Kamael pode ajudar a promover a integridade e a honestidade. Invocar sua presença pode ser útil em momentos de tentação ou dúvida, lembrando-nos da relevância de agir com justiça e retidão. A força de Kamael pode nos encorajar a sermos verdadeiros conosco e com os outros, mantendo nossos princípios e valores mesmo quando é difícil.

A prática de oração e meditação diárias pode ser uma maneira eficaz de manter a conexão com Kamael. Dedicar um momento específico do dia para refletir sobre a força e a coragem pode ajudar a integrar essas qualidades em todos os aspectos da vida. A repetição dessas práticas cria um hábito espiritual que fortalece a presença de Kamael em nossa vida cotidiana.

Para aqueles que enfrentam desafios contínuos, como doenças crônicas ou conflitos prolongados, a presença de Kamael pode ser um suporte constante. Sua força pode proporcionar a força necessária para perseverar e enfrentar cada dia com renovada coragem. Muitos relatos pessoais descrevem como a invocação regular de Kamael ajudou a transformar situações desesperadoras em experiências de crescimento e superação.

A literatura sobre Kamael oferece uma vasta gama de recursos para aprofundar o entendimento sobre sua natureza e sua influência. Textos teológicos, livros de angelologia e relatos de experiências pessoais podem proporcionar insights valiosos e inspiradores. Estudar essas obras com uma mente aberta pode revelar novas maneiras de se conectar e trabalhar com a força de Kamael.

A música também pode ser um veículo poderoso para invocar a presença de Kamael. Cânticos e hinos dedicados aos anjos, especialmente aqueles que evocam força e coragem, podem criar uma atmosfera espiritual propícia para a meditação e a oração. Participar de corais ou simplesmente ouvir música sagrada pode elevar a vibração espiritual e facilitar a conexão com Kamael.

É importante lembrar que a jornada com Kamael é pessoal e única para cada indivíduo. As práticas e rituais descritos são guias que podem ser adaptados conforme necessário. O mais importante é a intenção sincera e o coração aberto ao buscar a presença de Kamael. Sua força está sempre disponível para aqueles que a procuram com fé e devoção.

Capítulo 19
Binael
Anjo da Compreensão e da Introspecção

Binael é reconhecido como o anjo da compreensão e da introspecção, desempenhando um papel crucial no reino divino. Segundo tradições antigas, Binael foi criado diretamente pelo Criador, dotado de uma sabedoria profunda e um discernimento inigualável. Sua criação ocorreu na segunda esfera celeste, onde são moldados os anjos com responsabilidades mais complexas e significativas. Diferentemente de outros anjos que se concentram na proteção ou na cura, Binael tem como principal missão iluminar as mentes humanas, ajudando-as a compreender as verdades universais e a alcançar um nível mais elevado de consciência espiritual.

A presença de Binael é muitas vezes invocada por aqueles que buscam respostas para questões profundas sobre a vida, o universo e o próprio ser. Sua força é descrita como calma e serena, capaz de induzir um estado de reflexão profunda. Os que meditam sobre Binael relatam uma sensação de clareza mental e emocional, como se uma névoa fosse dissipada, revelando verdades escondidas.

A relação entre Binael e os humanos é baseada em um contrato tácito de busca por conhecimento e autoaperfeiçoamento. Aqueles que se voltam para Binael em busca de sabedoria são incentivados a olhar para dentro de si, a reconhecer seus próprios erros e a trabalhar continuamente para se tornarem seres melhores. Binael não fornece respostas fáceis; em vez disso, guia os indivíduos para encontrarem suas próprias verdades, um processo que pode ser tanto desafiador quanto profundamente recompensador.

Os símbolos associados a Binael são a balança e o livro. A balança representa o equilíbrio e a justiça, fundamentais para a verdadeira compreensão e introspecção. O livro simboliza o conhecimento e a sabedoria acumulada, acessíveis a todos que estejam dispostos a estudar e aprender. Em algumas tradições, Binael é representado segurando uma balança em uma mão e um livro na outra, indicando a necessidade de equilibrar o conhecimento teórico com a aplicação prática e justa.

Para conectar-se com Binael, muitos praticantes recomendam a meditação e a oração em ambientes tranquilos, longe das distrações mundanas. A visualização de uma luz dourada suave pode ajudar a atrair a presença de Binael, proporcionando um espaço mental adequado para a introspecção. Mantras e afirmações específicas também podem ser usados para reforçar essa conexão. Um mantra popular é: "Binael, ilumina minha mente com tua sabedoria divina."

Além da meditação, a prática da escrita reflexiva pode ser um meio poderoso de conectar-se com Binael. Registrar pensamentos, dúvidas e revelações em um diário espiritual permite que os indivíduos revisitem e reflitam sobre suas jornadas de autodescoberta, promovendo um crescimento contínuo. A escrita serve como uma ferramenta para organizar pensamentos complexos e trazê-los à luz, alinhando-se com o propósito de Binael de iluminar as mentes humanas.

A busca pela sabedoria e compreensão, guiada por Binael, é uma jornada contínua. Não há fim definitivo, pois a compreensão é um processo dinâmico que evolui com a própria vida. Binael ensina que cada nova experiência, cada desafio e cada triunfo são oportunidades para aprofundar a compreensão de si e do universo. Este anjo serve como um lembrete constante de que a verdadeira sabedoria vem da capacidade de refletir, aprender e crescer a partir de todas as situações que a vida apresenta.

A influência de Binael se estende além das práticas individuais de meditação e introspecção, permeando também diversos aspectos das tradições espirituais e religiosas. Em muitas culturas, ele é reverenciado como o guardião dos segredos divinos, aquele que detém as chaves para os mistérios mais profundos do universo. Seu papel é crucial em rituais de iniciação e em práticas esotéricas onde o conhecimento profundo e a sabedoria são essenciais.

Os textos sagrados muitas vezes mencionam Binael em contextos de revelação e aprendizado. Em escrituras antigas, ele aparece como o anjo que sussurra as verdades divinas nos ouvidos dos profetas e sábios, guiando-os em suas missões de iluminar a humanidade. Sua presença é descrita como uma voz suave e constante, que só pode ser ouvida na quietude e na contemplação. É dito que Binael pode ser encontrado no silêncio entre os pensamentos, na tranquilidade de um coração em paz.

As histórias e lendas sobre Binael incluem relatos de suas aparições em momentos críticos da história humana, oferecendo orientação e clareza quando mais necessário. Em tempos de crise, quando a confusão e o medo ameaçam dominar, Binael surge como um farol de compreensão, ajudando a dissipar as trevas da ignorância e do desespero. Ele é visto como um conselheiro sábio, cujo propósito é sempre guiar os humanos para um maior entendimento e paz interior.

No campo da psicologia espiritual, a influência de Binael é reconhecida na prática da autorreflexão e no desenvolvimento do autoconhecimento. Psicólogos e terapeutas espirituais muitas vezes encorajam seus pacientes a buscar essa conexão angelical como uma forma de explorar e entender melhor suas próprias mentes e emoções. A introspecção guiada por Binael pode levar a descobertas profundas sobre os próprios padrões de comportamento, crenças e motivações, facilitando a cura e o crescimento pessoal.

Os rituais de conexão com Binael variam amplamente, dependendo das tradições culturais e espirituais. No entanto, alguns elementos são comuns: a busca pelo silêncio interior, a prática regular de meditação e a devoção contínua ao aprendizado. Esses rituais não são apenas para momentos de crise, mas são práticas diárias que mantêm a mente aberta e receptiva à sabedoria divina.

Além dos rituais pessoais, as comunidades espirituais muitas vezes organizam encontros e retiros dedicados à introspecção e à busca de compreensão. Nesses ambientes, os participantes se reúnem para meditar, compartilhar experiências e aprender uns com os outros, tudo sob a orientação de Binael. Esses eventos proporcionam um espaço seguro e acolhedor para a exploração espiritual, permitindo que indivíduos de todas as esferas da vida se beneficiem da sabedoria coletiva e da orientação angelical.

Binael também é muitas vezes invocado em momentos de tomada de decisão, especialmente quando essas decisões têm implicações éticas ou morais significativas. Sua orientação ajuda a clarificar os dilemas, proporcionando uma visão mais ampla das consequências e ajudando a alinhar as escolhas com os valores espirituais mais elevados. Essa prática pode ser particularmente útil em contextos profissionais e pessoais onde a integridade e a justiça são essenciais.

A sabedoria de Binael não se limita ao campo espiritual; ela também abrange a compreensão das leis naturais e do universo físico. Em tradições alquímicas e esotéricas, ele é visto como um mestre dos elementos, capaz de ensinar os segredos da natureza e da ciência oculta. Sua orientação é buscada por aqueles que desejam compreender as conexões profundas entre o espírito e a matéria, entre o divino e o mundano.

A influência de Binael se estende também ao campo da educação e do conhecimento. Muitos educadores e acadêmicos, conscientes ou não, refletem a força de Binael ao inspirarem a busca pelo conhecimento e a curiosidade intelectual em seus alunos. A filosofia educacional que incentiva o pensamento crítico, a reflexão profunda e a exploração constante do desconhecido ressoa diretamente com os ensinamentos de Binael.

Estudantes que se dedicam ao estudo sob a proteção de Binael muitas vezes encontram clareza e profundidade em suas pesquisas. A presença do anjo é percebida como uma sensação de insight repentino, aquela "faísca" de compreensão que surge aparentemente do nada. Esse fenômeno é muitas vezes descrito como uma experiência quase mística, onde a verdade parece ser revelada de maneira clara e inconfundível.

Além de seu papel na educação formal, Binael também desempenha um papel importante no desenvolvimento pessoal e no autoaperfeiçoamento. A prática da autocrítica construtiva, a capacidade de reconhecer e corrigir os próprios erros e a busca constante pelo melhoramento pessoal são aspectos da influência de Binael. Ele ensina que o verdadeiro conhecimento começa com o autoconhecimento e que a jornada para a compreensão mais ampla do universo começa dentro de cada indivíduo.

A literatura e a arte também são campos onde a presença de Binael é fortemente sentida. Escritores, poetas e artistas que se conectam com Binael muitas vezes produzem obras que exploram temas profundos de existência, moralidade e o sentido da vida. Suas criações muitas vezes servem como veículos de introspecção para seus públicos, inspirando outros a refletirem sobre suas próprias vidas e a buscarem uma compreensão mais profunda de si e do mundo ao seu redor.

Obras literárias que exploram a jornada do herói, por exemplo, muitas vezes incorporam elementos da influência de Binael. O protagonista geralmente enfrenta desafios que exigem uma profunda introspecção e compreensão, crescendo não apenas em força física ou habilidade, mas em sabedoria e autoconhecimento. Essas histórias ressoam com a mensagem central de Binael: a verdadeira força vem da compreensão e do equilíbrio interior.

Na arte visual, Binael é muitas vezes representado em meditação ou segurando símbolos de sabedoria, como livros ou pergaminhos. Essas representações não apenas capturam a essência do anjo, mas também servem como ferramentas meditativas para aqueles que buscam se conectar com sua força. Contemplar tais obras de arte pode ajudar a entrar em um estado de introspecção profunda, onde a presença de Binael pode ser sentida mais claramente.

No campo da música, composições inspiradas por Binael muitas vezes possuem uma qualidade meditativa e introspectiva. Melodias suaves e harmoniosas que convidam à reflexão e à paz interior são características comuns dessas obras. Músicos e compositores muitas vezes relatam momentos de inspiração profunda, onde as notas e acordes parecem fluir naturalmente, guiados por uma mão invisível.

A prática da oração e dos rituais dedicados a Binael também é um aspecto importante de sua influência. Muitos acreditam que a construção de um altar ou espaço sagrado dedicado a Binael, com símbolos que representem sabedoria e compreensão, pode facilitar uma conexão mais forte com o anjo. Este espaço pode incluir velas, cristais, livros sagrados e outros objetos que ressoem com a força de Binael. A prática regular de oração e meditação neste espaço pode ajudar a cultivar uma conexão contínua com o anjo, promovendo uma vida de introspecção e crescimento espiritual.

Em muitas tradições esotéricas, rituais específicos são realizados para invocar a presença de Binael. Esses rituais podem incluir a recitação de mantras, a queima de incenso e a meditação guiada. A intenção é sempre a mesma: abrir a mente e o coração para a sabedoria divina, permitindo que Binael ilumine o caminho com sua luz de compreensão.

A jornada com Binael é uma jornada sem fim, marcada por momentos de profunda realização e insight. Cada passo dado em direção à compreensão é um passo dado em direção a uma vida mais plena e significativa. A presença de Binael serve como um lembrete constante de que a verdadeira sabedoria está sempre ao nosso alcance, pronta para ser descoberta por aqueles que se atrevem a olhar para dentro e buscar a verdade com coração e mente abertos.

Além dos aspectos mais contemplativos da influência de Binael, existe também um componente prático em sua orientação. A sabedoria divina que ele oferece não é apenas teórica, mas tem aplicações concretas na vida cotidiana. Por exemplo, Binael ensina a relevância do discernimento na tomada de decisões, incentivando as pessoas a avaliarem cuidadosamente todas as opções antes de agir. Essa prática pode ser aplicada em situações pessoais, profissionais e comunitárias, ajudando a criar um ambiente mais harmonioso e justo.

Binael também promove a ideia de que a verdadeira compreensão envolve empatia e compaixão. Ele nos lembra que não podemos entender plenamente os outros ou a nós mesmos sem primeiro desenvolver a capacidade de ver as coisas a partir de diferentes perspectivas. Esse ensinamento é particularmente relevante em um mundo cada vez mais conectado e diversificado, onde a capacidade de compreender e respeitar as diferenças é essencial para a coexistência pacífica.

No campo da cura emocional e mental, Binael desempenha um papel fundamental. Sua presença é invocada em terapias que buscam ajudar as pessoas a superar traumas e dificuldades emocionais. A introspecção guiada por Binael pode revelar as raízes profundas dos problemas, permitindo que a verdadeira cura ocorra. Ele ajuda as pessoas a enfrentarem seus medos e inseguranças com coragem, oferecendo uma clareza que ilumina o caminho para a recuperação.

Praticar o perdão é outro aspecto importante da influência de Binael. Ele nos ensina que segurar ressentimentos e mágoas impede nosso crescimento espiritual. O perdão, tanto para os outros quanto para nós mesmos, é um passo crucial para alcançar a paz interior e a compreensão. Binael nos guia nesse processo, ajudando a liberar emoções negativas e a abrir espaço para o amor e a aceitação.

A meditação é uma ferramenta poderosa para conectar-se com Binael e incorporar seus ensinamentos em nossa vida diária. Uma prática simples e eficaz é sentar-se em um lugar tranquilo, fechar os olhos e focar na respiração. Visualize uma luz dourada brilhante descendo sobre você, envolvendo todo o seu ser. Sinta a presença de Binael, permitindo que sua força de sabedoria e compreensão penetre em sua mente e coração. Durante essa meditação, pode ser útil repetir mentalmente afirmações como "Eu busco a verdade" ou "Eu aceito a sabedoria divina".

Outro método para fortalecer a conexão com Binael é através do estudo e reflexão sobre textos sagrados e filosóficos. Ler e meditar sobre as palavras de sábios e mestres espirituais pode abrir novas perspectivas e aprofundar a compreensão. Binael muitas vezes atua como um guia nesse processo, ajudando a interpretar e aplicar os ensinamentos de maneira prática e significativa.

Em momentos de desafio ou dúvida, invocar Binael pode proporcionar uma sensação de calma e clareza. Uma oração simples pode ser: "Binael, anjo da compreensão, ilumina minha mente e coração com tua sabedoria. Ajuda-me a ver a verdade e a agir com discernimento e compaixão." Essa invocação pode ser repetida sempre que necessário, criando um vínculo contínuo com o anjo.

A prática da gratidão também é fortalecida sob a orientação de Binael. Reconhecer e agradecer pelas bênçãos e lições da vida, mesmo aquelas que são difíceis, promove uma mentalidade de crescimento e aceitação. A gratidão abre o coração e a mente para a abundância de sabedoria e compreensão que Binael oferece.

Em ambientes comunitários, Binael pode ser invocado para promover a harmonia e a cooperação. Grupos de estudo, meditação ou oração dedicados à introspecção e ao crescimento espiritual podem se beneficiar enormemente de sua presença. Esses grupos fornecem um espaço para compartilhar experiências e aprender uns com os outros, fortalecendo a conexão com Binael e promovendo uma comunidade baseada na compreensão mútua.

A arte de viver com a orientação de Binael envolve a prática constante de introspecção e autoaperfeiçoamento. Ele nos encoraja a manter um diário de reflexão, onde podemos registrar nossas experiências, insights e perguntas. Esse diário serve como um mapa da jornada espiritual, permitindo que revisitemos e aprendamos com nossos próprios pensamentos e descobertas.

Viver sob a orientação de Binael é um compromisso com a verdade, a sabedoria e a compaixão. É uma jornada contínua de aprendizado e crescimento, onde cada momento de introspecção nos aproxima mais da compreensão do divino e de nós mesmos. Binael nos lembra que a busca pela sabedoria é um caminho interminável, mas também profundamente gratificante, que ilumina cada aspecto de nossa existência com a luz da verdade.

A jornada guiada por Binael é uma de transformação contínua, onde cada descoberta leva a um nível mais profundo de compreensão e autoconhecimento. A prática constante de introspecção, incentivada por Binael, não só nos ajuda a entender nossas próprias motivações e comportamentos, mas também a desenvolver uma maior empatia e compaixão pelos outros.

O desenvolvimento da empatia é uma das grandes lições que Binael nos ensina. Através da introspecção, aprendemos a reconhecer nossas próprias falhas e desafios, o que nos permite ser mais compreensivos com os erros e dificuldades dos outros. Essa empatia é essencial para construir relacionamentos mais profundos e importantes, baseados no respeito e na compreensão mútua.

A influência de Binael também se estende à nossa capacidade de resolver conflitos. Quando confrontados com desacordos, ele nos encoraja a buscar uma compreensão mais profunda das perspectivas envolvidas. Isso pode envolver ouvir ativamente, colocar-se no lugar do outro e refletir sobre as verdadeiras causas do conflito. Ao fazer isso, somos capazes de encontrar soluções mais harmoniosas e justas, promovendo a paz e a cooperação.

Na prática espiritual, Binael nos incentiva a cultivar a paciência e a perseverança. A busca pela compreensão e pela sabedoria não é uma jornada rápida ou fácil; é um processo que exige tempo, esforço e dedicação. Ele nos lembra que cada pequena revelação, cada momento de clareza, é um passo importante em nossa jornada espiritual. Celebrar essas pequenas vitórias nos ajuda a manter a motivação e a continuar buscando a verdade.

Para aqueles que desejam aprofundar sua conexão com Binael, a criação de um espaço sagrado pode ser extremamente benéfica. Este espaço, dedicado à introspecção e à meditação, pode ser um canto tranquilo de um quarto, um jardim ou qualquer lugar onde se sinta em paz. Decorá-lo com símbolos de sabedoria, como livros, cristais e velas, pode ajudar a sintonizar a mente e o espírito com a força de Binael. Passar tempo regularmente neste espaço, meditando e refletindo, fortalece essa conexão e promove um estado contínuo de busca por compreensão.

A prática do mindfulness é outra ferramenta poderosa recomendada por Binael. Estar plenamente presente no momento, observando pensamentos e sentimentos sem julgamento, nos permite uma visão mais clara de nossas reações e padrões. Esta prática não só melhora a autocompreensão, mas também reduz o estresse e aumenta a capacidade de lidar com desafios de forma equilibrada.

Binael também nos encoraja a buscar conhecimento continuamente. Ler, estudar e aprender sobre diversos tópicos amplia nossa visão de mundo e nos ajuda a fazer conexões entre diferentes áreas do conhecimento. Esse aprendizado contínuo não é apenas uma acumulação de fatos, mas um processo de aprofundamento da compreensão e da sabedoria.

A espiritualidade prática, ensinada por Binael, também inclui a aceitação das limitações humanas. Ele nos lembra que a busca pela sabedoria é um processo eterno e que é normal não ter todas as respostas. Aceitar essa realidade nos permite ser mais gentis conosco e com os outros, reconhecendo que o crescimento espiritual é uma jornada sem fim.

Participar de comunidades espirituais ou grupos de discussão pode fornecer apoio adicional na jornada com Binael. Compartilhar experiências, insights e desafios com outras pessoas que estão em busca de compreensão pode ser profundamente enriquecedor. Essas comunidades oferecem um espaço para aprendizado coletivo e crescimento mútuo, fortalecendo a ligação com Binael e com os ensinamentos divinos.

A prática da gratidão é fundamental. Agradecer pelas lições aprendidas, pelos momentos de clareza e pelas oportunidades de crescimento nos mantém conectados à força positiva de Binael. A gratidão abre o coração e a mente, permitindo uma recepção mais plena das bênçãos e da sabedoria que ele oferece.

Viver sob a orientação de Binael é uma jornada de autodescoberta e crescimento contínuo. É um compromisso com a verdade, a empatia e a sabedoria, que ilumina cada aspecto de nossa vida. Com Binael ao nosso lado, somos guiados em uma busca incessante por compreensão, que nos aproxima cada vez mais do divino e de nossa própria essência.

Capítulo 20
Chesediel
Anjo da Misericórdia e do Amor

Chesediel, o Anjo da Misericórdia e do Amor, foi criado a partir da pura essência do amor divino. Seu nome deriva da palavra hebraica "Chesed", que significa bondade ou misericórdia, refletindo sua natureza compassiva e amorosa. Chesediel foi formado no coração do universo, onde a luz do Criador é mais intensa e radiante. Desde o início dos tempos, ele foi designado para ser um embaixador do amor divino, espalhando a misericórdia e a compaixão por todas as criações.

Chesediel é muitas vezes retratado com asas amplas e brilhantes, irradiando uma aura de luz dourada que transmite paz e serenidade. Sua presença é uma fonte constante de conforto e segurança para aqueles que estão em busca de consolo e esperança. Ele segura um cálice, simbolizando a fonte inesgotável do amor divino, pronto para derramar bênçãos sobre aqueles que o invocam.

O complemento divino de Chesediel é Rahmiel, um anjo associado à compaixão e ao cuidado. Juntos, eles representam a perfeita união da misericórdia e do amor, equilibrando as forças do cuidado e da ternura com a força e a justiça. Esta parceria angelical é um reflexo do amor incondicional e do cuidado que o Criador tem por todas as suas criações.

Os fractais de alma de Chesediel são seres angelicais menores que compartilham sua missão de espalhar o amor e a misericórdia pelo universo. Cada fractal de alma carrega uma parcela da luz de Chesediel, atuando como embaixadores de sua mensagem divina. Eles trabalham incansavelmente para promover gestos de bondade, atos de compaixão e palavras de conforto, ajudando a curar corações feridos e restaurar a fé na humanidade.

Chesediel desempenha um papel vital na relação entre os seres humanos, atuando como o anjo da misericórdia, do perdão e do amor incondicional. Ele ajuda as pessoas a desenvolverem a capacidade de perdoar e amar, mesmo em face de adversidades e desafios. Chesediel inspira gestos de generosidade, atos de bondade e palavras de conforto essenciais para a construção de relacionamentos saudáveis e harmoniosos.

Além disso, Chesediel é um guia para aqueles que estão em busca de cura emocional e espiritual. Ele oferece conforto e apoio nos momentos de sofrimento e dor, ajudando as pessoas a encontrar paz e serenidade em seus corações. Em momentos de conflito, Chesediel traz sua luz para dissipar a escuridão e promover a reconciliação e o entendimento mútuo.

A presença de Chesediel também é sentida em momentos de oração e meditação. Ele responde às súplicas daqueles que buscam sua ajuda, derramando bênçãos de amor e misericórdia sobre eles. Sua força é especialmente poderosa em rituais e cerimônias dedicadas ao perdão e à cura, onde sua influência pode ser sentida de forma palpável, trazendo uma profunda sensação de paz e renovação espiritual.

Chesediel também trabalha em estreita colaboração com outros anjos e arcanjos para promover a paz e a harmonia no mundo. Sua missão é alinhar as ações humanas com a vontade divina, incentivando atos de bondade e amor incondicional. Ao invocar Chesediel, as pessoas são inspiradas a agir com mais compaixão e empatia, contribuindo para a criação de um mundo mais justo e harmonioso.

Este anjo divino é uma lembrança constante do poder transformador do amor divino. Ele ensina que, independentemente das circunstâncias, a misericórdia e o perdão são sempre possíveis. Chesediel guia aqueles que estão dispostos a abrir seus corações, mostrando-lhes o caminho para uma vida plena de amor e harmonia.

Chesediel é uma presença constante e amorosa no universo, sempre pronto para ajudar aqueles que o invocam. Sua força suave e compassiva é um farol de esperança e conforto, iluminando os caminhos da vida com a luz do amor divino. Ao conectar-se com Chesediel, as pessoas encontram a força e a coragem para superar qualquer desafio, confiando na infinita bondade e misericórdia do Criador.

A influência de Chesediel se estende para além da dimensão espiritual, impactando diretamente as vidas cotidianas daqueles que se conectam com ele. Em momentos de crise, quando a dor e o desespero parecem insuportáveis, Chesediel aparece como um farol de esperança. Ele acalma os corações aflitos e ajuda a encontrar soluções para os problemas que parecem insolúveis. Sua orientação não é apenas emocional, mas também prática, inspirando ações que promovem a cura e a reconciliação.

A prática de invocar Chesediel pode ser realizada de diversas formas, cada uma delas projetada para maximizar a conexão com sua força amorosa e misericordiosa. Uma das formas mais comuns é através da meditação guiada. Durante a meditação, os indivíduos visualizam Chesediel com suas asas douradas envolventes, irradiando uma luz cálida e reconfortante. Essa visualização ajuda a criar um espaço sagrado onde a presença do anjo pode ser sentida de forma tangível.

Além da meditação, orações dedicadas a Chesediel são poderosos instrumentos para canalizar sua força. Uma oração simples, porém eficaz, pode ser:

"Chesediel, Anjo da Misericórdia, derrame sua luz sobre mim. Encha meu coração com seu amor incondicional e sua infinita compaixão. Ajude-me a perdoar e a ser perdoado, a amar e a ser amado. Guie-me pelos caminhos da vida com sua sabedoria e bondade. Amém."

Essa oração pode ser recitada diariamente, especialmente em momentos de necessidade, para trazer conforto e orientação divina.

Chesediel também pode ser invocado por meio de rituais específicos, que incluem o uso de velas, incensos e cristais. As velas de cor rosa ou dourada são particularmente eficazes para atrair a força amorosa de Chesediel. Acender uma vela enquanto se faz uma oração ou meditação pode intensificar a conexão com o anjo, criando uma atmosfera de paz e serenidade. Incensos de lavanda ou rosa são recomendados para purificar o ambiente e elevar a vibração espiritual, facilitando a presença de Chesediel.

Os cristais também desempenham um papel importante na invocação de Chesediel. Cristais como quartzo rosa, ametista e selenita são reconhecidos por suas propriedades de cura e amor. Manter esses cristais próximos durante a meditação ou oração pode amplificar a força de Chesediel, trazendo uma sensação mais profunda de conexão e bem-estar.

angeloterapia

Por exemplo, dedicar tempo para visitar idosos em casas de repouso, oferecer-se para trabalhar em bancos de alimentos, ou simplesmente ser um ouvido atento para alguém que está passando por um momento difícil, são maneiras de incorporar as qualidades de Chesediel em sua vida cotidiana. Essas ações não apenas beneficiam os outros, mas também aprofundam sua própria compreensão e prática do amor incondicional.

Além disso, Chesediel é um defensor da justiça e da equidade. Ele inspira pessoas a lutarem por um mundo mais justo, onde todos sejam tratados com dignidade e respeito. Aqueles que trabalham em áreas de justiça social, direitos humanos e advocacia encontram em Chesediel um poderoso aliado e guia. Sua força ajuda a manter a esperança e a perseverança, mesmo quando as lutas são difíceis e os desafios parecem insuperáveis.

Em momentos de grandes desafios globais, como crises humanitárias ou desastres naturais, Chesediel trabalha incansavelmente para trazer alívio e cura. Ele inspira e fortalece aqueles que estão na linha de frente, oferecendo ajuda e suporte. Sua presença pode ser sentida em ações coletivas de compaixão e solidariedade, onde comunidades se unem para ajudar uns aos outros em tempos de necessidade.

No campo da educação, Chesediel também desempenha um papel importante. Ele inspira educadores a ensinarem com amor e paciência, e motiva os estudantes a buscarem o conhecimento não apenas para ganho pessoal, mas para o benefício de todos. Através da educação, Chesediel promove a compreensão mútua e a construção de pontes entre diferentes culturas e perspectivas.

Para invocar Chesediel em tempos de estudo ou ensino, pode-se criar um ambiente de aprendizado que seja acolhedor e inspirador. Manter símbolos de Chesediel, como cristais ou imagens, em espaços de estudo pode ajudar a infundir esses locais com sua força positiva. Além disso, praticar meditação ou oração antes de iniciar uma sessão de estudo pode trazer clareza mental e foco, facilitando a absorção de conhecimento e a comunicação eficaz.

Chesediel também encoraja a criatividade e a expressão artística. Ele inspira artistas, músicos, escritores e todos os que buscam expressar a beleza do amor divino através de suas obras. Ao canalizar a força de Chesediel, os artistas são capazes de criar peças que tocam o coração e a alma, elevando o espírito e inspirando os outros a buscarem o amor e a misericórdia em suas próprias vidas.

A última parte da jornada com Chesediel envolve a integração de seus ensinamentos em todos os aspectos da vida diária. A presença constante deste anjo da misericórdia e do amor nos convida a viver de maneira mais consciente e compassiva, reconhecendo a divindade em nós mesmos e nos outros.

Para aqueles que desejam aprofundar essa conexão, a prática da gratidão é fundamental. A gratidão não apenas eleva o espírito, mas também abre o coração para receber mais amor e misericórdia. Manter um diário de gratidão, onde se anotam diariamente três coisas pelas quais se é grato, pode transformar a perspectiva e fortalecer a ligação com Chesediel. Este ato simples, mas poderoso, ajuda a cultivar uma mentalidade positiva e a reconhecer as bênçãos diárias.

Outra prática essencial é o perdão, tanto a si quanto aos outros. Chesediel nos ensina que o perdão é uma chave para a paz interior e a liberdade emocional. Guardar ressentimentos e mágoas bloqueia o fluxo do amor divino, enquanto o perdão libera essas forças negativas e abre espaço para a cura. A prática regular do perdão, seja por meio de meditação, oração ou simples reflexão, pode trazer alívio e uma sensação de renovação.

As artes e a criatividade também são caminhos poderosos para se conectar com Chesediel. Expressar-se através da pintura, música, escrita ou qualquer forma de arte pode ser uma maneira de canalizar a força amorosa de Chesediel. Essas expressões criativas não apenas proporcionam alegria e satisfação pessoal, mas também podem inspirar e tocar os corações dos outros. A arte se torna uma ponte entre o divino e o humano, um meio de transmitir as mensagens de amor e misericórdia que Chesediel nos oferece.

Chesediel também nos encoraja a cuidar de nosso corpo físico como um templo do espírito. Práticas de autocuidado, como exercícios regulares, alimentação saudável e descanso adequado, são maneiras de honrar o dom da vida e a presença divina em nosso ser. A saúde física e mental são interconectadas, e cuidar de ambos os aspectos é fundamental para manter um equilíbrio harmonioso.

No contexto das relações interpessoais, Chesediel nos guia a tratar todos com bondade e respeito. Ele nos lembra da relevância de ouvir com o coração aberto, ser paciente e oferecer apoio incondicional. Em momentos de conflito, invocar Chesediel pode ajudar a encontrar palavras e ações que promovam a reconciliação e a compreensão mútua. A prática da empatia, colocando-se no lugar do outro, é uma lição valiosa que Chesediel nos ensina.

No campo profissional, Chesediel inspira a integridade e a ética. Ele nos encoraja a trabalhar com diligência e honestidade, oferecendo nosso melhor em todas as situações. Independentemente da profissão, a influência de Chesediel pode ser sentida por meio de ações justas e compassivas, que promovem um ambiente de trabalho saudável e harmonioso. Para aqueles em posições de liderança, Chesediel guia na tomada de decisões que beneficiem todos os envolvidos, sempre com um enfoque na justiça e no bem-estar comum.

Em momentos de reflexão profunda, Chesediel nos convida a contemplar o propósito maior de nossa existência. Ele nos ajuda a alinhar nossas ações e intenções com a vontade divina, buscando sempre o bem maior. Meditações sobre a missão de vida, guiadas pela luz de Chesediel, podem trazer clareza e direcionamento, ajudando-nos a encontrar nosso caminho e a cumprir nosso destino com graça e sabedoria.

A prática da generosidade é outra forma de honrar Chesediel. Compartilhar recursos, tempo e amor sem esperar nada em troca é uma manifestação do amor incondicional que ele representa. A generosidade cria um ciclo de abundância e alegria, beneficiando tanto quem dá quanto quem recebe. Pequenos atos de bondade no dia a dia, como oferecer ajuda a um desconhecido ou expressar gratidão a um colega de trabalho, podem ter um impacto profundo e duradouro.

A celebração da vida é uma prática que Chesediel nos encoraja a adotar. Celebrar os momentos de alegria, os pequenos sucessos e as bênçãos diárias fortalece nossa conexão com o divino. Estas celebrações não precisam ser grandiosas; um simples jantar com entes queridos, uma caminhada na natureza ou um momento de contemplação silenciosa pode ser profundamente importante.

Chesediel, o anjo da misericórdia e do amor, nos oferece uma visão de um mundo transformado pelo poder do amor divino. Sua presença constante nos lembra que, apesar dos desafios e dificuldades, a misericórdia e o amor são sempre possíveis. Ao integrar os ensinamentos de Chesediel em nossas vidas, podemos criar uma realidade onde a compaixão, a bondade e a paz prevalecem.

Assim, ao nos despedirmos deste capítulo, lembremos que Chesediel está sempre ao nosso lado, pronto para guiar, confortar e inspirar. Que possamos levar adiante as lições aprendidas e continuar a jornada com corações abertos e espíritos elevados, confiando na infinita misericórdia e amor do Criador.

Capítulo 21
Geburahel
Anjo da Justiça e da Força

Geburahel, o anjo da justiça e da força, foi criado no momento em que o universo demandava um equilíbrio entre poder e equidade. A sua essência é uma fusão de força pura e um compromisso inabalável com a verdade e a justiça. Desde sua criação, Geburahel tem sido um pilar na luta contra a injustiça, protegendo os inocentes e punindo os culpados. Ele emerge como um símbolo de integridade e coragem, representando o ideal de que a justiça deve prevalecer em todas as circunstâncias.

No reino divino, Geburahel é muitas vezes visto como um guerreiro imponente, armado com uma espada flamejante que simboliza a verdade cortante. Sua presença é marcada por uma aura de autoridade e determinação. Este anjo não apenas combate as forças do mal, mas também inspira os seres humanos a lutar por seus direitos e a manter a integridade em suas ações.

Geburahel é considerado um dos mais poderosos entre os anjos devido à sua capacidade de combinar força física e moral. Sua missão é clara: garantir que a justiça divina seja aplicada em todos os aspectos da existência, seja no céu ou na Terra. Ao longo dos milênios, Geburahel tem guiado guerreiros, líderes e pessoas comuns a se levantarem contra a tirania e a opressão, oferecendo-lhes a força necessária para superar os desafios.

A criação de Geburahel está diretamente ligada à necessidade de justiça e equilíbrio no universo. Ele foi concebido para atuar como um juiz e executor das leis divinas, garantindo que a ordem e a equidade prevaleçam. Sua força é uma combinação perfeita de força e justiça, permitindo-lhe enfrentar e vencer qualquer forma de injustiça.

No entanto, Geburahel não age apenas como um executor implacável. Ele também é um mentor e guia, ensinando os seres humanos sobre a relevância da justiça e como implementá-la em suas vidas diárias. Ele encoraja as pessoas a agir com integridade, a defender os fracos e a lutar contra qualquer forma de opressão. Sua influência pode ser sentida em momentos de coragem e determinação, quando os indivíduos se levantam para fazer o que é certo, mesmo diante de grandes adversidades.

Geburahel é também um defensor dos oprimidos e vulneráveis. Ele escuta os clamores de justiça daqueles que foram injustiçados e intervém para restaurar a ordem. Sua presença é uma fonte de esperança para aqueles que buscam justiça, oferecendo-lhes a força e o apoio necessários para enfrentar seus opressores.

Sua entidade é muitas vezes associada a símbolos de força e proteção, como a espada flamejante e o escudo. Estes símbolos representam sua capacidade de cortar através das mentiras e ilusões para revelar a verdade e proteger os inocentes contra qualquer ameaça. Geburahel é um guardião incansável da justiça, sempre vigilante e pronto para agir em defesa do que é certo.

Os relatos de suas intervenções são numerosos e variados, desde a proteção de comunidades inteiras contra invasores até a defesa de indivíduos que enfrentam injustiças em suas vidas pessoais. Geburahel é um exemplo constante de que a justiça divina está sempre presente e que, com coragem e determinação, qualquer injustiça pode ser superada.

A presença de Geburahel na vida dos seres humanos é uma fonte de inspiração e motivação. Ele é invocado por aqueles que buscam justiça e precisam de força para enfrentar situações desafiadoras. Sua força é uma força poderosa que incita a ação, incentivando as pessoas a se erguerem contra as injustiças que encontram. Quando uma pessoa se sente impotente diante da opressão ou da desigualdade, a invocação de Geburahel pode trazer uma sensação de poder renovado e determinação.

Geburahel também trabalha em estreita colaboração com os anjos da guarda de cada pessoa, amplificando suas capacidades de proteção e orientação. Quando chamado, ele pode intensificar a presença do anjo da guarda, proporcionando uma camada adicional de defesa contra influências negativas. Esta colaboração angélica assegura que cada indivíduo esteja amparado e guiado, mesmo nos momentos mais difíceis.

Os rituais para invocar Geburahel são simples, mas profundamente eficazes. Uma das práticas mais comuns é acender uma vela vermelha ou dourada, cores tradicionalmente associadas à justiça e à força, enquanto se faz uma oração pedindo sua intervenção. Durante este ritual, é útil visualizar Geburahel com sua espada flamejante e seu escudo protetor, sentindo a sua presença poderosa ao redor.

Outra prática importante é a meditação focada em Geburahel. Durante a meditação, visualize-se envolto em uma luz dourada ou vermelha, simbolizando a justiça e a força de Geburahel. Imagine-se sendo preenchido por essa força, sentindo-se fortalecido e inspirado a agir com integridade e coragem. Esta visualização não só ajuda a fortalecer a conexão com Geburahel, mas também traz uma sensação tangível de proteção e apoio.

Símbolos associados a Geburahel, como imagens de espadas ou escudos, podem ser usados como amuletos de proteção. Carregar um pingente com esses símbolos ou colocá-los em locais estratégicos de sua casa pode servir como um lembrete constante da presença protetora de Geburahel. Esses objetos sagrados ajudam a manter uma conexão contínua com sua força e a reforçar a intenção de buscar justiça e agir com coragem.

Geburahel também é um mentor para aqueles que ocupam posições de liderança ou que estão em situações onde a justiça precisa ser defendida. Ele inspira líderes a tomar decisões justas e a agir em prol do bem maior. Sob sua influência, muitos encontraram a força para implementar mudanças significativas em suas comunidades e na sociedade em geral. A história está repleta de exemplos de indivíduos que, inspirados pela força de Geburahel, se tornaram campeões da justiça e da verdade.

Além de sua intervenção direta, Geburahel atua no desenvolvimento da força interior das pessoas. Ele ajuda a cultivar a resiliência e a coragem necessárias para enfrentar desafios e superar obstáculos. Sua presença pode ser sentida em momentos de grande provação, quando a determinação e a vontade de lutar pela justiça se tornam essenciais. A força de Geburahel é uma força revitalizadora que alimenta o espírito e fortalece a mente.

Em tempos de crise, a invocação de Geburahel pode trazer uma clareza renovada sobre o que é justo e correto. Ele auxilia na tomada de decisões difíceis, oferecendo orientação e suporte moral. Sua influência é particularmente poderosa em situações onde a verdade precisa ser revelada e a justiça, restabelecida.

A devoção a Geburahel pode ser incorporada na vida cotidiana de várias maneiras. Além das práticas espirituais, viver segundo os princípios de justiça e integridade é uma forma poderosa de honrá-lo. Ao agir com honestidade, defender os vulneráveis e lutar contra a injustiça, você fortalece sua conexão com Geburahel e atrai sua proteção e apoio.

Geburahel desempenha um papel crucial no equilíbrio das forças universais. Seu trabalho não se limita a intervenções em questões de justiça entre os humanos, mas também se estende à manutenção da ordem divina em todo o cosmos. Ele é muitas vezes chamado em momentos de grande desequilíbrio, quando a harmonia precisa ser restaurada e a justiça, reafirmada. Sua capacidade de discernir o que é justo e correto o torna um árbitro imparcial e um defensor incansável do equilíbrio cósmico.

A presença de Geburahel é muitas vezes sentida durante grandes eventos históricos, onde mudanças significativas precisam ocorrer para corrigir injustiças profundas. Ele inspira movimentos sociais e revoluções que buscam estabelecer a equidade e a justiça. Muitos líderes e ativistas ao longo da história têm se sentido guiados por uma força maior que os impele a agir com coragem e determinação, muitas vezes atribuída à influência de Geburahel.

Os símbolos associados a Geburahel, como a espada e o escudo, são representações de sua dualidade como protetor e guerreiro. A espada flamejante não só representa sua capacidade de cortar através das mentiras e ilusões, mas também serve como uma ferramenta de purificação, eliminando o mal e a corrupção. O escudo, por outro lado, simboliza a proteção e a defesa dos inocentes. Juntos, esses símbolos encapsulam a essência do papel de Geburahel como guardião da justiça e da verdade.

Para aqueles que buscam a orientação de Geburahel, é importante compreender que sua ajuda vem com uma expectativa de ação justa e corajosa. Ele não apenas oferece proteção, mas também inspira aqueles que o invocam a agir segundo os princípios da justiça. Esta reciprocidade cria uma parceria poderosa entre o anjo e o devoto, onde ambos trabalham em conjunto para promover o bem maior.

A meditação sobre Geburahel pode ser especialmente poderosa para aqueles que estão enfrentando dilemas morais ou situações de injustiça. Durante a meditação, visualize Geburahel em toda a sua majestade, empunhando sua espada e segurando seu escudo. Sinta a sua presença infundindo você com a força e a determinação necessárias para enfrentar seus desafios. Este tipo de meditação não só traz uma sensação de segurança, mas também fortalece a sua própria capacidade de agir com justiça.

Os relatos de intervenções milagrosas de Geburahel são numerosos. Há histórias de batalhas ganhas contra todas as probabilidades, de líderes inspirados a implementar reformas justas, e de pessoas comuns que encontraram a força para lutar contra a opressão. Estes relatos servem como lembretes poderosos da presença contínua de Geburahel e de sua dedicação incansável à justiça.

Além dos rituais e meditações, atos de caridade e justiça em nome de Geburahel podem fortalecer ainda mais a sua conexão com ele. Ao defender os direitos dos oprimidos, ajudar aqueles em necessidade e agir com integridade, você está vivendo segundo os princípios que Geburahel representa. Estas ações não só honram Geburahel, mas também criam um impacto positivo no mundo ao seu redor.

Participar de comunidades ou grupos que compartilham uma devoção a Geburahel pode ser uma fonte adicional de apoio e inspiração. Esses grupos muitas vezes se reúnem para orações em conjunto, meditações e discussões sobre como aplicar os princípios de justiça e força em suas vidas diárias. Compartilhar experiências e práticas com outros devotos pode enriquecer sua própria jornada espiritual e proporcionar novas perspectivas sobre como honrar e se conectar com Geburahel.

A conexão com Geburahel pode ser cultivada por meio de várias práticas espirituais e rituais que visam fortalecer o vínculo com este anjo poderoso. Uma prática importante é a oração diária, onde se pede por orientação, proteção e força. A oração a Geburahel deve ser feita com sinceridade e intenção clara, pedindo especificamente por justiça e coragem para enfrentar desafios. Esta prática regular cria um hábito de busca por justiça em todas as ações diárias.

Outra prática eficaz é a criação de um altar dedicado a Geburahel. Este altar pode incluir uma imagem ou estátua de Geburahel, velas vermelhas ou douradas, e símbolos como espadas ou escudos. Manter este espaço sagrado em sua casa serve como um ponto focal para suas orações e meditações, ajudando a manter uma conexão constante com a força de Geburahel. Acender velas e oferecer orações neste altar pode intensificar a sensação de proteção e orientação.

Os cristais e pedras associados a Geburahel, como a granada e o jaspe vermelho, podem ser incorporados em suas práticas diárias. Estes cristais são reconhecidos por suas propriedades de proteção e força. Carregar um desses cristais com você ou colocá-los em seu altar pode amplificar sua intenção de conexão com Geburahel. Durante a meditação, segurar um desses cristais pode ajudar a sintonizar-se com a força do anjo, trazendo uma sensação de segurança e determinação.

Além das práticas espirituais, a leitura de textos sagrados e esotéricos que mencionam Geburahel pode oferecer uma compreensão mais profunda de seu papel e influência. Estudar as histórias e atributos de Geburahel pode inspirar e orientar suas próprias ações e decisões. Livros, artigos e outros materiais que exploram a justiça divina e a proteção podem ser recursos valiosos para aqueles que buscam uma conexão mais profunda com este anjo.

Participar de cerimônias e rituais sazonais dedicados a Geburahel pode ser uma experiência espiritualmente enriquecedora. Esses eventos muitas vezes incluem orações em grupo, meditações guiadas e discussões sobre a relevância da justiça e da força. Participar dessas cerimônias oferece uma oportunidade de renovar seu compromisso com os princípios que Geburahel representa e de compartilhar essa devoção com outros.

Geburahel também é reconhecido por sua capacidade de ajudar na resolução de conflitos. Invocá-lo em momentos de desentendimento ou disputa pode trazer clareza e uma perspectiva justa. Sua presença pode acalmar as tensões e ajudar as partes envolvidas a encontrar um terreno comum. Ao meditar sobre Geburahel antes de uma conversa difícil ou um confronto, você pode sentir-se mais preparado para abordar a situação com equidade e coragem.

A prática de atos de justiça em nome de Geburahel é uma maneira poderosa de honrar sua influência. Isso pode incluir defender os direitos dos outros, atuar como mediador em conflitos, ou simplesmente tratar todas as pessoas com equidade e respeito. Cada ação justa que você realiza não só honra Geburahel, mas também contribui para a propagação de sua força de justiça no mundo.

A conexão com Geburahel também pode ser fortalecida por meio de visualizações e afirmações diárias. Visualize-se envolto em uma luz vermelha ou dourada, representando a proteção e a força de Geburahel. Reafirme sua intenção de agir com justiça e coragem todos os dias. Esta prática simples pode criar uma mentalidade de integridade e determinação, alinhando suas ações com os princípios de Geburahel.

A devoção a Geburahel é um caminho de compromisso com a verdade e a equidade. Incorporar estas práticas em sua vida diária fortalece a conexão com este anjo e promove um ambiente onde a justiça e a força prevalecem. Ao seguir este caminho, você não apenas atrai a proteção e orientação de Geburahel, mas também contribui para um mundo mais justo e equilibrado.

Manter uma conexão profunda e constante com Geburahel exige um compromisso contínuo com práticas espirituais, ações justas e uma mentalidade de força e integridade. A jornada com Geburahel é tanto uma busca interior quanto uma manifestação externa de justiça e proteção. Ao longo do tempo, aqueles que se dedicam a essa devoção encontram não apenas força e proteção em suas próprias vidas, mas também a capacidade de inspirar e proteger os outros.

Uma das formas mais diretas de honrar Geburahel é através da defesa ativa dos direitos dos oprimidos e vulneráveis. Isso pode se manifestar em diversas formas, como advocacia, voluntariado em causas sociais, ou simplesmente sendo uma voz de justiça e razão em sua comunidade. Cada ato de justiça reflete a essência de Geburahel e atrai sua força protetora para sua vida e para a vida daqueles que você ajuda.

Além das ações diretas, a prática regular de gratidão é essencial. Agradecer a Geburahel por sua proteção e orientação não só fortalece o vínculo com ele, mas também abre espaço para uma maior consciência de suas bênçãos em sua vida. Manter um diário de gratidão, onde você registra momentos em que sentiu a presença e a ajuda de Geburahel, pode ser uma prática poderosa. Este diário serve como um lembrete constante de que você nunca está sozinho na luta pela justiça.

Participar de retiros ou encontros espirituais focados em anjos e justiça pode proporcionar insights e fortalecer sua prática espiritual. Estes eventos oferecem a oportunidade de aprender com outros devotos e especialistas, trocar experiências e aprofundar sua conexão com Geburahel através de rituais e práticas compartilhadas. A força coletiva de tais encontros pode amplificar a presença de Geburahel e trazer novas dimensões à sua devoção.

A arte e a música também podem ser caminhos para fortalecer sua conexão com Geburahel. Criar ou apreciar obras de arte que representem Geburahel ou que transmitam os temas de justiça e força pode ser uma forma inspiradora de manter sua presença em sua vida diária. Músicas e hinos dedicados a Geburahel podem elevar sua vibração e facilitar uma conexão mais profunda durante suas práticas espirituais.

Outro aspecto importante é a autorreflexão e o autoconhecimento. Geburahel nos ensina a ser justos não apenas com os outros, mas também conosco. Praticar a autocompaixão e reconhecer nossas próprias necessidades de justiça e equilíbrio é crucial. Isso inclui perdoar a si por erros passados, aprender com eles e se comprometer a agir com mais integridade no futuro.

A colaboração com outros devotos de Geburahel pode criar uma rede de apoio e inspiração. Formar ou participar de grupos de estudo, meditação ou ação social centrados na justiça pode ser extremamente enriquecedor. Estes grupos podem se reunir regularmente para discutir ensinamentos espirituais, realizar meditações em grupo, e planejar ações comunitárias que reflitam os princípios de Geburahel.

A tecnologia moderna oferece novas maneiras de se conectar com a comunidade espiritual global. Participar de fóruns online, webinars e grupos de mídia social dedicados a Geburahel e aos temas de justiça e proteção pode ampliar seu conhecimento e fortalecer sua prática. Estas plataformas permitem a troca de ideias, experiências e práticas entre pessoas de todo o mundo, criando um senso de comunidade e apoio global.

A visualização criativa pode ser uma prática poderosa. Visualize um mundo onde a justiça e a equidade prevalecem, onde Geburahel guia as ações dos líderes e inspira todos a agir com integridade. Este tipo de visualização não só fortalece sua conexão com Geburahel, mas também envia uma intenção poderosa para o universo, ajudando a manifestar essas qualidades em sua vida e no mundo ao seu redor.

Ao integrar essas práticas em sua vida, você não apenas fortalece sua conexão com Geburahel, mas também vive segundo os princípios que ele representa. Este caminho de justiça, força e integridade não é apenas uma devoção espiritual, mas uma maneira de criar um impacto positivo e duradouro no mundo. A presença de Geburahel em sua vida é um lembrete constante de que, com coragem e determinação, a justiça divina sempre prevalecerá.

Capítulo 22
Tipherethel
Anjo da Beleza e da Arte

Tipherethel, reconhecido como o Anjo da Beleza e da Arte, é uma entidade divina cuja existência está profundamente ligada à essência da estética divina. Sua criação remonta aos primórdios do universo, quando a harmonia e a beleza começaram a se manifestar em todas as coisas. Tipherethel foi gerado da pura luz da Criação, uma manifestação do desejo divino de infundir beleza em todos os aspectos da existência.

Desde o início dos tempos, Tipherethel tem sido um guardião e patrono das artes, inspirando artistas, músicos, poetas e todos os que buscam expressar a beleza através de suas criações. Ele é muitas vezes representado segurando uma paleta de cores e um pincel, símbolos de sua influência no mundo da arte. Sua presença é sentida em cada obra de arte que captura a essência da beleza e eleva a alma.

A missão de Tipherethel vai além da simples apreciação estética; ele é um emissário da harmonia divina, trazendo equilíbrio e beleza para todos os aspectos da vida. Ele nos ensina que a verdadeira arte não está apenas na criação, mas também na percepção e na capacidade de encontrar beleza em todas as coisas. Tipherethel é o reflexo da glória divina manifestada através da arte e da beleza que nos cerca.

O complemento divino de Tipherethel é Harmonia, uma entidade angelical associada ao equilíbrio e à serenidade. Juntos, Tipherethel e Harmonia representam a união perfeita da beleza estética com a paz interior, simbolizando a totalidade da expressão artística quando alinhada com o equilíbrio espiritual. Esta união reflete a crença de que a verdadeira beleza emerge de um estado de harmonia e equilíbrio.

Os fractais de alma de Tipherethel são manifestações de sua essência divina que se desdobram em várias formas e funções. Cada fractal carrega um fragmento da força original de Tipherethel, operando em diferentes planos e dimensões para assegurar que sua influência se estenda a todos os cantos do universo. Esses fractais atuam como emissários de beleza e harmonia, trabalhando incansavelmente para trazer luz e inspiração onde quer que estejam.

Tipherethel desempenha um papel crucial na vida dos seres humanos, oferecendo assistência e inspiração em momentos de busca por beleza e expressão artística. Ele é invocado por aqueles que desejam explorar os mistérios da estética e aprofundar seu entendimento das leis espirituais que governam a criação artística. A presença de Tipherethel é sentida como uma força iluminadora, trazendo clareza e inspiração, especialmente em tempos de confusão e bloqueio criativo.

No reino divino, Tipherethel é visto como uma entidade radiante, cercada por uma aura de cores vibrantes e luz. Ele inspira os seres humanos a ver o mundo com olhos novos, encontrando beleza e harmonia em lugares inesperados. Sua influência é um lembrete constante de que a arte e a beleza são expressões do divino, destinadas a elevar a alma e trazer alegria ao coração.

Tipherethel também é um mentor para aqueles que desejam desenvolver suas habilidades artísticas. Ele guia os aspirantes a artistas por meio de sonhos, inspirações súbitas e momentos de iluminação, ajudando-os a alcançar novos patamares em suas criações. Sob sua influência, muitos encontraram a coragem e a visão necessárias para transformar suas ideias em obras-primas.

Além de sua intervenção direta, Tipherethel atua no desenvolvimento da percepção estética das pessoas. Ele ajuda a cultivar um apreço mais profundo pela beleza e pela arte, encorajando as pessoas a integrar a estética em suas vidas diárias. Sua presença pode ser sentida em momentos de contemplação tranquila, quando a beleza de uma flor, uma pintura ou uma melodia toca o coração e eleva o espírito.

Em tempos de crise ou desarmonia, a invocação de Tipherethel pode trazer uma renovação do espírito e uma nova perspectiva sobre a beleza e a arte. Ele auxilia na cura emocional, oferecendo conforto através da expressão artística e ajudando a restaurar a harmonia interior.

A presença de Tipherethel na vida dos seres humanos é uma fonte constante de inspiração e elevação espiritual. Ele é invocado por aqueles que buscam não apenas criar, mas também apreciar a beleza em todas as suas formas. Sua força é uma força poderosa que desperta a sensibilidade estética e incentiva a criatividade. Quando uma pessoa se sente bloqueada ou desmotivada em seus esforços artísticos, a invocação de Tipherethel pode trazer uma sensação de renovação e inspiração.

Tipherethel também trabalha em estreita colaboração com os anjos da guarda de cada pessoa, amplificando suas capacidades de proteção e orientação estética. Quando chamado, ele pode intensificar a presença do anjo da guarda, proporcionando uma camada adicional de inspiração e apoio criativo. Esta colaboração angélica assegura que cada indivíduo esteja amparado e guiado em suas jornadas artísticas, mesmo nos momentos mais desafiadores.

Os rituais para invocar Tipherethel são simples, mas profundamente eficazes. Uma das práticas mais comuns é acender uma vela de cor vibrante, como azul, verde ou dourada, cores tradicionalmente associadas à beleza e à criatividade, enquanto se faz uma oração pedindo sua intervenção. Durante este ritual, é útil visualizar Tipherethel com sua paleta de cores e seu pincel, sentindo sua presença inspiradora ao redor.

Outra prática importante é a meditação focada em Tipherethel. Durante a meditação, visualize-se envolto em uma luz dourada ou multicolorida, simbolizando a beleza e a criatividade de Tipherethel. Imagine-se sendo preenchido por essa força, sentindo-se inspirado e motivado a criar e apreciar a arte. Esta visualização não só ajuda a fortalecer a conexão com Tipherethel, mas também traz uma sensação tangível de inspiração e apoio.

Símbolos associados a Tipherethel, como imagens de paletas de cores ou pincéis, podem ser usados como amuletos de inspiração. Carregar um pingente com esses símbolos ou colocá-los em locais estratégicos de sua casa pode servir como um lembrete constante da presença inspiradora de Tipherethel. Esses objetos sagrados ajudam a manter uma conexão contínua com sua força e a reforçar a intenção de buscar beleza e criatividade em todas as coisas.

Tipherethel também é um mentor para aqueles que ocupam posições de liderança no campo das artes ou que estão em situações onde a criatividade precisa ser estimulada. Ele inspira líderes a tomar decisões estéticas justas e a agir em prol do bem maior através da arte. Sob sua influência, muitos encontraram a força e a visão necessárias para implementar mudanças significativas em suas comunidades e na sociedade em geral.

Além de sua intervenção direta, Tipherethel atua no desenvolvimento da sensibilidade estética das pessoas. Ele ajuda a cultivar uma apreciação mais profunda pela beleza e pela arte, encorajando as pessoas a integrar a estética em suas vidas diárias. Sua presença pode ser sentida em momentos de contemplação tranquila, quando a beleza de uma flor, uma pintura ou uma melodia toca o coração e eleva o espírito.

Em tempos de crise ou desarmonia, a invocação de Tipherethel pode trazer uma renovação do espírito e uma nova perspectiva sobre a beleza e a arte. Ele auxilia na cura emocional, oferecendo conforto através da expressão artística e ajudando a restaurar a harmonia interior. Sua influência é particularmente poderosa em situações onde a beleza precisa ser redescoberta e a criatividade, reavivada.

A devoção a Tipherethel pode ser incorporada na vida cotidiana de várias maneiras. Além das práticas espirituais, viver segundo os princípios de beleza e harmonia é uma forma poderosa de honrá-lo. Ao agir com sensibilidade estética, defender a arte e a beleza e lutar contra a desarmonia, você fortalece sua conexão com Tipherethel e atrai sua inspiração e apoio.

Participar de comunidades ou grupos que compartilham uma devoção a Tipherethel pode ser uma fonte adicional de apoio e inspiração. Esses grupos muitas vezes se reúnem para orações em conjunto, meditações e discussões sobre como aplicar os princípios de beleza e criatividade em suas vidas diárias. Compartilhar experiências e práticas com outros devotos pode enriquecer sua própria jornada espiritual e proporcionar novas perspectivas sobre como honrar e se conectar com Tipherethel.

A prática de integrar a beleza e a arte na vida cotidiana pode transformar a percepção e a experiência da realidade. Tipherethel inspira a criação de espaços esteticamente agradáveis e harmoniosos, onde a arte pode florescer e onde cada detalhe reflete a presença do divino. Através de sua influência, as pessoas podem aprender a ver o mundo com um olhar mais atento, apreciando as sutilezas e os detalhes que passam muitas vezes despercebidos.

Tipherethel também atua como um guia para aqueles que buscam desenvolver suas habilidades artísticas. Ele oferece inspiração por meio de sonhos, visões e momentos de insight criativo. Muitos artistas relatam experiências de receber ideias súbitas e inovadoras após meditações ou orações direcionadas a Tipherethel. Esta inspiração divina pode levar a criações artísticas que tocam a alma e inspiram outros.

A criação de um espaço dedicado a Tipherethel em sua casa ou estúdio pode servir como um ponto focal para suas práticas devocionais e criativas. Este espaço pode incluir uma imagem ou estátua de Tipherethel, velas coloridas, cristais e símbolos artísticos como pincéis, paletas de cores ou instrumentos musicais. Manter este altar sagrado e oferecer orações e meditações regularmente pode ajudar a manter uma conexão constante com sua força inspiradora.

Além das práticas espirituais, a leitura de textos sobre arte e estética pode oferecer uma compreensão mais profunda da influência de Tipherethel. Estudar a história da arte, as técnicas artísticas e os princípios estéticos pode ampliar seu conhecimento e enriquecer suas criações. Livros, artigos e outros materiais que exploram a beleza e a arte podem ser recursos valiosos para aqueles que buscam uma conexão mais profunda com este anjo.

Participar de eventos artísticos, como exposições, concertos e performances, é outra maneira de honrar Tipherethel. Esses eventos oferecem a oportunidade de se envolver diretamente com a arte e de experimentar a beleza em um contexto comunitário. Compartilhar essas experiências com outros amantes da arte pode fortalecer sua conexão com Tipherethel e proporcionar novas inspirações para suas próprias criações.

A música, em particular, é uma forma poderosa de se conectar com a força de Tipherethel. Cantar ou tocar instrumentos musicais dedicados a ele pode elevar sua vibração e facilitar uma conexão mais profunda. Existem muitas músicas e cânticos que celebram a beleza e a arte, e participar de serviços religiosos ou eventos onde essas músicas são executadas pode ser uma experiência profundamente enriquecedora.

Tipherethel também é reconhecido por sua capacidade de ajudar na cura emocional através da arte. A expressão artística pode ser uma forma de liberar emoções reprimidas e encontrar conforto em tempos de dificuldade. Pintar, escrever, tocar música ou dançar são maneiras de canalizar a força de Tipherethel e encontrar paz interior. Ele inspira a transformação da dor em beleza, ajudando as pessoas a encontrar significado e propósito através da criação artística.

A prática de atos de beleza e harmonia em nome de Tipherethel é uma maneira poderosa de honrar sua influência. Isso pode incluir embelezar espaços públicos, criar obras de arte para a comunidade, ou simplesmente tratar todas as pessoas com gentileza e consideração. Cada ato de beleza que você realiza não só honra Tipherethel, mas também contribui para a propagação de sua força inspiradora no mundo.

Para aqueles que sentem uma conexão especialmente forte com Tipherethel, a consagração pessoal a ele pode ser apropriada. Esta consagração pode ser formalizada por meio de uma oração ou cerimônia pessoal onde você dedica sua vida e ações à beleza e à arte de Tipherethel. Esse compromisso pode ser renovado anualmente ou em momentos de necessidade, reforçando sua devoção e conexão espiritual.

A criação de diários artísticos onde você registra suas inspirações, ideias e criações pode ser uma ferramenta valiosa. Anotar suas reflexões e insights ajuda a acompanhar seu progresso artístico e a identificar padrões em sua jornada criativa. Este diário serve como um testemunho pessoal da influência de Tipherethel em sua vida e uma fonte de inspiração contínua.

A jornada com Tipherethel é uma exploração contínua da beleza e da arte em todas as suas formas. Sua influência se estende não apenas às artes tradicionais, como pintura e música, mas também a outras formas de expressão criativa, como a dança, a escrita e até mesmo a culinária. Ele nos ensina que a beleza pode ser encontrada em qualquer lugar e que a arte é uma expressão fundamental da alma humana.

Para aqueles que desejam aprofundar sua conexão com Tipherethel, a prática da observação atenta é essencial. Dedicar um tempo para observar a natureza, a arquitetura e as criações humanas com um olhar atento pode revelar novas camadas de beleza que antes passavam despercebidas. Tipherethel inspira a prática do mindfulness estético, onde cada momento se torna uma oportunidade para apreciar a beleza que nos rodeia.

Além da observação, a prática da criação diária pode ser uma forma poderosa de honrar Tipherethel. Reservar um tempo todos os dias para se envolver em uma atividade criativa, seja desenhando, escrevendo, tocando música ou qualquer outra forma de arte, mantém sua força fluindo e fortalece sua conexão com ele. A regularidade dessa prática não só melhora suas habilidades, mas também aprofunda sua sensibilidade estética e espiritual.

Os cristais e pedras associados a Tipherethel, como a ametista e a turquesa, podem ser incorporados em suas práticas diárias. Estes cristais são reconhecidos por suas propriedades de inspiração e criatividade. Manter um desses cristais em seu espaço de trabalho ou carregá-los com você pode amplificar sua intenção de conexão com Tipherethel. Durante a meditação, segurar um desses cristais pode ajudar a sintonizar-se com a força do anjo, trazendo uma sensação de inspiração e clareza.

A devoção a Tipherethel também pode ser expressa através da educação e do aprendizado contínuo. Participar de workshops, cursos e palestras sobre arte e estética pode expandir seu conhecimento e proporcionar novas perspectivas sobre a criação artística. Aprender novas técnicas e explorar diferentes estilos artísticos sob a influência de Tipherethel pode levar a descobertas surpreendentes e a um crescimento pessoal importante.

A colaboração com outros artistas e criativos pode ser uma fonte rica de inspiração e apoio. Tipherethel muitas vezes trabalha por meio de comunidades artísticas, onde a troca de ideias e a cooperação levam a criações magníficas. Participar de coletivos de arte, grupos de escrita ou bandas musicais pode proporcionar um ambiente fértil para a criatividade e a expressão artística, amplificando a influência de Tipherethel.

Em tempos de bloqueio criativo ou desmotivação, a invocação de Tipherethel pode trazer uma renovação de força e inspiração. Praticar meditações guiadas focadas em desbloquear a criatividade pode ser particularmente útil. Durante essas meditações, visualize Tipherethel removendo obstáculos e abrindo novos caminhos para a expressão artística. Sinta a sua força fluindo livremente, trazendo novas ideias e motivações.

A prática da gratidão é outra forma poderosa de honrar Tipherethel. Agradecer por cada momento de beleza e cada criação artística, por menor que seja, cultiva uma mentalidade de apreciação e reconhecimento da presença divina em todas as coisas. Manter um diário de gratidão, onde você registra as belezas que encontrou e as criações que realizou, pode fortalecer sua conexão com Tipherethel e enriquecer sua vida diária.

Participar de rituais sazonais ou festivais dedicados à arte e à beleza pode ser uma experiência espiritualmente enriquecedora. Estes eventos muitas vezes incluem exposições, performances e celebrações que honram a criatividade humana e a presença de Tipherethel. Participar desses eventos oferece a oportunidade de renovar seu compromisso com os princípios de beleza e harmonia e de compartilhar essa devoção com outros.

A prática da visualização criativa pode ser uma ferramenta poderosa para se conectar com Tipherethel. Visualize um mundo onde a arte e a beleza são valorizadas e celebradas, onde cada pessoa encontra inspiração e expressão criativa em suas vidas diárias. Este tipo de visualização não só fortalece sua conexão com Tipherethel, mas também envia uma intenção poderosa para o universo, ajudando a manifestar essas qualidades em sua vida e no mundo ao seu redor.

Ao integrar essas práticas em sua vida, você não apenas fortalece sua conexão com Tipherethel, mas também vive segundo os princípios que ele representa. Este caminho de beleza, criatividade e harmonia não é apenas uma devoção espiritual, mas uma maneira de criar um impacto positivo e duradouro no mundo. A presença de Tipherethel em sua vida é um lembrete constante de que, com inspiração e sensibilidade, a beleza divina sempre prevalecerá.

Manter uma conexão profunda e constante com Tipherethel envolve um compromisso contínuo com práticas espirituais, ações criativas e uma mentalidade de apreciação estética. A jornada com Tipherethel é tanto uma busca interior quanto uma manifestação externa de beleza e harmonia. Aqueles que se dedicam a essa devoção encontram não apenas inspiração e criatividade em suas próprias vidas, mas também a capacidade de inspirar e elevar os outros através de suas criações.

Uma das formas mais diretas de honrar Tipherethel é através da criação artística. Isso pode incluir pintura, escultura, música, dança, escrita e qualquer outra forma de expressão criativa. Cada ato de criação é uma celebração da beleza e uma manifestação da presença de Tipherethel. Ao dedicar tempo e força à criação artística, você está honrando Tipherethel e atraindo sua inspiração e apoio.

Além das práticas criativas, a prática regular de gratidão é essencial. Agradecer a Tipherethel por cada momento de beleza e cada inspiração criativa não só fortalece o vínculo com ele, mas também abre espaço para uma maior consciência de suas bênçãos em sua vida. Manter um diário de gratidão, onde você registra momentos em que sentiu a presença e a ajuda de Tipherethel, pode ser uma prática poderosa. Este diário serve como um lembrete constante de que você nunca está sozinho em sua busca por beleza e criatividade.

Participar de retiros ou encontros espirituais focados em arte e estética pode proporcionar insights e fortalecer sua prática espiritual. Estes eventos oferecem a oportunidade de aprender com outros devotos e especialistas, trocar experiências e aprofundar sua conexão com Tipherethel através de rituais e práticas compartilhadas. A força coletiva de tais encontros pode amplificar a presença de Tipherethel e trazer novas dimensões à sua devoção.

A arte e a música também podem ser caminhos para fortalecer sua conexão com Tipherethel. Criar ou apreciar obras de arte que representem Tipherethel ou que transmitam os temas de beleza e harmonia pode ser uma forma inspiradora de manter sua presença em sua vida diária. Músicas e hinos dedicados a Tipherethel podem elevar sua vibração e facilitar uma conexão mais profunda durante suas práticas espirituais.

Outro aspecto importante é a autorreflexão e o autoconhecimento. Tipherethel nos ensina a ver a beleza não apenas no mundo ao nosso redor, mas também dentro de nós mesmos. Praticar a autocompaixão e reconhecer nossas próprias capacidades criativas é crucial. Isso inclui perdoar a si por falhas passadas, aprender com elas e se comprometer a agir com mais sensibilidade e apreciação no futuro.

A colaboração com outros devotos de Tipherethel pode criar uma rede de apoio e inspiração. Formar ou participar de grupos de estudo, meditação ou criação artística centrados na beleza e na arte pode ser extremamente enriquecedor. Estes grupos podem se reunir regularmente para discutir ensinamentos espirituais, realizar meditações em grupo, e planejar atividades comunitárias que reflitam os princípios de Tipherethel.

A tecnologia moderna oferece novas maneiras de se conectar com a comunidade espiritual global. Participar de fóruns online, webinars e grupos de mídia social dedicados a Tipherethel e aos temas de beleza e arte pode ampliar seu conhecimento e fortalecer sua prática. Estas plataformas permitem a troca de ideias, experiências e práticas entre pessoas de todo o mundo, criando um senso de comunidade e apoio global.

A visualização criativa pode ser uma prática poderosa. Visualize um mundo onde a beleza e a arte são valorizadas e celebradas, onde Tipherethel guia as ações dos criadores e inspira todos a agir com sensibilidade estética. Este tipo de visualização não só fortalece sua conexão com Tipherethel, mas também envia uma intenção poderosa para o universo, ajudando a manifestar essas qualidades em sua vida e no mundo ao seu redor.

Ao integrar essas práticas em sua vida, você não apenas fortalece sua conexão com Tipherethel, mas também vive segundo os princípios que ele representa. Este caminho de beleza, criatividade e harmonia não é apenas uma devoção espiritual, mas uma maneira de criar um impacto positivo e duradouro no mundo. A presença de Tipherethel em sua vida é um lembrete constante de que, com inspiração e sensibilidade, a beleza divina sempre prevalecerá.

Capítulo 23
Netzachel
Anjo da Vitória e da Perseverança

Netzachel, o Anjo da Vitória e da Perseverança, foi criado nos primórdios da existência divino. Sua essência foi moldada pela luz divina com a missão de inspirar e fortalecer os corações dos seres humanos, especialmente em momentos de adversidade e desafio. Desde o início dos tempos, Netzachel tem sido um símbolo de determinação e triunfo, guiando aqueles que buscam superar obstáculos e alcançar seus objetivos mais elevados.

Sua criação está profundamente enraizada na vontade divina de promover a perseverança e a vitória sobre as dificuldades. Netzachel foi dotado de uma força incansável e uma determinação inabalável, características que ele transmite a todos que invocam sua presença. Ele é muitas vezes representado como um ser radiante, com asas poderosas segurando uma bandeira de vitória, simbolizando seu papel como um arauto de triunfos.

Netzachel não só inspira a coragem e a perseverança, mas também oferece orientação prática sobre como enfrentar e superar desafios. Sua presença é muitas vezes sentida em momentos de grande necessidade, quando a força interior parece insuficiente para lidar com os obstáculos à frente. Ao invocar Netzachel, os indivíduos podem encontrar uma renovada sensação de propósito e determinação, capacitando-os a seguir em frente com confiança.

O complemento divino de Netzachel é Nitzchiah, um anjo associado à resiliência e à constância. Juntos, eles formam uma dupla que encarna a perseverança e a força contínua. Nitzchiah equilibra a força de Netzachel, proporcionando a estabilidade necessária para sustentar os esforços de longo prazo. Essa combinação de forças assegura que não apenas a vitória seja alcançada, mas que seja mantida através da persistência e da resistência.

Os fractais de alma de Netzachel são pequenos seres angelicais que compartilham sua missão de inspirar e fortalecer a determinação nos corações dos humanos. Cada fractal de alma carrega um fragmento da luz de Netzachel, atuando como embaixadores de sua mensagem de vitória. Eles ajudam a promover a confiança e a persistência, incentivando as pessoas a não desistirem diante das dificuldades. Esses fractais trabalham incansavelmente para infundir coragem e esperança em momentos de desafio, ajudando a transformar a adversidade em oportunidades de crescimento e sucesso.

Netzachel desempenha um papel crucial na vida dos seres humanos, atuando como um guia e protetor em tempos de desafio. Ele ajuda as pessoas a encontrar a força interior necessária para perseverar e alcançar suas metas, mesmo quando as circunstâncias parecem insuperáveis. Netzachel inspira a confiança e a determinação, incentivando a superação de obstáculos com coragem e resiliência.

Para aqueles que buscam a orientação de Netzachel, a prática da invocação é fundamental. Acender uma vela azul ou dourada, cores associadas à vitória e à perseverança, enquanto se faz uma oração pedindo a intervenção de Netzachel, pode ser uma forma eficaz de se conectar com sua força. Visualizar Netzachel com sua bandeira de vitória e sentir sua presença encorajadora pode trazer uma sensação tangível de força e determinação.

A meditação focada em Netzachel também pode ser extremamente benéfica. Durante a meditação, visualize-se envolto em uma luz dourada, representando a força de vitória e perseverança de Netzachel. Sinta essa luz preenchendo você com força e determinação, capacitando-o a enfrentar qualquer desafio que possa surgir. Essa prática não só fortalece a conexão com Netzachel, mas também traz uma sensação duradoura de confiança e resiliência.

A presença de Netzachel na vida dos seres humanos é uma fonte constante de encorajamento e força. Ele é invocado por aqueles que enfrentam grandes desafios e precisam de um impulso extra para continuar em suas jornadas. Sua força é uma força poderosa que instiga a perseverança e a resiliência, ajudando as pessoas a encontrar a coragem necessária para seguir em frente, mesmo quando o caminho parece impossível.

Netzachel também trabalha em estreita colaboração com os anjos da guarda de cada pessoa, amplificando suas capacidades de proteção e orientação. Quando chamado, ele pode intensificar a presença do anjo da guarda, proporcionando uma camada adicional de apoio e motivação. Esta colaboração angélica assegura que cada indivíduo esteja amparado e guiado, mesmo nos momentos mais difíceis.

Os rituais para invocar Netzachel são simples, mas profundamente eficazes. Uma das práticas mais comuns é acender uma vela de cor azul ou dourada, enquanto se faz uma oração pedindo sua intervenção. Durante este ritual, é útil visualizar Netzachel segurando sua bandeira de vitória, sentindo a sua presença fortalecedora ao redor. Este ato de invocação pode trazer uma sensação de renovação e determinação.

Outra prática importante é a meditação focada em Netzachel. Durante a meditação, visualize-se envolto em uma luz dourada, simbolizando a vitória e a perseverança de Netzachel. Imagine-se sendo preenchido por essa força, sentindo-se fortalecido e motivado a enfrentar e superar os desafios que encontra. Esta visualização não só ajuda a fortalecer a conexão com Netzachel, mas também traz uma sensação tangível de poder e resiliência.

Símbolos associados a Netzachel, como imagens de bandeiras de vitória ou troféus, podem ser usados como amuletos de inspiração. Carregar um pingente com esses símbolos ou colocá-los em locais estratégicos de sua casa pode servir como um lembrete constante da presença fortalecedora de Netzachel. Esses objetos sagrados ajudam a manter uma conexão contínua com sua força e a reforçar a intenção de buscar vitória e perseverança em todas as coisas.

Netzachel também é um mentor para aqueles que ocupam posições de liderança ou que estão em situações onde a perseverança e a determinação são essenciais. Ele inspira líderes a tomar decisões corajosas e a agir em prol do bem maior, mesmo quando enfrentam oposição ou dificuldades. Sob sua influência, muitos encontraram a força para implementar mudanças significativas em suas comunidades e na sociedade em geral.

Além de sua intervenção direta, Netzachel atua no desenvolvimento da força interior das pessoas. Ele ajuda a cultivar a resiliência e a coragem necessárias para enfrentar desafios e superar obstáculos. Sua presença pode ser sentida em momentos de grande provação, quando a determinação e a vontade de lutar pela vitória se tornam essenciais. A força de Netzachel é uma força revitalizadora que alimenta o espírito e fortalece a mente.

Em tempos de crise, a invocação de Netzachel pode trazer uma clareza renovada sobre o que é necessário para alcançar a vitória. Ele auxilia na tomada de decisões difíceis, oferecendo orientação e suporte moral. Sua influência é particularmente poderosa em situações onde a determinação e a perseverança são necessárias para superar obstáculos importantes.

A devoção a Netzachel pode ser incorporada na vida cotidiana de várias maneiras. Além das práticas espirituais, viver segundo os princípios de perseverança e determinação é uma forma poderosa de honrá-lo. Ao agir com coragem, defender os vulneráveis e lutar contra a adversidade, você fortalece sua conexão com Netzachel e atrai sua proteção e apoio.

Participar de comunidades ou grupos que compartilham uma devoção a Netzachel pode ser uma fonte adicional de apoio e inspiração. Esses grupos muitas vezes se reúnem para orações em conjunto, meditações e discussões sobre como aplicar os princípios de vitória e perseverança em suas vidas diárias. Compartilhar experiências e práticas com outros devotos pode enriquecer sua própria jornada espiritual e proporcionar novas perspectivas sobre como honrar e se conectar com Netzachel.

A prática de incorporar a perseverança e a vitória na vida cotidiana pode transformar a maneira como enfrentamos desafios e adversidades. Netzachel inspira a criação de uma mentalidade resiliente, onde cada obstáculo é visto como uma oportunidade de crescimento e superação. Sua influência encoraja as pessoas a adotar uma abordagem proativa e positiva em relação às dificuldades, transformando-as em marcos de triunfo pessoal.

Netzachel também atua como um guia para aqueles que buscam alcançar objetivos ambiciosos. Ele oferece inspiração por meio de sonhos, visões e momentos de clareza, ajudando os indivíduos a traçar estratégias eficazes para alcançar suas metas. Muitos relatam experiências de receber insights súbitos e inovadores após meditações ou orações direcionadas a Netzachel. Esta inspiração divina pode levar a soluções criativas e a uma renovada determinação para seguir em frente.

A criação de um espaço dedicado a Netzachel em sua casa ou local de trabalho pode servir como um ponto focal para suas práticas devocionais e motivacionais. Este espaço pode incluir uma imagem ou estátua de Netzachel, velas azuis ou douradas, cristais e símbolos de vitória como troféus ou medalhas. Manter este altar sagrado e oferecer orações e meditações regularmente pode ajudar a manter uma conexão constante com sua força inspiradora.

Além das práticas espirituais, a leitura de textos sobre perseverança e vitória pode oferecer uma compreensão mais profunda da influência de Netzachel. Estudar histórias de superação, estratégias de resiliência e exemplos de liderança corajosa pode expandir seu conhecimento e enriquecer suas próprias práticas. Livros, artigos e outros materiais que exploram a perseverança e a vitória podem ser recursos valiosos para aqueles que buscam uma conexão mais profunda com este anjo.

Participar de eventos e palestras que abordam temas de motivação, resiliência e liderança é outra maneira de honrar Netzachel. Esses eventos oferecem a oportunidade de se envolver diretamente com ideias inspiradoras e de experimentar a força coletiva de pessoas comprometidas com a superação e o sucesso. Compartilhar essas experiências com outros pode fortalecer sua conexão com Netzachel e proporcionar novas inspirações para sua própria jornada.

A música é uma forma poderosa de se conectar com a força de Netzachel. Ouvir músicas motivacionais e hinos de vitória pode elevar sua vibração e facilitar uma conexão mais profunda. Existem muitas músicas e cânticos que celebram a perseverança e a vitória, e participar de serviços religiosos ou eventos onde essas músicas são executadas pode ser uma experiência profundamente enriquecedora.

Netzachel também é reconhecido por sua capacidade de ajudar na cura emocional através da perseverança. A superação de desafios emocionais pode ser facilitada pela sua presença inspiradora. Praticar a autorreflexão e reconhecer os próprios sucessos e vitórias, por menores que sejam, ajuda a construir uma mentalidade de resiliência. Netzachel inspira a transformação da dor em força, ajudando as pessoas a encontrar significado e propósito através da perseverança.

A prática de atos de perseverança e resiliência em nome de Netzachel é uma maneira poderosa de honrar sua influência. Isso pode incluir apoiar outras pessoas em suas jornadas de superação, atuar como mentor para aqueles que enfrentam dificuldades ou simplesmente demonstrar determinação em suas próprias ações. Cada ato de perseverança que você realiza não só honra Netzachel, mas também contribui para a propagação de sua força inspiradora no mundo.

Para aqueles que sentem uma conexão especialmente forte com Netzachel, a consagração pessoal a ele pode ser apropriada. Esta consagração pode ser formalizada por meio de uma oração ou cerimônia pessoal onde você dedica sua vida e ações à perseverança e à vitória de Netzachel. Esse compromisso pode ser renovado anualmente ou em momentos de necessidade, reforçando sua devoção e conexão espiritual.

A criação de diários de superação onde você registra suas vitórias, desafios enfrentados e estratégias de resiliência pode ser uma ferramenta valiosa. Anotar suas reflexões e insights ajuda a acompanhar seu progresso pessoal e a identificar padrões em sua jornada de perseverança. Este diário serve como um testemunho pessoal da influência de Netzachel em sua vida e uma fonte de inspiração contínua.

A jornada com Netzachel é uma exploração contínua da força interior e da capacidade de superar obstáculos. Sua influência se estende a todos os aspectos da vida, desde os desafios pessoais até as ambições profissionais e espirituais. Netzachel nos ensina que a verdadeira vitória não está apenas em alcançar nossos objetivos, mas também em perseverar diante das dificuldades e aprender com cada experiência.

Para aqueles que desejam aprofundar sua conexão com Netzachel, a prática da visualização é essencial. Dedicar um tempo para visualizar suas metas e os passos necessários para alcançá-las pode fortalecer sua determinação e clareza. Tipherethel inspira a prática do mindfulness focado em objetivos, onde cada momento se torna uma oportunidade para avançar em direção à vitória.

Além da visualização, a prática da ação diária pode ser uma forma poderosa de honrar Netzachel. Reservar um tempo todos os dias para trabalhar em seus objetivos, seja por meio de pequenas ações ou grandes esforços, mantém sua força fluindo e fortalece sua conexão com ele. A regularidade dessa prática não só melhora suas habilidades e progresso, mas também aprofunda sua determinação e resiliência.

Os cristais e pedras associados a Netzachel, como o quartzo fumê e a hematita, podem ser incorporados em suas práticas diárias. Estes cristais são reconhecidos por suas propriedades de fortalecimento e proteção. Manter um desses cristais em seu espaço de trabalho ou carregá-los com você pode amplificar sua intenção de conexão com Netzachel. Durante a meditação, segurar um desses cristais pode ajudar a sintonizar-se com a força do anjo, trazendo uma sensação de poder e estabilidade.

A devoção a Netzachel também pode ser expressa através da educação e do aprendizado contínuo. Participar de workshops, cursos e palestras sobre resiliência, superação e liderança pode expandir seu conhecimento e proporcionar novas perspectivas sobre a perseverança. Aprender novas técnicas e explorar diferentes abordagens sob a influência de Netzachel pode levar a descobertas surpreendentes e a um crescimento pessoal importante.

A colaboração com outros que compartilham uma devoção a Netzachel pode ser uma fonte rica de apoio e inspiração. Formar ou participar de grupos de estudo, meditação ou ação comunitária centrados na vitória e na perseverança pode ser extremamente enriquecedor. Estes grupos podem se reunir regularmente para discutir ensinamentos espirituais, realizar meditações em grupo, e planejar atividades que reflitam os princípios de Netzachel.

Em tempos de bloqueio emocional ou desmotivação, a invocação de Netzachel pode trazer uma renovação de força e determinação. Praticar meditações guiadas focadas em desbloquear a resiliência pode ser particularmente útil. Durante essas meditações, visualize Netzachel removendo obstáculos e abrindo novos caminhos para a superação. Sinta a sua força fluindo livremente, trazendo nova clareza e motivação.

A prática da gratidão é outra forma poderosa de honrar Netzachel. Agradecer por cada vitória e cada superação, por menor que seja, cultiva uma mentalidade de apreciação e reconhecimento da presença divina em todas as coisas. Manter um diário de gratidão, onde você registra as vitórias alcançadas e os desafios superados, pode fortalecer sua conexão com Netzachel e enriquecer sua vida diária.

Participar de rituais sazonais ou festivais dedicados à resiliência e à vitória pode ser uma experiência espiritualmente enriquecedora. Estes eventos muitas vezes incluem celebrações, palestras motivacionais e atividades que honram a perseverança humana e a presença de Netzachel. Participar desses eventos oferece a oportunidade de renovar seu compromisso com os princípios de vitória e resiliência e de compartilhar essa devoção com outros.

A prática da visualização criativa pode ser uma ferramenta poderosa para se conectar com Netzachel. Visualize um mundo onde a perseverança e a vitória são valorizadas e celebradas, onde Netzachel guia as ações das pessoas e inspira todos a agir com determinação. Este tipo de visualização não só fortalece sua conexão com Netzachel, mas também envia uma intenção poderosa para o universo, ajudando a manifestar essas qualidades em sua vida e no mundo ao seu redor.

Ao integrar essas práticas em sua vida, você não apenas fortalece sua conexão com Netzachel, mas também vive segundo os princípios que ele representa. Este caminho de perseverança, resiliência e vitória não é apenas uma devoção espiritual, mas uma maneira de criar um impacto positivo e duradouro no mundo. A presença de Netzachel em sua vida é um lembrete constante de que, com determinação e força, a vitória divina sempre prevalecerá.

Manter uma conexão profunda e constante com Netzachel exige um compromisso contínuo com práticas espirituais, ações determinadas e uma mentalidade de perseverança. A jornada com Netzachel é tanto uma busca interior quanto uma manifestação externa de resiliência e vitória. Aqueles que se dedicam a essa devoção encontram não apenas força e determinação em suas próprias vidas, mas também a capacidade de inspirar e fortalecer os outros através de suas ações e exemplos.

Uma das formas mais diretas de honrar Netzachel é por meio de ações concretas que demonstram perseverança e resiliência. Isso pode incluir enfrentar e superar desafios pessoais, alcançar metas ambiciosas e apoiar outros em suas jornadas de superação. Cada ato de determinação é uma celebração da vitória e uma manifestação da presença de Netzachel. Ao dedicar tempo e força a essas ações, você está honrando Netzachel e atraindo sua força fortalecedora.

Além das práticas de superação, a prática regular de gratidão é essencial. Agradecer a Netzachel por cada vitória e cada desafio superado não só fortalece o vínculo com ele, mas também abre espaço para uma maior consciência de suas bênçãos em sua vida. Manter um diário de gratidão, onde você registra momentos em que sentiu a presença e a ajuda de Netzachel, pode ser uma prática poderosa. Este diário serve como um lembrete constante de que você nunca está sozinho em sua busca por vitória e perseverança.

Participar de retiros ou encontros espirituais focados em resiliência e motivação pode proporcionar insights e fortalecer sua prática espiritual. Estes eventos oferecem a oportunidade de aprender com outros devotos e especialistas, trocar experiências e aprofundar sua conexão com Netzachel através de rituais e práticas compartilhadas. A força coletiva de tais encontros pode amplificar a presença de Netzachel e trazer novas dimensões à sua devoção.

A arte e a música também podem ser caminhos para fortalecer sua conexão com Netzachel. Criar ou apreciar obras de arte que representem Netzachel ou que transmitam os temas de vitória e perseverança pode ser uma forma inspiradora de manter sua presença em sua vida diária. Músicas e hinos dedicados a Netzachel podem elevar sua vibração e facilitar uma conexão mais profunda durante suas práticas espirituais.

Outro aspecto importante é a autorreflexão e o autoconhecimento. Netzachel nos ensina a reconhecer e a valorizar nossa própria força e capacidade de superação. Praticar a autocompaixão e reconhecer nossos próprios sucessos e vitórias é crucial. Isso inclui perdoar a si por falhas passadas, aprender com elas e se comprometer a agir com mais determinação e resiliência no futuro.

A colaboração com outros devotos de Netzachel pode criar uma rede de apoio e inspiração. Formar ou participar de grupos de estudo, meditação ou ação comunitária centrados na vitória e na perseverança pode ser extremamente enriquecedor. Estes grupos podem se reunir regularmente para discutir ensinamentos espirituais, realizar meditações em grupo, e planejar atividades que reflitam os princípios de Netzachel.

A tecnologia moderna oferece novas maneiras de se conectar com a comunidade espiritual global. Participar de fóruns online, webinars e grupos de mídia social dedicados a Netzachel e aos temas de resiliência e vitória pode ampliar seu conhecimento e fortalecer sua prática. Estas plataformas permitem a troca de ideias, experiências e práticas entre pessoas de todo o mundo, criando um senso de comunidade e apoio global.

A visualização criativa pode ser uma prática poderosa para se conectar com Netzachel. Visualize um mundo onde a perseverança e a vitória são valorizadas e celebradas, onde Netzachel guia as ações das pessoas e inspira todos a agir com determinação. Este tipo de visualização não só fortalece sua conexão com Netzachel, mas também envia uma intenção poderosa para o universo, ajudando a manifestar essas qualidades em sua vida e no mundo ao seu redor.

Ao integrar essas práticas em sua vida, você não apenas fortalece sua conexão com Netzachel, mas também vive segundo os princípios que ele representa. Este caminho de perseverança, resiliência e vitória não é apenas uma devoção espiritual, mas uma maneira de criar um impacto positivo e duradouro no mundo. A presença de Netzachel em sua vida é um lembrete constante de que, com determinação e força, a vitória divina sempre prevalecerá.

Capítulo 24
Hodiel
Anjo da Majestade e do Eco

Hodiel, reconhecido como o Anjo da Majestade e do Eco, é uma entidade divina cuja criação está profundamente enraizada nos princípios da grandeza e da reverberação divina. Sua história começa nos primórdios da criação, quando Deus, em sua infinita sabedoria, decidiu manifestar um ser que pudesse refletir a majestade do universo e ecoar as verdades eternas. Hodiel foi gerado da pura luz da criação, uma personificação da grandeza divina e da ressonância das palavras sagradas.

Desde sua criação, Hodiel foi dotado de um esplendor único e uma capacidade de refletir e amplificar as vozes divinas. Ele é muitas vezes descrito como um ser imponente, rodeado por uma aura de luz brilhante e ecoando a majestade do Criador. Sua missão é reverberar as verdades celestiais, garantindo que as mensagens divinas sejam ouvidas e compreendidas em todas as esferas da existência.

O complemento divino de Hodiel é Shekhinah, a presença divina que representa a habitação de Deus entre os homens. Juntos, Hodiel e Shekhinah formam um equilíbrio perfeito entre majestade e presença divina, ressonância e manifestação. Enquanto Hodiel reverbera a majestade de Deus, Shekhinah traz a presença divina para mais perto da humanidade, criando uma conexão íntima e poderosa entre o divino e o terreno.

Os fractais de alma de Hodiel são expressões de sua majestade e eco em várias formas e dimensões. Esses fractais manifestam-se como anjos menores que trabalham em harmonia com Hodiel para amplificar a presença divina e reverberar as verdades celestiais. Cada fractal de alma de Hodiel possui uma parcela de sua grandeza e ressonância, permitindo que a influência de Hodiel seja sentida em muitos níveis do universo.

Hodiel desempenha um papel crucial na relação entre o divino e os seres humanos. Sua função principal é amplificar a voz divina e garantir que as mensagens sagradas sejam ouvidas e compreendidas. Ele atua como um intermediário entre o Criador e a criação, facilitando a comunicação divina e ajudando as pessoas a perceberem e entenderem as verdades eternas. A presença de Hodiel é sentida especialmente em momentos de grande revelação e inspiração espiritual, quando as mensagens divinas precisam ser claramente transmitidas.

A criação de um espaço sagrado dedicado a Hodiel pode ser uma prática poderosa para fortalecer a conexão com este anjo. Este espaço pode incluir uma imagem ou estátua de Hodiel, velas brancas ou douradas, e símbolos que representem a majestade e a ressonância, como sinos ou instrumentos musicais. Passar tempo neste espaço, oferecendo orações e meditações, pode ajudar a manter uma conexão constante com a força de Hodiel e a amplificar a presença divina em sua vida.

Os rituais para invocar Hodiel são simples, mas profundamente eficazes. Acender uma vela branca ou dourada enquanto se faz uma oração pedindo a intervenção de Hodiel pode trazer uma sensação de paz e elevação espiritual. Durante este ritual, é útil visualizar Hodiel cercado por uma aura de luz brilhante, ecoando as verdades divinas e preenchendo o ambiente com uma sensação de majestade e ressonância.

A meditação focada em Hodiel também pode ser extremamente benéfica. Durante a meditação, visualize-se envolto em uma luz dourada, representando a majestade e a ressonância de Hodiel. Sinta essa luz preenchendo você com uma sensação de grandeza e inspiração, capacitando-o a perceber e ecoar as verdades divinas em sua vida. Esta prática não só ajuda a fortalecer a conexão com Hodiel, mas também traz uma sensação tangível de elevação espiritual e clareza.

A presença de Hodiel na vida dos seres humanos é uma fonte constante de elevação e clareza espiritual. Ele é invocado por aqueles que buscam compreender melhor as verdades divinas e que desejam sentir a majestade do universo em suas vidas diárias. Sua força é uma força poderosa que amplifica a percepção espiritual e inspira a reverberação das mensagens sagradas. Quando uma pessoa se sente perdida ou em busca de respostas, a invocação de Hodiel pode trazer uma sensação de orientação e iluminação.

Hodiel também trabalha em estreita colaboração com os anjos da guarda de cada pessoa, amplificando suas capacidades de proteção e orientação espiritual. Quando chamado, ele pode intensificar a presença do anjo da guarda, proporcionando uma camada adicional de clareza e ressonância. Esta colaboração angélica assegura que cada indivíduo esteja amparado e guiado, mesmo nos momentos mais desafiadores.

Os rituais para invocar Hodiel são simples, mas profundamente eficazes. Uma das práticas mais comuns é acender uma vela de cor branca ou dourada, enquanto se faz uma oração pedindo sua intervenção. Durante este ritual, é útil visualizar Hodiel rodeado por uma aura de luz brilhante, ecoando as verdades divinas e preenchendo o ambiente com uma sensação de majestade e ressonância. Este ato de invocação pode trazer uma sensação de elevação e clareza espiritual.

Outra prática importante é a meditação focada em Hodiel. Durante a meditação, visualize-se envolto em uma luz dourada, simbolizando a majestade e a ressonância de Hodiel. Imagine-se sendo preenchido por essa força, sentindo-se inspirado e iluminado para perceber e ecoar as verdades divinas em sua vida. Esta visualização não só ajuda a fortalecer a conexão com Hodiel, mas também traz uma sensação tangível de elevação espiritual e clareza.

Símbolos associados a Hodiel, como imagens de sinos ou instrumentos musicais, podem ser usados como amuletos de inspiração. Carregar um pingente com esses símbolos ou colocá-los em locais estratégicos de sua casa pode servir como um lembrete constante da presença inspiradora de Hodiel. Esses objetos sagrados ajudam a manter uma conexão contínua com sua força e a reforçar a intenção de buscar majestade e ressonância em todas as coisas.

Hodiel também é um mentor para aqueles que ocupam posições de liderança ou que estão em situações onde a percepção e a comunicação das verdades divinas são essenciais. Ele inspira líderes a tomar decisões iluminadas e a agir em prol do bem maior, transmitindo as mensagens divinas com clareza e ressonância. Sob sua influência, muitos encontraram a força e a visão necessárias para implementar mudanças significativas em suas comunidades e na sociedade em geral.

Além de sua intervenção direta, Hodiel atua no desenvolvimento da percepção espiritual das pessoas. Ele ajuda a cultivar uma apreciação mais profunda pela majestade e pela ressonância das verdades divinas, encorajando as pessoas a integrar a percepção espiritual em suas vidas diárias. Sua presença pode ser sentida em momentos de contemplação tranquila, quando a grandeza do universo e a ressonância das verdades divinas tocam o coração e elevam o espírito.

Em tempos de crise ou confusão espiritual, a invocação de Hodiel pode trazer uma renovação do espírito e uma nova perspectiva sobre a majestade e a ressonância das verdades divinas. Ele auxilia na compreensão profunda das mensagens sagradas, oferecendo clareza e orientação espiritual. Sua influência é particularmente poderosa em situações onde a percepção espiritual e a ressonância são necessárias para superar obstáculos importantes.

A devoção a Hodiel pode ser incorporada na vida cotidiana de várias maneiras. Além das práticas espirituais, viver segundo os princípios de majestade e ressonância é uma forma poderosa de honrá-lo. Ao agir com percepção espiritual, defender a verdade e a justiça e buscar a ressonância em todas as coisas, você fortalece sua conexão com Hodiel e atrai sua inspiração e apoio.

Participar de comunidades ou grupos que compartilham uma devoção a Hodiel pode ser uma fonte adicional de apoio e inspiração. Esses grupos muitas vezes se reúnem para orações em conjunto, meditações e discussões sobre como aplicar os princípios de majestade e ressonância em suas vidas diárias. Compartilhar experiências e práticas com outros devotos pode enriquecer sua própria jornada espiritual e proporcionar novas perspectivas sobre como honrar e se conectar com Hodiel.

A prática de integrar a majestade e a ressonância das verdades divinas na vida cotidiana pode transformar a percepção e a experiência espiritual. Hodiel inspira a criação de ambientes harmoniosos e sagrados, onde a presença divina pode ser sentida e as verdades celestiais ecoam. Através de sua influência, as pessoas podem aprender a ver o mundo com um olhar mais atento, percebendo as manifestações da majestade divina em todos os aspectos da vida.

Hodiel também atua como um guia para aqueles que buscam aprofundar sua compreensão espiritual. Ele oferece inspiração por meio de sonhos, visões e momentos de clareza espiritual. Muitos relatos indicam que após meditações ou orações direcionadas a Hodiel, as pessoas experimentam insights profundos e uma compreensão renovada das verdades divinas. Esta inspiração divina pode levar a uma maior sabedoria e uma conexão mais profunda com o divino.

A criação de um espaço dedicado a Hodiel em sua casa ou local de trabalho pode servir como um ponto focal para suas práticas devocionais e espirituais. Este espaço pode incluir uma imagem ou estátua de Hodiel, velas brancas ou douradas, cristais e símbolos de ressonância como sinos ou instrumentos musicais. Manter este altar sagrado e oferecer orações e meditações regularmente pode ajudar a manter uma conexão constante com sua força inspiradora.

Além das práticas espirituais, a leitura de textos sagrados e esotéricos que mencionam Hodiel pode oferecer uma compreensão mais profunda de seu papel e influência. Estudar as histórias e atributos de Hodiel pode inspirar e orientar suas próprias ações e decisões. Livros, artigos e outros materiais que exploram a majestade e a ressonância das verdades divinas podem ser recursos valiosos para aqueles que buscam uma conexão mais profunda com este anjo.

Participar de eventos espirituais, como retiros, palestras e seminários sobre percepção espiritual e comunicação divina, é outra maneira de honrar Hodiel. Esses eventos oferecem a oportunidade de se envolver diretamente com ideias inspiradoras e

263

de experimentar a força coletiva de pessoas comprometidas com a elevação espiritual. Compartilhar essas experiências com outros pode fortalecer sua conexão com Hodiel e proporcionar novas inspirações para sua própria jornada.

A música, em particular, é uma forma poderosa de se conectar com a força de Hodiel. Ouvir ou criar músicas que celebram a majestade divina e a ressonância das verdades sagradas pode elevar sua vibração e facilitar uma conexão mais profunda. Existem muitas músicas e cânticos que refletem a beleza e a grandeza do divino, e participar de serviços religiosos ou eventos onde essas músicas são executadas pode ser uma experiência profundamente enriquecedora.

Hodiel também é reconhecido por sua capacidade de ajudar na cura emocional e espiritual através da percepção e da ressonância. A compreensão das verdades divinas pode ser uma forma de liberar emoções reprimidas e encontrar conforto em tempos de dificuldade. Meditar, ouvir música espiritual ou simplesmente passar tempo em contemplação tranquila pode ser maneiras de canalizar a força de Hodiel e encontrar paz interior. Ele inspira a transformação da dor em sabedoria, ajudando as pessoas a encontrar significado e propósito através da compreensão espiritual.

A prática de atos de percepção e ressonância em nome de Hodiel é uma maneira poderosa de honrar sua influência. Isso pode incluir a criação de espaços sagrados, a promoção da harmonia e a defesa da verdade e da justiça. Cada ato de percepção espiritual que você realiza não só honra Hodiel, mas também contribui para a propagação de sua força inspiradora no mundo.

Para aqueles que sentem uma conexão especialmente forte com Hodiel, a consagração pessoal a ele pode ser apropriada. Esta consagração pode ser formalizada por meio de uma oração ou cerimônia pessoal onde você dedica sua vida e ações à majestade e à ressonância das verdades divinas de Hodiel. Esse compromisso pode ser renovado anualmente ou em momentos de necessidade, reforçando sua devoção e conexão espiritual.

A criação de diários espirituais onde você registra suas percepções, insights e experiências relacionadas a Hodiel pode ser uma ferramenta valiosa. Anotar suas reflexões e descobertas ajuda a acompanhar seu progresso espiritual e a identificar padrões em sua jornada de percepção. Este diário serve como um testemunho pessoal da influência de Hodiel em sua vida e uma fonte de inspiração contínua.

A jornada com Hodiel é uma exploração contínua da majestade divina e da ressonância das verdades eternas em todas as suas formas. Sua influência se estende não apenas aos aspectos espirituais, mas também às manifestações físicas e emocionais da vida. Hodiel nos ensina que a verdadeira grandeza está em perceber e ecoar a beleza e a sabedoria divinas em todos os aspectos da existência.

Para aqueles que desejam aprofundar sua conexão com Hodiel, a prática da observação atenta é essencial. Dedicar um tempo para observar a natureza, a arquitetura e as criações humanas com um olhar atento pode revelar novas camadas de beleza e ressonância que antes passavam despercebidas. Hodiel inspira a prática do mindfulness espiritual, onde cada momento se torna uma oportunidade para perceber e ecoar as verdades divinas.

Além da observação, a prática da criação diária pode ser uma forma poderosa de honrar Hodiel. Reservar um tempo todos os dias para se envolver em uma atividade que reflita a majestade divina, seja através da arte, da música ou da escrita, mantém sua força fluindo e fortalece sua conexão com ele. A regularidade dessa prática não só melhora suas habilidades, mas também aprofunda sua percepção espiritual e ressonância.

Os cristais e pedras associados a Hodiel, como o quartzo cristal e a ametista, podem ser incorporados em suas práticas diárias. Estes cristais são reconhecidos por suas propriedades de elevação espiritual e clareza. Manter um desses cristais em seu espaço de meditação ou carregá-los com você pode amplificar sua intenção de conexão com Hodiel. Durante a meditação, segurar um desses cristais pode ajudar a sintonizar-se com a força do anjo, trazendo uma sensação de elevação e clareza espiritual.

A devoção a Hodiel também pode ser expressa através da educação e do aprendizado contínuo. Participar de workshops, cursos e palestras sobre espiritualidade, percepção e comunicação divina pode expandir seu conhecimento e proporcionar novas perspectivas sobre a majestade e a ressonância das verdades divinas. Aprender novas técnicas e explorar diferentes abordagens espirituais sob a influência de Hodiel pode levar a descobertas surpreendentes e a um crescimento pessoal importante.

A colaboração com outros que compartilham uma devoção a Hodiel pode ser uma fonte rica de apoio e inspiração. Formar ou participar de grupos de estudo, meditação ou práticas espirituais centradas na majestade e na ressonância pode ser extremamente enriquecedor. Estes grupos podem se reunir regularmente para discutir ensinamentos espirituais, realizar meditações em grupo e planejar atividades que reflitam os princípios de Hodiel.

Em tempos de bloqueio espiritual ou desmotivação, a invocação de Hodiel pode trazer uma renovação de força e inspiração. Praticar meditações guiadas focadas em desbloquear a percepção espiritual pode ser particularmente útil. Durante essas meditações, visualize Hodiel removendo obstáculos e abrindo novos caminhos para a compreensão e a ressonância espiritual. Sinta a sua força fluindo livremente, trazendo nova clareza e inspiração.

A prática da gratidão é outra forma poderosa de honrar Hodiel. Agradecer por cada percepção e cada revelação espiritual, por menor que seja, cultiva uma mentalidade de apreciação e reconhecimento da presença divina em todas as coisas. Manter um diário de gratidão, onde você registra as belezas percebidas e as verdades compreendidas, pode fortalecer sua conexão com Hodiel e enriquecer sua vida diária.

Participar de rituais sazonais ou festivais dedicados à espiritualidade e à majestade pode ser uma experiência espiritualmente enriquecedora. Estes eventos muitas vezes incluem celebrações, palestras e atividades que honram a percepção espiritual e a presença de Hodiel. Participar desses eventos oferece a oportunidade de renovar seu compromisso com os princípios de majestade e ressonância e de compartilhar essa devoção com outros.

A prática da visualização criativa pode ser uma ferramenta poderosa para se conectar com Hodiel. Visualize um mundo onde a majestade e a ressonância das verdades divinas são valorizadas e celebradas, onde Hodiel guia as ações das pessoas e inspira todos a agir com percepção espiritual. Este tipo de visualização não só fortalece sua conexão com Hodiel, mas também envia uma intenção poderosa para o universo, ajudando a manifestar essas qualidades em sua vida e no mundo ao seu redor.

Ao integrar essas práticas em sua vida, você não apenas fortalece sua conexão com Hodiel, mas também vive segundo os princípios que ele representa. Este caminho de majestade, ressonância e elevação espiritual não é apenas uma devoção espiritual, mas uma maneira de criar um impacto positivo e duradouro no mundo. A presença de Hodiel em sua vida é um lembrete constante de que, com percepção e ressonância, a grandeza divina sempre prevalecerá.

Manter uma conexão profunda e constante com Hodiel envolve um compromisso contínuo com práticas espirituais, ações de percepção e uma mentalidade de ressonância. A jornada com Hodiel é tanto uma busca interior quanto uma manifestação externa de majestade e clareza espiritual. Aqueles que se dedicam a essa devoção encontram não apenas elevação e sabedoria em suas próprias vidas, mas também a capacidade de inspirar e elevar os outros através de suas ações e exemplos.

Uma das formas mais diretas de honrar Hodiel é por meio de ações que demonstram percepção espiritual e ressonância. Isso pode incluir criar espaços harmoniosos e sagrados, promover a beleza e a harmonia em seu ambiente e apoiar outros em suas jornadas de percepção espiritual. Cada ato de percepção espiritual é uma celebração da majestade e uma manifestação da presença de Hodiel. Ao dedicar tempo e força a essas ações, você está honrando Hodiel e atraindo sua força inspiradora.

Além das práticas de percepção, a prática regular de gratidão é essencial. Agradecer a Hodiel por cada revelação e cada percepção espiritual não só fortalece o vínculo com ele, mas também abre espaço para uma maior consciência de suas bênçãos em sua vida. Manter um diário de gratidão, onde você registra momentos em que sentiu a presença e a ajuda de Hodiel, pode ser uma prática poderosa. Este diário serve como um lembrete constante de que você nunca está sozinho em sua busca por majestade e ressonância.

Participar de retiros ou encontros espirituais focados em percepção e elevação espiritual pode proporcionar insights e fortalecer sua prática espiritual. Estes eventos oferecem a oportunidade de aprender com outros devotos e especialistas, trocar experiências e aprofundar sua conexão com Hodiel através de rituais e práticas compartilhadas. A força coletiva de tais encontros pode amplificar a presença de Hodiel e trazer novas dimensões à sua devoção.

A arte e a música também podem ser caminhos para fortalecer sua conexão com Hodiel. Criar ou apreciar obras de arte que representem Hodiel ou que transmitam os temas de majestade e ressonância pode ser uma forma inspiradora de manter sua presença em sua vida diária. Músicas e hinos dedicados a Hodiel podem elevar sua vibração e facilitar uma conexão mais profunda durante suas práticas espirituais.

Outro aspecto importante é a autorreflexão e o autoconhecimento. Hodiel nos ensina a reconhecer e a valorizar nossa própria percepção e capacidade de ecoar as verdades divinas. Praticar a autocompaixão e reconhecer nossas próprias percepções espirituais é crucial. Isso inclui perdoar a si por falhas passadas, aprender com elas e se comprometer a agir com mais percepção e ressonância no futuro.

A colaboração com outros devotos de Hodiel pode criar uma rede de apoio e inspiração. Formar ou participar de grupos de estudo, meditação ou práticas espirituais centradas na majestade e na ressonância pode ser extremamente enriquecedor. Estes grupos podem se reunir regularmente para discutir ensinamentos espirituais, realizar meditações em grupo e planejar atividades que reflitam os princípios de Hodiel.

A tecnologia moderna oferece novas maneiras de se conectar com a comunidade espiritual global. Participar de fóruns online, webinars e grupos de mídia social dedicados a Hodiel e aos temas de percepção e elevação espiritual pode ampliar seu conhecimento e fortalecer sua prática. Estas plataformas permitem a troca de ideias, experiências e práticas entre pessoas de todo o mundo, criando um senso de comunidade e apoio global.

A visualização criativa pode ser uma prática poderosa para se conectar com Hodiel. Visualize um mundo onde a majestade e a ressonância das verdades divinas são valorizadas e celebradas, onde Hodiel guia as ações das pessoas e inspira todos a agir com percepção espiritual. Este tipo de visualização não só fortalece sua conexão com Hodiel, mas também envia uma intenção poderosa para o universo, ajudando a manifestar essas qualidades em sua vida e no mundo ao seu redor.

Ao integrar essas práticas em sua vida, você não apenas fortalece sua conexão com Hodiel, mas também vive segundo os princípios que ele representa. Este caminho de majestade, ressonância e elevação espiritual não é apenas uma devoção espiritual, mas uma maneira de criar um impacto positivo e duradouro no mundo. A presença de Hodiel em sua vida é um lembrete constante de que, com percepção e ressonância, a grandeza divina sempre prevalecerá.

Capítulo 25
Yesodiel
Anjo da Fundação e da Memória

Yesodiel, reconhecido como o Anjo da Fundação e da Memória, é uma entidade divino essencial no reino angélico. Sua criação remonta aos primórdios do universo, quando a estabilidade e a memória começaram a ser manifestas em todas as coisas. Yesodiel foi gerado da pura luz da Criação, uma manifestação do desejo divino de infundir uma base sólida e a capacidade de recordar em todos os aspectos da existência.

Desde sua origem, Yesodiel foi dotado da responsabilidade de manter a coesão e a continuidade no cosmos. Ele desempenha um papel vital na sustentação da ordem divina, assegurando que todas as coisas se mantenham firmemente enraizadas na fundação da verdade e da memória cósmica. Yesodiel é muitas vezes representado com um livro ou pergaminho, simbolizando a preservação das memórias e dos conhecimentos divinos.

O complemento divino de Yesodiel é Akashiel, o anjo guardião dos registros akáshicos, que mantém todas as memórias e eventos do universo. Juntos, Yesodiel e Akashiel formam a base sólida sobre a qual o conhecimento e a história do cosmos são construídos e preservados. Essa união representa o equilíbrio perfeito entre a fundação e a memória, garantindo que nada seja esquecido e que todas as coisas sejam lembradas e mantidas em ordem divina.

Os fractais de alma de Yesodiel são manifestações de sua essência em diversas formas e funções no universo. Esses fractais auxiliam na preservação da memória e na sustentação da estabilidade em todas as esferas da existência. Eles estão presentes em momentos de recordação profunda e em todos os esforços para manter a integridade estrutural de sistemas complexos, tanto no plano físico quanto no espiritual.

Yesodiel desempenha um papel crucial na vida dos seres humanos, ajudando-os a construir fundações sólidas em suas vidas e a preservar suas memórias e experiências importantes. Ele é invocado por aqueles que buscam estabilidade e segurança em suas vidas, oferecendo uma base firme sobre a qual podem construir seus sonhos e aspirações. Yesodiel também é chamado em momentos de reflexão e recordação, ajudando as pessoas a acessar e preservar suas memórias mais preciosas.

Para aqueles que buscam a orientação de Yesodiel, a prática da invocação é fundamental. Acender uma vela azul ou prata, cores associadas à memória e à estabilidade, enquanto se faz uma oração pedindo a intervenção de Yesodiel, pode ser uma forma eficaz de se conectar com sua força. Visualizar Yesodiel com seu livro ou pergaminho e sentir sua presença estabilizadora ao redor pode trazer uma sensação de segurança e clareza mental.

A meditação focada em Yesodiel também pode ser extremamente benéfica. Durante a meditação, visualize-se envolto em uma luz prateada, representando a estabilidade e a memória de Yesodiel. Sinta essa luz preenchendo você com uma sensação de segurança e clareza, capacitando-o a acessar e preservar suas memórias e construir uma base sólida em sua vida. Esta prática não só fortalece a conexão com Yesodiel, mas também traz uma sensação tangível de estabilidade e confiança.

Símbolos associados a Yesodiel, como imagens de livros ou pergaminhos, podem ser usados como amuletos de inspiração. Carregar um pingente com esses símbolos ou colocá-los em locais estratégicos de sua casa pode servir como um lembrete constante da presença estabilizadora de Yesodiel. Esses objetos sagrados ajudam a manter uma conexão contínua com sua força e a reforçar a intenção de buscar estabilidade e preservação em todas as coisas.

Yesodiel também é um mentor para aqueles que ocupam posições de liderança ou que estão em situações onde a estabilidade e a preservação são essenciais. Ele inspira líderes a tomar decisões equilibradas e a agir em prol do bem maior, assegurando a continuidade e a integridade de suas ações. Sob sua influência, muitos encontraram a força e a visão necessárias para implementar mudanças significativas em suas comunidades e na sociedade em geral.

Yesodiel desempenha um papel crucial na manutenção da estabilidade emocional e mental dos seres humanos. Sua presença ajuda a cultivar uma base sólida de confiança e segurança interna, permitindo que as pessoas naveguem pelos desafios da vida com uma sensação de enraizamento e clareza. Ao invocar Yesodiel, indivíduos podem encontrar a força necessária para construir vidas equilibradas e harmoniosas, sustentadas por memórias e experiências que fortalecem sua identidade e propósito.

A prática de rituais para invocar Yesodiel pode ser uma maneira poderosa de acessar sua força estabilizadora. Além de acender velas azuis ou prateadas, você pode criar um altar dedicado a Yesodiel, incluindo itens que simbolizem estabilidade e memória, como cristais de quartzo claro, livros, pergaminhos ou objetos pessoais importantes. Passar tempo neste espaço sagrado, oferecendo orações e meditações, pode ajudar a manter uma conexão constante com Yesodiel e a fortalecer sua influência em sua vida diária.

A meditação é uma ferramenta poderosa para fortalecer a conexão com Yesodiel. Durante a meditação, visualize Yesodiel rodeado por uma aura de luz prateada, segurando um livro ou pergaminho. Sinta essa luz prateada envolvendo você, trazendo uma sensação de calma, estabilidade e clareza. Permita-se mergulhar nesta força, sentindo-se apoiado e enraizado. Esta prática não só ajuda a fortalecer a conexão com Yesodiel, mas também promove uma sensação duradoura de paz e equilíbrio.

Símbolos associados a Yesodiel, como imagens de livros ou pergaminhos, podem ser incorporados em sua vida diária para manter sua influência presente. Carregar um pingente com esses símbolos ou colocá-los em locais estratégicos de sua casa pode servir como um lembrete constante da presença estabilizadora de Yesodiel. Esses objetos sagrados ajudam a manter uma conexão contínua com sua força e a reforçar a intenção de buscar estabilidade e preservação em todas as coisas.

Yesodiel também é um mentor para aqueles que trabalham em áreas onde a estabilidade e a preservação são essenciais, como a educação, a história e a arquivologia. Ele inspira profissionais a tomar decisões equilibradas e a agir em prol do bem maior, assegurando a continuidade e a integridade de suas ações. Sob sua influência, muitos encontraram a força e a visão necessárias para implementar mudanças significativas em suas comunidades e na sociedade em geral.

A leitura de textos sagrados e esotéricos que mencionam Yesodiel pode oferecer uma compreensão mais profunda de seu papel e influência. Estudar as histórias e atributos de Yesodiel pode inspirar e orientar suas próprias ações e decisões. Livros, artigos e outros materiais que exploram a estabilidade e a preservação das memórias podem ser recursos valiosos para aqueles que buscam uma conexão mais profunda com este anjo.

Participar de eventos e palestras que abordam temas de estabilidade, preservação e memória é outra maneira de honrar Yesodiel. Esses eventos oferecem a oportunidade de se envolver diretamente com ideias inspiradoras e de experimentar a força coletiva de pessoas comprometidas com a estabilidade e a preservação. Compartilhar essas experiências com outros pode fortalecer sua conexão com Yesodiel e proporcionar novas inspirações para sua própria jornada.

A música, em particular, pode ser uma forma poderosa de se conectar com a força de Yesodiel. Ouvir ou criar músicas que refletem temas de estabilidade e memória pode elevar sua vibração e facilitar uma conexão mais profunda. Existem muitas músicas e cânticos que celebram a coesão e a preservação, e participar de serviços religiosos ou eventos onde essas músicas são executadas pode ser uma experiência profundamente enriquecedora.

Yesodiel também é reconhecido por sua capacidade de ajudar na cura emocional através da estabilidade e da memória. A prática de revisitar memórias positivas e significativas pode ser uma forma de encontrar conforto e força em tempos de dificuldade. Manter um diário de memórias, onde você registra experiências importantes e aprendizados, pode ajudar a preservar essas lembranças e a fortalecer sua conexão com Yesodiel. Ele inspira a transformação de experiências passadas em lições valiosas, ajudando as pessoas a encontrar significado e propósito através da recordação e da reflexão.

A prática de integrar a estabilidade e a preservação das memórias na vida cotidiana pode transformar a percepção e a experiência pessoal. Yesodiel inspira a criação de espaços harmoniosos e estruturados, onde a memória e a estabilidade podem florescer. Através de sua influência, as pessoas podem aprender a valorizar suas experiências passadas e a construir uma base sólida para o futuro.

Yesodiel atua como um guia para aqueles que desejam aprofundar sua compreensão das memórias e da fundação de suas vidas. Ele oferece inspiração por meio de sonhos, visões e momentos de clareza, ajudando os indivíduos a refletirem sobre suas experiências e a extraírem lições valiosas. Muitos relatam experiências de recordar memórias esquecidas ou de obter insights profundos após meditações, ou orações direcionadas a Yesodiel. Esta inspiração divina pode levar a uma maior compreensão de si e a uma conexão mais profunda com o passado.

A criação de um espaço dedicado a Yesodiel em sua casa ou local de trabalho pode servir como um ponto focal para suas práticas devocionais e espirituais. Este espaço pode incluir uma imagem ou estátua de Yesodiel, velas azuis ou prateadas, cristais e símbolos de memória como livros, pergaminhos ou objetos pessoais importantes. Manter este altar sagrado e oferecer orações e meditações regularmente pode ajudar a manter uma conexão constante com sua força inspiradora.

Além das práticas espirituais, a leitura de textos sobre história, memórias e preservação pode oferecer uma compreensão mais profunda da influência de Yesodiel. Estudar histórias de vida, biografias e memórias pode expandir seu conhecimento e enriquecer suas próprias práticas de reflexão. Livros, artigos e outros materiais que exploram a memória e a fundação podem ser recursos valiosos para aqueles que buscam uma conexão mais profunda com este anjo.

Participar de eventos culturais, como exposições de história, palestras sobre preservação e seminários sobre memórias, é outra maneira de honrar Yesodiel. Esses eventos oferecem a oportunidade de se envolver diretamente com ideias inspiradoras e de experimentar a força coletiva de pessoas comprometidas com a estabilidade e a preservação. Compartilhar essas experiências com outros pode fortalecer sua conexão com Yesodiel e proporcionar novas inspirações para sua própria jornada.

A música, em particular, é uma forma poderosa de se conectar com a força de Yesodiel. Ouvir ou criar músicas que refletem temas de memória e estabilidade pode elevar sua vibração e facilitar uma conexão mais profunda. Existem muitas músicas e cânticos que celebram a coesão e a preservação, e participar de serviços religiosos ou eventos onde essas músicas são executadas pode ser uma experiência profundamente enriquecedora.

Yesodiel também é reconhecido por sua capacidade de ajudar na cura emocional através da estabilidade e da memória. A prática de revisitar memórias positivas e significativas pode ser uma forma de encontrar conforto e força em tempos de dificuldade. Manter um diário de memórias, onde você registra experiências importantes e aprendizados, pode ajudar a preservar essas lembranças e a fortalecer sua conexão com Yesodiel. Ele inspira a transformação de experiências passadas em lições valiosas, ajudando as pessoas a encontrar significado e propósito através da recordação e da reflexão.

A prática de atos de estabilidade e preservação em nome de Yesodiel é uma maneira poderosa de honrar sua influência. Isso pode incluir a criação de espaços organizados e harmoniosos, a preservação de memórias por meio de álbuns de fotos ou diários, e a promoção da estabilidade em sua comunidade. Cada ato de preservação e estabilidade que você realiza não só honra Yesodiel, mas também contribui para a propagação de sua força inspiradora no mundo.

Para aqueles que sentem uma conexão especialmente forte com Yesodiel, a consagração pessoal a ele pode ser apropriada. Esta consagração pode ser formalizada por meio de uma oração ou cerimônia pessoal onde você dedica sua vida e ações à estabilidade e à preservação das memórias de Yesodiel. Esse compromisso pode ser renovado anualmente ou em momentos de necessidade, reforçando sua devoção e conexão espiritual.

A criação de diários de memória onde você registra suas experiências, reflexões e aprendizados pode ser uma ferramenta valiosa. Anotar suas reflexões e descobertas ajuda a acompanhar seu progresso pessoal e a identificar padrões em sua jornada de memória e fundação. Este diário serve como um testemunho pessoal da influência de Yesodiel em sua vida e uma fonte de inspiração contínua.

A jornada com Yesodiel é uma exploração contínua da estabilidade e da memória em todas as suas formas. Sua influência se estende a todos os aspectos da vida, desde as fundações emocionais e mentais até as estruturas físicas e espirituais. Yesodiel nos ensina que a verdadeira estabilidade e segurança vêm de uma base sólida construída sobre as memórias e experiências significativas.

Para aqueles que desejam aprofundar sua conexão com Yesodiel, a prática da reflexão é essencial. Dedicar um tempo para revisitar memórias importantes, refletir sobre experiências passadas e aprender com elas pode fortalecer sua sensação de enraizamento e clareza. Yesodiel inspira a prática do mindfulness refletivo, onde cada memória se torna uma oportunidade para aprender e crescer.

Além da reflexão, a prática da preservação diária pode ser uma forma poderosa de honrar Yesodiel. Reservar um tempo todos os dias para organizar suas memórias, seja através da escrita em um diário, da organização de álbuns de fotos ou da manutenção de registros importantes, mantém sua força fluindo e fortalece sua conexão com ele. A regularidade dessa prática não só melhora sua capacidade de preservar memórias, mas também aprofunda sua sensação de estabilidade e clareza.

Os cristais e pedras associados a Yesodiel, como a selenita e o quartzo claro, podem ser incorporados em suas práticas diárias. Estes cristais são reconhecidos por suas propriedades de clareza e estabilidade. Manter um desses cristais em seu espaço de meditação ou carregá-los com você pode amplificar sua intenção de conexão com Yesodiel. Durante a meditação, segurar um desses cristais pode ajudar a sintonizar-se com a força do anjo, trazendo uma sensação de estabilidade e clareza.

A devoção a Yesodiel também pode ser expressa através da educação e do aprendizado contínuo. Participar de workshops, cursos e palestras sobre história, preservação e memórias pode expandir seu conhecimento e proporcionar novas perspectivas sobre a estabilidade e a fundação. Aprender novas técnicas e explorar diferentes abordagens sob a influência de Yesodiel pode levar a descobertas surpreendentes e a um crescimento pessoal importante.

A colaboração com outros que compartilham uma devoção a Yesodiel pode ser uma fonte rica de apoio e inspiração. Formar ou participar de grupos de estudo, meditação ou práticas espirituais centradas na estabilidade e na preservação pode ser extremamente enriquecedor. Estes grupos podem se reunir regularmente para discutir ensinamentos espirituais, realizar meditações em grupo e planejar atividades que reflitam os princípios de Yesodiel.

Em tempos de bloqueio emocional ou mental, a invocação de Yesodiel pode trazer uma renovação de força e clareza. Praticar meditaçõcs guiadas focadas em desbloquear a memória e a estabilidade pode ser particularmente útil. Durante essas meditações, visualize Yesodiel removendo obstáculos e abrindo novos caminhos para a clareza e a estabilidade. Sinta a sua força fluindo livremente, trazendo nova clareza e enraizamento.

A prática da gratidão é outra forma poderosa de honrar Yesodiel. Agradecer por cada memória e cada experiência significativa, por menor que seja, cultiva uma mentalidade de apreciação e reconhecimento da presença divina em todas as coisas. Manter um diário de gratidão, onde você registra as experiências e memórias importantes, pode fortalecer sua conexão com Yesodiel e enriquecer sua vida diária.

Participar de rituais sazonais ou festivais dedicados à preservação e à memória pode ser uma experiência espiritualmente enriquecedora. Estes eventos muitas vezes incluem celebrações, palestras e atividades que honram a memória e a estabilidade.

Participar desses eventos oferece a oportunidade de renovar seu compromisso com os princípios de estabilidade e preservação e de compartilhar essa devoção com outros.

A prática da visualização criativa pode ser uma ferramenta poderosa para se conectar com Yesodiel. Visualize um mundo onde a estabilidade e a preservação das memórias são valorizadas e celebradas, onde Yesodiel guia as ações das pessoas e inspira todos a agir com clareza e enraizamento. Este tipo de visualização não só fortalece sua conexão com Yesodiel, mas também envia uma intenção poderosa para o universo, ajudando a manifestar essas qualidades em sua vida e no mundo ao seu redor.

Ao integrar essas práticas em sua vida, você não apenas fortalece sua conexão com Yesodiel, mas também vive segundo os princípios que ele representa. Este caminho de estabilidade, preservação e clareza não é apenas uma devoção espiritual, mas uma maneira de criar um impacto positivo e duradouro no mundo. A presença de Yesodiel em sua vida é um lembrete constante de que, com clareza e enraizamento, a estabilidade divina sempre prevalecerá.

Manter uma conexão profunda e constante com Yesodiel envolve um compromisso contínuo com práticas espirituais, ações de preservação e uma mentalidade de clareza e estabilidade. A jornada com Yesodiel é tanto uma busca interior quanto uma manifestação externa de estabilidade e memória. Aqueles que se dedicam a essa devoção encontram não apenas clareza e enraizamento em suas próprias vidas, mas também a capacidade de inspirar e fortalecer os outros através de suas ações e exemplos.

Uma das formas mais diretas de honrar Yesodiel é por meio de ações concretas que demonstram estabilidade e preservação. Isso pode incluir a organização de espaços físicos, a manutenção de registros importantes e a criação de sistemas que promovam a estabilidade e a continuidade. Cada ato de preservação é uma celebração da memória e uma manifestação da presença de Yesodiel. Ao dedicar tempo e força a essas ações, você está honrando Yesodiel e atraindo sua força estabilizadora.

Além das práticas de preservação, a prática regular de gratidão é essencial. Agradecer a Yesodiel por cada memória e cada experiência significativa não só fortalece o vínculo com ele, mas também abre espaço para uma maior consciência de suas bênçãos em sua vida. Manter um diário de gratidão, onde você registra momentos em que sentiu a presença e a ajuda de Yesodiel, pode ser uma prática poderosa. Este diário serve como um lembrete constante de que você nunca está sozinho em sua busca por estabilidade e preservação.

Participar de retiros ou encontros espirituais focados em memória e preservação pode proporcionar insights e fortalecer sua prática espiritual. Estes eventos oferecem a oportunidade de aprender com outros devotos e especialistas, trocar experiências e aprofundar sua conexão com Yesodiel através de rituais e práticas compartilhadas. A força coletiva de tais encontros pode amplificar a presença de Yesodiel e trazer novas dimensões à sua devoção.

A arte e a música também podem ser caminhos para fortalecer sua conexão com Yesodiel. Criar ou apreciar obras de arte que representem Yesodiel ou que transmitam os temas de memória e estabilidade pode ser uma forma inspiradora de manter sua presença em sua vida diária. Músicas e hinos dedicados a Yesodiel podem elevar sua vibração e facilitar uma conexão mais profunda durante suas práticas espirituais.

Outro aspecto importante é a autorreflexão e o autoconhecimento. Yesodiel nos ensina a reconhecer e a valorizar nossas próprias memórias e a capacidade de construir uma fundação sólida. Praticar a autocompaixão e reconhecer nossas próprias experiências significativas é crucial. Isso inclui perdoar a si por falhas passadas, aprender com elas e se comprometer a agir com mais estabilidade e clareza no futuro.

A colaboração com outros devotos de Yesodiel pode criar uma rede de apoio e inspiração. Formar ou participar de grupos de estudo, meditação ou práticas espirituais centradas na estabilidade e na preservação pode ser extremamente enriquecedor. Estes grupos podem se reunir regularmente para discutir ensinamentos espirituais, realizar meditações em grupo e planejar atividades que reflitam os princípios de Yesodiel.

A tecnologia moderna oferece novas maneiras de se conectar com a comunidade espiritual global. Participar de fóruns online, webinars e grupos de mídia social dedicados a Yesodiel e aos temas de memória e estabilidade pode ampliar seu conhecimento e fortalecer sua prática. Estas plataformas permitem a troca de ideias, experiências e práticas entre pessoas de todo o mundo, criando um senso de comunidade e apoio global.

A prática da visualização criativa pode ser uma ferramenta poderosa para se conectar com Yesodiel. Visualize um mundo onde a memória e a estabilidade são valorizadas e celebradas, onde Yesodiel guia as ações das pessoas e inspira todos a agir com clareza e enraizamento. Este tipo de visualização não só fortalece sua conexão com Yesodiel, mas também envia uma intenção poderosa para o universo, ajudando a manifestar essas qualidades em sua vida e no mundo ao seu redor.

Ao integrar essas práticas em sua vida, você não apenas fortalece sua conexão com Yesodiel, mas também vive segundo os princípios que ele representa. Este caminho de memória, estabilidade e clareza não é apenas uma devoção espiritual, mas uma maneira de criar um impacto positivo e duradouro no mundo. A presença de Yesodiel em sua vida é um lembrete constante de que, com clareza e enraizamento, a estabilidade divina sempre prevalecerá.

Capítulo 26
Malkuthiel
Anjo do Reino e da Materialização

Malkuthiel, o Anjo do Reino e da Materialização, desempenha um papel crucial no equilíbrio entre o espiritual e o material. Desde sua criação, sua essência está ligada ao plano físico, facilitando a manifestação das forças divinas na Terra. Esse anjo foi criado a partir da luz primordial, imbuído com a capacidade de transformar ideias e forças espirituais em realidades tangíveis. Sua presença é vital para garantir que os desejos e intenções divinas possam se materializar de maneira harmoniosa no mundo físico.

O complemento divino de Malkuthiel é Shekinah, a presença feminina de Deus. Shekinah é muitas vezes associada à luz divina e à força receptiva e nutridora necessária para a materialização das intenções espirituais. Juntos, eles representam a união perfeita entre o espiritual e o material, o divino e o humano. Enquanto Malkuthiel traz a força ativa da materialização, Shekinah fornece o terreno fértil onde essas intenções podem crescer e florescer.

Os fractais de alma de Malkuthiel são manifestações menores de sua força, atuando como guias e facilitadores da materialização em diversos aspectos da vida humana. Eles ajudam a trazer clareza e foco, permitindo que as pessoas alinhem suas ações com suas intenções mais profundas. Esses fractais atuam em diferentes áreas, desde a criação de projetos até a construção de relacionamentos e a busca de objetivos pessoais.

Para fortalecer a conexão com Malkuthiel, várias práticas podem ser incorporadas à vida diária. A meditação é uma ferramenta poderosa, especialmente quando se concentra em visualizar uma luz dourada brilhante, representando a presença de Malkuthiel. Durante a meditação, imagine essa luz descendo do alto e envolvendo todo o seu ser, trazendo uma sensação de estabilidade e clareza mental. Essa prática pode ajudar a alinhar suas forças com as de Malkuthiel, facilitando a materialização de suas intenções.

Outra prática eficaz é a criação de um espaço sagrado em sua casa dedicado a Malkuthiel. Este espaço pode incluir velas douradas, cristais como o quartzo transparente e elementos que simbolizem prosperidade e crescimento, como plantas ou objetos dourados. Passar tempo nesse espaço, oferecendo orações e meditações, pode ajudar a manter uma conexão constante com a força de Malkuthiel.

Incorporar atos de gratidão e reconhecimento em sua rotina diária também pode fortalecer sua conexão com Malkuthiel. Manter um diário de gratidão, onde você registra todas as coisas que se materializam em sua vida, grandes ou pequenas, é uma prática especialmente eficaz. Expressar gratidão por essas manifestações reforça seu vínculo com Malkuthiel e abre caminho para futuras realizações.

Além disso, a prática de rituais de manifestação durante fases específicas da lua, como a lua nova, pode ser muito benéfica. A lua nova é um momento poderoso para definir novas intenções e começar projetos. Realize um ritual simples, acendendo uma vela dourada e escrevendo suas intenções em um pedaço de papel. Visualize Malkuthiel abençoando suas intenções e ajudando a transformá-las em realidade. Queime o papel na chama da vela como um símbolo de liberação e materialização.

A ação é um componente crucial da materialização, e Malkuthiel inspira a perseverança e a determinação necessárias para superar obstáculos. Estabeleça um plano claro e execute-o com confiança, sabendo que Malkuthiel está ao seu lado, guiando cada passo do caminho. Incorporar rituais e práticas espirituais em sua rotina diária pode fortalecer significativamente sua conexão com este anjo, trazendo mais realização e abundância para sua vida.

Por fim, a reflexão e o compromisso devem ser partes integrantes de sua prática espiritual. Reserve um tempo para refletir sobre as manifestações e bênçãos recebidas, cultivando um senso profundo de gratidão. Expressar essa gratidão, seja por meio de orações, oferendas ou simplesmente em momentos de silêncio, é uma prática poderosa que fortalece o vínculo entre você e Malkuthiel.

Malkuthiel também desempenha um papel vital na criação de um ambiente harmonioso, equilibrando as forças espirituais e materiais em nossa vida cotidiana. Este anjo incentiva a criação de espaços que promovam paz, prosperidade e bem-estar. Ao organizar e harmonizar nossos ambientes, podemos facilitar a materialização dos nossos desejos e intenções de maneira mais eficaz.

Um dos aspectos importantes do trabalho de Malkuthiel é a harmonização dos espaços físicos. Isso pode ser alcançado através da prática do Feng Shui ou de outras técnicas de organização que promovam o fluxo de força positiva. Criar um ambiente que reflita nossas aspirações espirituais e materiais é essencial para permitir que a força de Malkuthiel flua livremente e promova a manifestação de nossos objetivos.

Malkuthiel também nos ensina sobre a relevância do equilíbrio entre trabalho e descanso. Para que a materialização seja eficaz, é fundamental encontrar um ritmo harmonioso que permita tanto a ação quanto a recuperação. Ele nos lembra que o descanso é tão importante quanto a ação para manter a produtividade e a clareza mental. Incorporar momentos de pausa e reflexão em nossa rotina pode fortalecer nossa conexão com este anjo e promover uma vida mais equilibrada.

A prática de visualização é outra ferramenta poderosa recomendada por Malkuthiel. Visualizar nossos objetivos e desejos já realizados pode ajudar a alinhar nossas forças com as forças de materialização. Durante a visualização, imagine-se vivendo a realidade que deseja criar, sentindo as emoções associadas a essa realização e observando os detalhes com clareza. Esta prática pode ser realizada diariamente, preferencialmente pela manhã, ou antes de dormir, quando a mente está mais receptiva.

Além disso, Malkuthiel incentiva o uso de afirmações positivas para reforçar nossas intenções. Afirmações são declarações curtas e poderosas que afirmam a realidade que desejamos criar. Repeti-las regularmente pode ajudar a reprogramar nossa mente subconsciente para aceitar e manifestar essas realidades. Algumas afirmações relacionadas à materialização podem incluir frases como: "Estou em harmonia com o fluxo abundante do universo" ou "Meus objetivos se materializam com facilidade e graça."

Malkuthiel também nos lembra da relevância de agir com integridade e alinhamento com nossos valores. A materialização verdadeira e duradoura ocorre quando nossas ações estão em harmonia com nossos princípios e a ética pessoal. Ele nos encoraja a tomar decisões conscientes e a agir de acordo com nossos valores mais elevados, assegurando que as realizações que manifestamos sejam sustentáveis e benéficas para todos os envolvidos.

Para aqueles que enfrentam desafios na materialização de seus desejos, Malkuthiel oferece orientação e suporte. Ele nos ensina a identificar e remover bloqueios energéticos e mentais que possam estar impedindo o fluxo de força positiva. Práticas como a limpeza energética, a meditação e o trabalho de autorreflexão podem ajudar a liberar essas obstruções e permitir que a força de manifestação flua mais livremente.

Outro aspecto importante do trabalho de Malkuthiel é a paciência. A materialização nem sempre ocorre imediatamente e pode exigir tempo e persistência. Este anjo nos ensina a confiar no processo e a manter a fé, mesmo quando os resultados não são imediatamente visíveis. Ele nos lembra que tudo tem seu tempo e que, com perseverança e confiança, nossas intenções eventualmente se manifestarão.

Em momentos de dúvida ou frustração, é útil lembrar que Malkuthiel está ao nosso lado, guiando e apoiando cada passo do caminho. Pedir sua orientação e suporte através da oração ou da meditação pode trazer uma sensação de paz e renovação, permitindo que continuemos nosso caminho com confiança e determinação.

Por fim, é essencial celebrar as conquistas e manifestações que ocorrem ao longo do caminho. Cada realização, por menor que seja, é um sinal de que estamos alinhados com as forças de materialização e que nossos esforços estão dando frutos. Celebrar essas vitórias e expressar gratidão a Malkuthiel por seu apoio contínuo reforça nossa conexão com ele e abre caminho para futuras manifestações.

A relação entre Malkuthiel e os anjos da guarda de cada pessoa é particularmente significativa na vida cotidiana. Cada indivíduo tem um anjo da guarda designado para proteger e orientar, e Malkuthiel trabalha em estreita colaboração com esses anjos pessoais para amplificar sua influência e eficácia. Quando uma pessoa invoca Malkuthiel, ele não apenas responde diretamente, mas também fortalece o anjo da guarda daquela pessoa, proporcionando uma camada adicional de proteção e suporte.

Os anjos da guarda, sob a liderança de Malkuthiel, são capazes de atuar com maior clareza e poder. Eles recebem força adicional para proteger seus protegidos contra perigos e para guiar em momentos de incerteza. Essa colaboração harmoniosa entre Malkuthiel e os anjos da guarda cria um campo de proteção robusto ao redor de cada pessoa, assegurando que estejam sempre amparados e guiados em suas jornadas.

Para fortalecer essa conexão com Malkuthiel, é essencial entender e praticar certos rituais e orações específicas. Invocar Malkuthiel pode ser feito de várias maneiras, desde simples preces até rituais mais elaborados. Um dos métodos mais comuns é acender uma vela dourada ou branca, cores tradicionalmente associadas a Malkuthiel, enquanto se faz uma oração pedindo sua proteção e orientação. Visualizar a presença de Malkuthiel com sua luz dourada e sua força protetora pode ajudar a intensificar essa conexão, criando uma sensação tangível de segurança e apoio.

Outra prática útil é carregar ou usar símbolos associados a Malkuthiel, como cristais de quartzo ou amuletos dourados. Esses itens servem como lembretes físicos da presença protetora de Malkuthiel e podem ajudar a fortalecer a fé e a confiança em sua proteção. Meditações guiadas focadas em Malkuthiel também são uma excelente maneira de sintonizar-se com sua força, permitindo uma conexão mais profunda e pessoal.

Além disso, a recitação de orações tradicionais dedicadas a Malkuthiel pode ser uma maneira poderosa de invocar sua presença. Essas orações, que remontam a séculos de devoção, carregam uma força acumulada de fé e reverência que pode ser sentida ao serem recitadas com intenção e coração aberto. Um exemplo de oração pode ser: "Malkuthiel, guardião da materialização, guie meus passos e proteja meu caminho. Que sua luz dourada envolva minha vida, trazendo clareza, proteção e prosperidade."

Malkuthiel também nos ensina a relevância da comunidade e do apoio mútuo. Ele nos incentiva a construir e fortalecer nossas redes de apoio, reconhecendo que a colaboração e o suporte mútuo são essenciais para a materialização de nossos objetivos. Participar de grupos de oração, círculos de meditação ou comunidades espirituais pode ser uma maneira poderosa de fortalecer nossa conexão com Malkuthiel e com outros que compartilham nossos valores e intenções.

A prática de atos de caridade e serviço comunitário também está alinhada com os ensinamentos de Malkuthiel. Ao ajudar os outros e contribuir para o bem-estar da comunidade, estamos manifestando a força de materialização de maneira positiva e significativa. Esses atos de bondade e serviço não apenas fortalecem nossa conexão com Malkuthiel, mas também criam um impacto positivo no mundo ao nosso redor.

Além das práticas espirituais e devocionais, é importante manter um equilíbrio entre a mente, o corpo e o espírito. Malkuthiel nos lembra que a saúde e o bem-estar físico são fundamentais para a nossa capacidade de materializar nossos desejos e intenções. Cuidar do corpo por meio de uma alimentação saudável, exercícios regulares e descanso adequado é essencial para manter nossa força em um nível ótimo.

Malkuthiel também nos ensina a relevância da mente clara e focada. Práticas como a meditação, a leitura de textos inspiradores e a reflexão podem ajudar a manter a mente afiada e receptiva às inspirações divinas. A mente é uma ferramenta poderosa na materialização, e manter a clareza e o foco é crucial para o sucesso.

Em momentos de desafio ou dúvida, é útil lembrar que Malkuthiel está sempre presente, oferecendo orientação e suporte. Pedir sua ajuda através da oração ou da meditação pode trazer uma sensação de paz e renovação, permitindo-nos continuar nosso caminho com confiança e determinação.

A gratidão é um componente essencial na conexão com Malkuthiel. Expressar gratidão pelas manifestações e bênçãos que ocorrem ao longo do caminho fortalece nosso vínculo com este anjo e abre caminho para futuras realizações. Manter uma prática regular de gratidão, seja por meio de um diário ou simplesmente em momentos de reflexão, pode ser uma maneira poderosa de honrar e agradecer a Malkuthiel por seu apoio contínuo.

Com essas práticas e princípios, podemos fortalecer nossa conexão com Malkuthiel, permitindo que suas forças de materialização e proteção fluam em nossa vida, trazendo prosperidade, harmonia e realização.

Um exercício prático sugerido por Malkuthiel é criar um quadro de visão ou um mapa de sonhos. Este quadro pode incluir imagens, palavras e símbolos que representam seus objetivos e desejos. Colocá-lo em um lugar onde você possa vê-lo diariamente, ajuda a manter seu foco e a reforçar suas intenções. Cada vez que olhar para o quadro, visualize suas metas já alcançadas, sentindo a alegria e a gratidão por essas realizações.

Além de visualizações, Malkuthiel nos lembra da relevância das afirmações positivas. Repetir afirmações diárias pode ajudar a programar a mente subconsciente para aceitar e manifestar nossos desejos. As afirmações devem ser curtas, claras e no tempo presente, como se o objetivo já tivesse sido alcançado. Por exemplo: "Eu sou próspero e bem-sucedido" ou "Minha vida está em perfeita harmonia."

Malkuthiel também enfatiza a relevância da ação alinhada com nossas intenções. Sonhos e desejos só se tornam realidade quando agimos de acordo com eles. Este anjo nos encoraja a tomar medidas práticas e deliberadas todos os dias para avançar em direção aos nossos objetivos. Isso pode envolver o planejamento detalhado de etapas específicas, a aquisição de habilidades necessárias ou a busca de oportunidades que nos aproximem de nossas metas.

O alinhamento entre pensamento, palavra e ação é essencial para a materialização eficaz. Malkuthiel nos ensina a ser congruentes em todos os aspectos de nossa vida, garantindo que nossos pensamentos, palavras e ações estejam em harmonia com nossos objetivos. Esse alinhamento cria uma corrente poderosa de força que facilita a manifestação de nossos desejos.

Em momentos de dúvida ou desânimo, Malkuthiel oferece sua luz e orientação. Ele nos lembra que a paciência e a perseverança são virtudes fundamentais no processo de materialização. Às vezes, os resultados não são imediatos, mas cada passo que damos nos aproxima de nossos objetivos. Ele nos encoraja a confiar no tempo divino e a manter a fé, mesmo quando enfrentamos obstáculos.

Malkuthiel também nos guia na remoção de bloqueios e resistências que possam estar impedindo a materialização de nossos desejos. Isso pode incluir crenças limitantes, medos ou padrões de pensamento negativos. Ele nos ajuda a identificar e liberar esses bloqueios por meio de práticas de cura e autorreflexão. Técnicas como a terapia energética, a escrita terapêutica ou a consulta com um mentor espiritual podem ser úteis nesse processo.

A criação de um ambiente energético favorável é outra área de atuação de Malkuthiel. Ele nos ensina a relevância de purificar e energizar nossos espaços de vida e trabalho. Isso pode ser feito através do uso de cristais, incensos, velas e outros elementos que promovem a harmonia e a clareza. Manter um ambiente limpo e organizado também é fundamental para permitir o fluxo livre de força positiva.

A gratidão contínua é uma prática essencial para manter a conexão com Malkuthiel. Agradecer regularmente por todas as bênçãos e realizações, grandes ou pequenas, mantém nossa vibração elevada e fortalece nossa fé no processo de materialização. A gratidão abre nosso coração e mente para receber ainda mais abundância e prosperidade.

Para aqueles que buscam um vínculo ainda mais profundo com Malkuthiel, a consagração pessoal a ele pode ser um passo importante. Esta consagração pode ser realizada por meio de uma cerimônia simples, onde você dedica sua vida e ações à orientação e proteção de Malkuthiel. Durante essa cerimônia, você pode fazer uma oração especial, acender uma vela dourada e expressar seu compromisso de seguir os ensinamentos e princípios de Malkuthiel.

Além disso, participar de comunidades espirituais que compartilham uma devoção a Malkuthiel pode enriquecer sua jornada espiritual. Esses grupos oferecem apoio, inspiração e um senso de pertencimento. Compartilhar suas experiências e práticas com outros devotos pode proporcionar novas perspectivas e fortalecer sua fé.

É importante lembrar que a jornada de materialização é contínua e evolutiva. Cada etapa traz novas lições e oportunidades de crescimento. Malkuthiel nos incentiva a celebrar cada conquista e a aprender com cada desafio. Com sua orientação, podemos navegar pelo caminho da materialização com confiança e clareza, sabendo que estamos sempre amparados pela luz divina.

Com essas práticas e princípios, fortalecemos nossa conexão com Malkuthiel e permitimos que suas forças de materialização, proteção e equilíbrio fluam em nossa vida, trazendo prosperidade, harmonia e realização.

A interação contínua com Malkuthiel e a incorporação de suas ensinanças em nossa vida diária podem trazer transformações significativas e duradouras. Além das práticas espirituais mencionadas, é vital cultivar uma atitude de abertura e receptividade às inspirações e orientações que Malkuthiel pode oferecer. Isso pode se manifestar por meio de sinais, sincronicidades ou intuições que nos guiam em direção às nossas metas.

Um dos princípios fundamentais ensinados por Malkuthiel é a relevância de viver no presente. A materialização eficaz requer que estejamos plenamente presentes no momento atual, reconhecendo e aproveitando as oportunidades que surgem. Viver no presente nos permite responder de maneira mais consciente e alinhada às nossas intenções, fortalecendo o processo de manifestação.

Para facilitar essa prática, Malkuthiel sugere a incorporação de técnicas de mindfulness e meditação no cotidiano. Práticas de mindfulness, como prestar atenção plena às atividades diárias e observar os pensamentos sem julgamento, ajudam a manter a mente focada e clara. A meditação regular, especialmente centrada na força de Malkuthiel, pode aprofundar a conexão e trazer maior clareza e intuição.

Outro aspecto essencial é a resiliência emocional. Malkuthiel nos ensina que, ao longo da jornada de materialização, é natural enfrentar desafios e contratempos. A capacidade de manter a calma, a fé e a determinação diante das adversidades é crucial. Ele nos inspira a ver os obstáculos como oportunidades de crescimento e aprendizado, mantendo uma perspectiva positiva e construtiva.

A prática da compaixão e da bondade também está profundamente alinhada com os ensinamentos de Malkuthiel. Ele nos encoraja a agir com empatia e generosidade, não apenas em relação aos outros, mas também consigo mesmos. Ser gentil e compreensivo com nossas próprias imperfeições e falhas é essencial para manter uma força positiva e equilibrada, que favorece a materialização.

Malkuthiel nos lembra da relevância de celebrar nossas conquistas, independentemente do tamanho. Cada passo em direção à realização dos nossos objetivos merece reconhecimento e gratidão. Celebrar as pequenas vitórias cria um ciclo positivo de reforço, aumentando nossa motivação e confiança para continuar avançando.

Para aqueles que buscam aprofundar ainda mais sua conexão com Malkuthiel, a criação de rituais personalizados pode ser muito benéfica. Esses rituais podem incluir elementos que ressoam profundamente com você, como música, arte, dança ou qualquer outra forma de expressão que ajude a canalizar a força de Malkuthiel. A personalização desses rituais torna a prática espiritual mais significativa e poderosa.

Além disso, manter um diário espiritual dedicado a Malkuthiel pode ser uma prática enriquecedora. Registrar suas experiências, insights e progressos ajuda a refletir sobre sua jornada e a reconhecer a orientação contínua de Malkuthiel. Este diário pode incluir orações, meditações, visualizações e qualquer outro aspecto da sua prática espiritual que deseje registrar.

A leitura de textos inspiradores e espirituais que abordem temas de materialização e prosperidade também pode fortalecer sua conexão com Malkuthiel. Livros, artigos e escrituras que exploram esses temas oferecem insights valiosos e novas perspectivas que podem enriquecer sua prática espiritual.

A comunidade é outro aspecto importante do trabalho com Malkuthiel. Envolver-se com grupos ou círculos espirituais que compartilhem uma devoção semelhante pode oferecer suporte, inspiração e um senso de pertencimento. Essas comunidades são espaços onde se pode compartilhar experiências, aprender com os outros e encontrar apoio mútuo.

Malkuthiel também nos ensina sobre a relevância da gratidão contínua. Manter um espírito agradecido abre caminho para a abundância e a prosperidade. A gratidão atrai mais daquilo que valorizamos e apreciamos, criando um ciclo de positivismo e realização. Expressar gratidão diariamente, seja por meio de orações, meditações ou simples reflexões, fortalece nossa conexão com Malkuthiel e com as forças divinas.

Por fim, é essencial lembrar que o trabalho com Malkuthiel é uma jornada contínua de crescimento e transformação. A cada etapa, novas lições e oportunidades se apresentam, permitindo-nos aprofundar nossa compreensão e prática espiritual. Com a orientação de Malkuthiel, podemos navegar por essa jornada com confiança e clareza, sabendo que estamos sempre amparados pela luz divina.

Ao integrar esses princípios e práticas em nossa vida, fortalecemos nossa conexão com Malkuthiel e permitimos que suas

293

forças de materialização, proteção e equilíbrio fluam em nossa existência, trazendo prosperidade, harmonia e realização duradouras.

Capítulo 27
Chamuel
Anjo do Amor Puro e da Compaixão

Chamuel, reconhecido como o Anjo do Amor Puro e da Compaixão, é uma entidade divina cuja criação remonta aos primórdios dos tempos, quando o Criador desejou imbuir o universo com a essência do amor divino. Chamuel foi formado a partir da pura luz do coração divino, uma manifestação tangível do amor incondicional que permeia toda a criação. Sua presença é um farol de luz e esperança, destinado a trazer consolo e cura aos corações aflitos.

Desde a sua criação, Chamuel foi dotado da capacidade de infundir amor e compaixão em todos os seres. Ele atua como um mediador entre o divino e os humanos, facilitando a conexão com a força do amor universal. Representado muitas vezes com uma aura rosada e brilhante, Chamuel é um símbolo de ternura e misericórdia, sempre pronto para oferecer conforto e guiar aqueles que buscam a verdadeira essência do amor.

O complemento divino de Chamuel é Charity, um anjo cujo nome significa caridade. Charity representa a manifestação externa do amor divino por meio de atos de bondade e generosidade. Juntos, Chamuel e Charity formam uma parceria perfeita, onde o amor e a compaixão se materializam em ações benevolentes e altruístas.

Os fractais de alma de Chamuel são inúmeras manifestações de sua essência amorosa espalhadas por todo o universo. Esses fractais são como pequenos fragmentos de luz que carregam a força de Chamuel, tocando os corações das pessoas e inspirando sentimentos de amor, compaixão e empatia. Cada vez que alguém age com bondade ou expressa amor incondicional, está refletindo um fragmento da força de Chamuel em suas ações.

Chamuel tem um papel crucial na vida dos seres humanos, atuando como um guia e protetor do amor e da compaixão. Sua principal função é ajudar as pessoas a encontrarem o amor verdadeiro e a cultivar relações saudáveis e harmoniosas. Chamuel auxilia na cura de corações partidos e no fortalecimento de laços emocionais, promovendo o entendimento e a empatia entre os indivíduos.

Além disso, Chamuel é invocado em momentos de crise emocional, oferecendo consolo e esperança. Sua presença reconfortante ajuda a aliviar a dor e o sofrimento, permitindo que as pessoas encontrem paz e serenidade. Meditar sobre Chamuel ou orar a ele pode trazer uma sensação de calma e clareza, ajudando a superar dificuldades emocionais e a encontrar um caminho para o perdão e a reconciliação.

Chamuel também é reconhecido por ajudar na busca pelo propósito de vida, guiando aqueles que se sentem perdidos ou desorientados. Ele ilumina o caminho com amor e compaixão, permitindo que as pessoas descubram seus verdadeiros desejos e aspirações. Essa orientação é essencial para encontrar a felicidade e a realização pessoal.

Em termos práticos, há várias maneiras de fortalecer a conexão com Chamuel. Uma delas é através da meditação e da visualização, imaginando uma luz rosada envolvendo o coração e irradiando amor e compaixão para si e para os outros. Este exercício pode ser feito diariamente, ajudando a cultivar uma atitude amorosa e compassiva.

A oração também é um meio eficaz de invocar a presença de Chamuel. Orações específicas dedicadas a ele, pedindo por amor e compaixão, podem ser recitadas diariamente. Criar um altar com velas rosas, cristais como quartzo rosa e símbolos de amor pode servir como um ponto focal para suas orações e meditações.

Incorporar atos de amor e compaixão em sua vida diária é uma maneira prática de honrar Chamuel. Pequenos gestos de bondade, como ajudar alguém em necessidade, oferecer um ombro amigo ou simplesmente sorrir para um estranho, refletem a força de Chamuel. Praticar a gratidão e expressar amor e apreço pelas pessoas ao seu redor também fortalece a conexão com este anjo.

Além disso, participar de grupos ou comunidades que promovem o amor e a compaixão pode proporcionar um sentido de pertencimento e apoio. Compartilhar suas experiências e práticas com outros devotos pode enriquecer sua jornada espiritual e oferecer novas perspectivas sobre como cultivar o amor incondicional em sua vida.

É essencial reservar um tempo para refletir sobre o amor e as bênçãos recebidas através da conexão com Chamuel. Expressar gratidão, seja por meio de orações, oferendas ou simplesmente em momentos de silêncio, é uma prática poderosa que fortalece o vínculo com este anjo divino. Para aqueles que sentem uma conexão especialmente forte com Chamuel, considerar uma consagração pessoal a ele pode ser apropriado. Esta consagração pode ser formalizada por meio de uma oração ou cerimônia pessoal, onde você dedica sua vida e ações ao amor e à compaixão promovidos por Chamuel.

A conexão com Chamuel não apenas promove o bem-estar emocional, mas também pode influenciar positivamente a saúde física. Estudos têm mostrado que sentimentos de amor e compaixão podem reduzir o estresse, melhorar a imunidade e aumentar a longevidade. Ao cultivar a força de Chamuel, você está não apenas fortalecendo suas relações emocionais, mas também promovendo a saúde integral do corpo e da mente.

Chamuel também desempenha um papel importante na cura de traumas e feridas emocionais. Muitas pessoas carregam cicatrizes de relacionamentos passados, perdas e decepções. Invocar Chamuel durante momentos de reflexão ou terapia pode ajudar a liberar essas emoções negativas, permitindo que a cura ocorra. Visualizar uma luz rosada envolvendo as áreas de dor emocional pode ser uma prática poderosa para promover a cura e o perdão.

Além das práticas individuais, Chamuel pode ser chamado para ajudar na resolução de conflitos entre pessoas. Se você estiver enfrentando desafios em um relacionamento, seja com um parceiro, amigo ou membro da família, pedir a intervenção de Chamuel pode trazer uma nova perspectiva e facilitar a comunicação. A força de Chamuel promove o entendimento mútuo, a empatia e a disposição para resolver desentendimentos de maneira amorosa e pacífica.

Para aqueles que trabalham em profissões de ajuda, como terapeutas, conselheiros ou cuidadores, Chamuel pode ser um aliado poderoso. Pedir sua orientação antes de uma sessão de terapia ou um encontro importante pode trazer uma sensação de calma e clareza, permitindo que o profissional ofereça apoio com compaixão e eficácia. Além disso, Chamuel pode ajudar a manter o equilíbrio emocional e prevenir o desgaste, proporcionando uma fonte constante de força amorosa.

Uma prática útil para fortalecer a conexão com Chamuel é manter um diário de gratidão e amor. Anotar diariamente três coisas pelas quais você é grato pode aumentar sua vibração de amor e compaixão. Refletir sobre momentos em que você recebeu ou expressou amor também pode ajudar a integrar a força de Chamuel em sua vida cotidiana. Este diário serve como um lembrete constante das bênçãos e da presença do amor divino em sua vida.

A arte e a música são outras formas poderosas de conectar-se com Chamuel. Criar ou apreciar arte que expressa amor e compaixão pode ser uma forma de meditação e invocação. Pintar, desenhar ou ouvir música que ressoe com a força do amor pode elevar seu espírito e abrir seu coração. Cantar mantras ou hinos dedicados ao amor divino também pode ser uma prática eficaz para fortalecer essa conexão.

Participar de eventos e celebrações que promovem o amor e a compaixão também pode ser enriquecedor. Festivais, retiros espirituais e encontros comunitários que têm como foco o cultivo dessas qualidades podem proporcionar um ambiente de apoio e inspiração. Durante esses eventos, a força coletiva de amor e compaixão pode amplificar sua conexão com Chamuel, proporcionando uma experiência profunda de unidade e paz.

Além das práticas espirituais, é importante incorporar o amor e a compaixão nas decisões e ações diárias. Isso inclui tratar-se com amor e respeito, praticando o autocuidado e evitando a autocrítica excessiva. Chamuel nos ensina que para amar plenamente os outros, primeiro devemos aprender a amar a nós mesmos. Isso envolve perdoar-se pelas falhas, celebrar suas qualidades e cuidar de sua saúde física, emocional e espiritual.

Na literatura e nas tradições espirituais, Chamuel é muitas vezes mencionado como o anjo que ajudou a encontrar o amor perdido. Uma das histórias mais conhecidas é a de Adão e Eva, onde Chamuel teria ajudado a reunir o casal após sua expulsão do Jardim do Éden. Esse papel de reconciliação e união é uma das características mais marcantes de Chamuel, simbolizando sua habilidade de restaurar o amor onde ele foi perdido ou enfraquecido.

Os cristais são ferramentas poderosas para amplificar a força de Chamuel. O quartzo rosa, reconhecido como a pedra do amor, é especialmente eficaz para conectar-se com a força de Chamuel. Manter um quartzo rosa em seu espaço de meditação, usá-lo como joia ou colocá-lo sob o travesseiro pode fortalecer a vibração de amor em sua vida. Outros cristais, como a rodonita e a kunzita, também são úteis para promover o amor e a compaixão.

Reconhecer e agradecer as bênçãos do amor em sua vida é fundamental. A gratidão é uma prática poderosa que pode transformar sua perspectiva e atrair mais amor e compaixão. A cada dia, reserve um momento para agradecer ao universo e a Chamuel pelo amor que você recebe e pelo amor que você é capaz de dar. Essa prática não só fortalece sua conexão com Chamuel, mas também eleva sua vibração, criando um ciclo contínuo de amor e gratidão em sua vida.

Chamuel, como anjo do amor puro, também desempenha um papel importante em ajudar as pessoas a encontrarem o amor romântico. Para aqueles que estão procurando um parceiro, invocar Chamuel pode trazer clareza e orientação sobre os relacionamentos. Ele ajuda a abrir o coração para novas possibilidades e a superar medos ou bloqueios emocionais que possam estar impedindo a formação de um vínculo amoroso.

Uma prática recomendada é a criação de um altar dedicado a Chamuel, onde se podem colocar objetos simbólicos como velas rosas, cristais de quartzo rosa e imagens que representem o amor. Passar alguns minutos todos os dias diante desse altar, visualizando e sentindo o amor que você deseja atrair, pode ser uma maneira poderosa de manifestar um relacionamento amoroso. Pedir a orientação de Chamuel durante esse tempo pode trazer insights e oportunidades inesperadas.

Além de ajudar na busca pelo amor romântico, Chamuel também apoia o fortalecimento e a manutenção de relacionamentos existentes. Se você estiver enfrentando dificuldades em um relacionamento, seja ele amoroso, familiar ou de amizade, Chamuel pode oferecer a orientação necessária para resolver conflitos e promover a harmonia. Sua força amorosa ajuda a suavizar tensões e a promover uma comunicação mais aberta e compassiva entre as partes envolvidas.

Chamuel também ensina a relevância do amor-próprio. Muitas vezes, as pessoas se esquecem de que a base de qualquer relacionamento saudável é a capacidade de amar e valorizar a si. Invocar Chamuel para cultivar o amor-próprio pode ter um impacto transformador na maneira como você se relaciona com os outros. Ele pode ajudar a curar feridas emocionais profundas, a liberar a autocrítica negativa e a construir uma autoestima sólida e positiva.

Para aqueles que trabalham em ambientes desafiadores, onde o estresse e os conflitos são comuns, Chamuel pode ser um aliado valioso. Pedir sua intervenção antes de reuniões importantes ou situações potencialmente conflituosas pode trazer uma sensação de calma e promover interações mais harmoniosas. Sua força amorosa pode transformar a dinâmica de um ambiente de trabalho, tornando-o mais cooperativo e colaborativo.

Em termos de práticas devocionais, recitar mantras ou orações dedicadas a Chamuel é uma maneira eficaz de fortalecer sua conexão com ele. Uma oração simples pode ser algo como: "Querido Chamuel, anjo do amor puro, por favor, encha meu coração com sua luz e amor. Ajude-me a espalhar compaixão e bondade em tudo o que faço. Guie-me para encontrar o amor verdadeiro e a viver em harmonia com os outros. Amém." Repetir essa oração diariamente pode ajudar a infundir sua vida com a força amorosa de Chamuel.

Além das práticas espirituais, integrar atos de serviço e bondade em sua rotina diária também reflete a força de Chamuel. Voluntariar-se, ajudar um vizinho ou simplesmente oferecer palavras de apoio a alguém que esteja passando por um momento difícil são maneiras de incorporar o amor e a compaixão em suas ações diárias. Esses gestos não apenas beneficiam os outros, mas também fortalecem sua conexão com a força de Chamuel, criando um ciclo de amor e bondade.

Chamuel é muitas vezes associado ao chakra do coração, o qual é o centro energético responsável pelo amor, compaixão e empatia. Trabalhar para abrir e equilibrar o chakra do coração pode fortalecer a conexão com Chamuel. Práticas como a meditação focada no coração, a visualização de uma luz verde ou rosa brilhando no centro do peito, e o uso de cristais correspondentes ao chakra do coração, como o quartzo rosa e a esmeralda, podem ser beneficentes para essa finalidade. Essas práticas ajudam a liberar bloqueios emocionais e a promover um fluxo de força amorosa mais livre e abundante.

A música também pode ser uma poderosa ferramenta de conexão com Chamuel. Ouvir ou cantar músicas que evocam sentimentos de amor e compaixão pode elevar sua vibração e abrir seu coração. Hinos, mantras e até músicas populares que falam de amor e bondade podem ser incluídos em suas práticas espirituais. Criar uma playlist dedicada a Chamuel pode proporcionar um meio constante de sintonizar-se com sua força.

Participar de grupos de meditação ou círculos de oração focados no amor e na compaixão pode proporcionar uma rede de apoio e inspiração. Compartilhar experiências e práticas com outros devotos de Chamuel pode enriquecer sua jornada espiritual e oferecer novas perspectivas sobre como cultivar o amor incondicional em sua vida. Esses encontros também amplificam a força coletiva de amor, criando um campo poderoso de cura e transformação.

Chamuel também ensina a relevância do perdão como um componente essencial do amor verdadeiro. Guardar ressentimentos e mágoas pode bloquear o fluxo de amor em sua vida. Trabalhar com Chamuel para liberar essas emoções negativas e perdoar a si e aos outros pode abrir caminho para relações mais saudáveis e harmoniosas. Visualizar Chamuel envolto em uma luz rosada, ajudando a transmutar a dor e a raiva em amor e compaixão, pode ser uma prática poderosa de cura.

A prática do amor incondicional, uma das lições mais profundas de Chamuel, envolve amar sem expectativas ou condições. Isso significa oferecer amor livremente, sem esperar nada em troca. Esse tipo de amor pode transformar vidas e curar relacionamentos. Integrar essa prática em sua vida diária, começando com pequenos gestos de bondade e expandindo para ações mais significativas, pode alinhar sua força com a de Chamuel e criar uma vida repleta de amor e compaixão.

Além disso, Chamuel pode ser invocado para manifestar amor e harmonia no ambiente ao redor. Se você sente que seu lar ou local de trabalho precisa de uma força mais amorosa e pacífica, pedir a intervenção de Chamuel pode trazer mudanças positivas. Acender uma vela rosada e fazer uma oração pedindo a presença de Chamuel para harmonizar o espaço pode ser uma prática simples e eficaz. Colocar cristais de quartzo rosa em várias partes do ambiente também pode ajudar a manter uma vibração amorosa constante.

Chamuel é um anjo que trabalha incansavelmente para promover o bem-estar emocional e espiritual. Sua força amorosa é um presente divino que está sempre disponível para aqueles que a buscam. Ao cultivar uma conexão profunda com Chamuel, você não apenas transforma sua própria vida, mas também espalha amor e compaixão para todos ao seu redor, contribuindo para um mundo mais harmonioso e pacífico.

A relação com Chamuel é uma jornada contínua de crescimento e transformação pessoal. À medida que você se aprofunda em suas práticas espirituais, poderá perceber mudanças sutis, mas poderosas em sua vida. A força de Chamuel, sendo pura e amorosa, tem o poder de dissolver medos, curar feridas emocionais e abrir caminhos para novas oportunidades de amor e felicidade.

Uma das formas mais diretas de trabalhar com Chamuel é através da prática da meditação. A meditação focada no amor e na compaixão pode criar uma conexão profunda com este anjo.

Comece encontrando um lugar tranquilo onde você não será interrompido. Sente-se ou deite-se confortavelmente e feche os olhos. Respire profundamente algumas vezes, permitindo que seu corpo relaxe e sua mente se acalme. Visualize uma luz rosada brilhante envolvendo todo o seu corpo, irradiando amor e compaixão. Imagine essa luz se intensificando a cada respiração, preenchendo seu coração com a força de Chamuel.

Enquanto visualiza essa luz, repita mentalmente ou em voz alta: "Chamuel, preencha meu coração com seu amor puro e sua compaixão. Ajude-me a ser um canal de amor e bondade em tudo o que eu faço." Permaneça nesta meditação por pelo menos 10 a 15 minutos, permitindo que a força de Chamuel infunda todo o seu ser. Termine a meditação expressando gratidão pela presença de Chamuel e pela força amorosa recebida.

Além da meditação, a prática de afirmações positivas pode ser extremamente útil para alinhar sua mente e coração com a força de Chamuel. Afirmações são declarações positivas que podem ajudar a reprogramar sua mente para um estado mais elevado de consciência e amor. Algumas afirmações que você pode usar incluem: "Eu sou digno de amor e compaixão," "Eu irradio amor puro em todas as minhas interações," e "Eu sou um canal de amor e bondade." Repetir essas afirmações diariamente pode fortalecer sua conexão com Chamuel e atrair mais amor e compaixão para sua vida.

Para aqueles que desejam aprofundar ainda mais essa conexão, considerar a consagração de um espaço sagrado em casa pode ser muito benéfico. Escolha um canto tranquilo de sua casa e crie um altar dedicado a Chamuel. Inclua itens que simbolizem amor e compaixão, como velas rosas, cristais de quartzo rosa, imagens de corações e flores. Passar tempo neste espaço diariamente, fazendo orações, meditações ou simplesmente sentando-se em silêncio, pode fortalecer sua conexão com Chamuel e criar um ambiente de paz e amor em seu lar.

A prática de enviar amor à distância é outra maneira poderosa de trabalhar com Chamuel. Esta prática envolve concentrar-se em alguém que precisa de amor e compaixão e enviar mentalmente essa força. Imagine a pessoa envolvida em uma luz rosada, sentindo-se amada e protegida. Enviar amor à distância não só beneficia a pessoa que recebe, mas também fortalece sua própria conexão com a força amorosa de Chamuel.

Além das práticas individuais, envolver-se em atividades comunitárias que promovam o amor e a compaixão pode ampliar a influência de Chamuel em sua vida. Voluntariar-se em causas que você acredita, ajudar aqueles em necessidade e participar de grupos de apoio ou círculos de oração são maneiras de viver a mensagem de amor de Chamuel de forma tangível. Essas ações não só beneficiam os outros, mas também aumentam seu próprio sentimento de propósito e conexão espiritual.

Para aqueles que enfrentam desafios específicos no amor e nos relacionamentos, Chamuel pode oferecer orientação prática e emocional. Pedir sua ajuda antes de conversas difíceis ou decisões importantes pode trazer clareza e calma. Sua força pode suavizar tensões e promover uma comunicação mais aberta e honesta. Visualizar Chamuel presente durante essas interações pode ajudar a criar um espaço seguro e amoroso para resolução de conflitos e fortalecimento de laços.

Chamuel também pode ser invocado para superar sentimentos de solidão e isolamento. Em momentos de solidão, pedir a presença de Chamuel pode trazer uma sensação de conforto e pertencimento. Lembrar-se de que você é sempre amado e apoiado pelo universo, independentemente das circunstâncias externas, pode ser profundamente reconfortante. A visualização de estar envolto na luz rosada de Chamuel pode ajudar a dissipar sentimentos de isolamento e a trazer uma sensação de conexão e paz.

A música, como mencionado anteriormente, pode ser uma ferramenta poderosa para sintonizar-se com Chamuel. Criar uma playlist de músicas que evocam sentimentos de amor e compaixão e ouvi-las regularmente pode elevar sua vibração e fortalecer sua conexão com este anjo. Cantar ou tocar instrumentos musicais com a intenção de espalhar amor também pode ser uma prática espiritual profundamente gratificante.

A prática da gratidão é essencial para manter uma conexão forte com Chamuel. Expressar gratidão pelo amor em sua vida, seja ele grande ou pequeno, pode atrair ainda mais amor e compaixão. A cada dia, reserve um momento para agradecer ao universo e a Chamuel pelas bênçãos que você recebe. Esse simples ato de gratidão pode transformar sua perspectiva e abrir seu coração para receber e dar mais amor.

Além de todas as práticas mencionadas, entender a história e os atributos de Chamuel pode enriquecer ainda mais sua conexão com este anjo. Chamuel, cujo nome significa "Aquele que vê Deus" ou "Aquele que busca Deus," é um dos sete arcanjos que estão diante do trono de Deus, de acordo com algumas tradições religiosas. Ele é muitas vezes associado ao planeta Vênus e ao elemento fogo, simbolizando a paixão e o amor divino que ele emana.

Na tradição judaico-cristã, Chamuel é visto como o anjo que ajuda a encontrar objetos e pessoas perdidas, assim como a restaurar relacionamentos quebrados. Sua força é suave, mas poderosa, e sua missão é espalhar amor e compaixão em todos os aspectos da vida humana. Ele é invocado para ajudar em situações de perda, tristeza e desespero, trazendo uma sensação de paz e esperança.

Além disso, Chamuel é muitas vezes representado segurando um coração flamejante, simbolizando o amor ardente e incondicional que ele oferece. Ele é descrito como um anjo radiante com uma aura rosada, refletindo sua natureza amorosa e compassiva. Essas representações visuais podem ser usadas em suas meditações e orações para fortalecer sua conexão com Chamuel e trazer uma sensação de proximidade com sua força.

Em práticas de cura energética, Chamuel pode ser invocado para curar o coração e o chakra cardíaco. O chakra do coração, localizado no centro do peito, é o centro energético responsável pelo amor, compaixão e perdão. Trabalhar para equilibrar e abrir esse chakra pode trazer muitos benefícios emocionais e espirituais. Visualizar uma luz rosada brilhando no centro do peito, irradiando amor e compaixão, é uma prática simples, mas poderosa que pode ser feita diariamente.

Outra maneira de integrar a força de Chamuel em sua vida é através da criação de rituais pessoais. Esses rituais podem ser tão simples ou elaborados quanto você desejar. Acender uma vela rosada, recitar uma oração ou mantra e dedicar alguns momentos para sentir a presença de Chamuel pode ser um ritual diário que fortalece sua conexão com este anjo. Esses momentos de quietude e intenção consciente ajudam a criar um espaço sagrado onde a força de Chamuel pode ser sentida e honrada.

Participar de retiros espirituais ou workshops focados no amor e na compaixão também pode proporcionar uma oportunidade de aprofundar sua conexão com Chamuel. Esses eventos oferecem um ambiente de apoio e aprendizado, onde você pode explorar práticas espirituais em comunidade e receber orientação de facilitadores experientes. O poder coletivo de um grupo focado em promover o amor pode amplificar a presença de Chamuel e criar experiências transformadoras.

Chamuel também nos lembra da relevância de praticar a autocompaixão. Muitas vezes, somos nossos piores críticos e julgamos a nós mesmos com dureza. Invocar Chamuel para cultivar a autocompaixão pode ser uma prática vital para o bem-estar emocional. Tratar-se com a mesma bondade e compreensão que você ofereceria a um amigo pode transformar sua relação consigo mesmo e melhorar sua capacidade de amar os outros.

Além de práticas espirituais e rituais, integrar a filosofia de Chamuel em suas interações diárias pode ter um impacto profundo. Praticar a escuta ativa, mostrar empatia e oferecer ajuda desinteressada são maneiras de viver os ensinamentos de Chamuel. Essas ações não apenas beneficiam aqueles ao seu redor, mas também elevam sua própria vibração e fortalecem sua conexão com a força amorosa de Chamuel.

É importante lembrar que a conexão com Chamuel, assim como com qualquer ser espiritual, é um processo contínuo. Requer paciência, prática e uma intenção sincera de cultivar o amor e a compaixão em sua vida. À medida que você se dedica a essas práticas, perceberá mudanças sutis, mas significativas em sua perspectiva e em suas experiências diárias. A presença de Chamuel trará uma sensação de paz, amor e conexão que pode transformar sua vida de maneiras profundas e duradouras.

Ao encerrar este capítulo, lembre-se de que Chamuel está sempre disponível para oferecer seu amor e compaixão. Seja por meio de meditação, oração, rituais ou ações diárias, você pode invocar sua presença e sentir o impacto transformador de sua força. Que a luz de Chamuel ilumine seu caminho e encha seu coração de amor puro e incondicional.

Capítulo 28
Zophiel
Anjo da Vigilância e da Reflexão

Zophiel, o Anjo da Vigilância e da Reflexão, desempenha um papel crucial no panteão angelical. Seu nome, que significa "Espião de Deus" ou "Observador Divino," reflete sua missão de monitorar e analisar os eventos do cosmos. Zophiel foi criado nos primórdios do universo, quando Deus desejou um ser que pudesse observar e refletir sobre a criação, garantindo que a ordem divina fosse mantida.

Desde sua criação, Zophiel foi dotado de uma sabedoria profunda e uma capacidade de discernimento inigualável. Ele é muitas vezes representado com um olhar penetrante e sereno, observando atentamente tudo ao seu redor. Sua presença traz uma sensação de vigilância e reflexão, ajudando os seres humanos a introspectar e compreender melhor suas ações e pensamentos.

A força de Zophiel é especialmente forte durante momentos de contemplação e meditação, quando as pessoas buscam respostas para suas perguntas internas. Ele guia aqueles que procuram a verdade e a sabedoria, ajudando-os a navegar pelo labirinto de suas próprias mentes e encontrar clareza e propósito.

O complemento divino de Zophiel é Haamiah, o Anjo da Verdade e da Harmonia. Juntos, eles representam o equilíbrio perfeito entre vigilância e verdade, reflexão e harmonia. Haamiah complementa a introspecção de Zophiel com uma clareza de propósito e uma verdade inabalável, criando uma parceria divina que guia os seres humanos em suas jornadas de autoconhecimento.

Os fractais de alma de Zophiel são inúmeras manifestações de sua essência, espalhadas por todo o universo. Esses fractais são seres angelicais menores que compartilham sua missão de promover a vigilância e a reflexão. Eles atuam como extensões de Zophiel, ajudando a espalhar sua força de introspecção por todas as partes do universo. Cada fractal de alma carrega uma parcela da luz de Zophiel, trabalhando silenciosamente nas vidas dos seres humanos para inspirar momentos de reflexão e clareza mental.

Zophiel e seus fractais de alma têm um papel crucial na autoconsciência e na meditação. Eles ajudam as pessoas a se conectar com seus pensamentos mais profundos e a entender melhor suas motivações e desejos. A força de Zophiel é especialmente forte em momentos de confusão e dúvida, oferecendo orientação e uma nova perspectiva.

Para fortalecer a conexão com Zophiel, a meditação é uma prática fundamental. Encontrar um lugar tranquilo, longe das distrações, e dedicar alguns minutos diariamente à introspecção pode ajudar a sintonizar-se com a força de Zophiel. Visualizar uma luz brilhante e serena envolvendo seu corpo, representando a presença de Zophiel, pode trazer uma sensação de calma e clareza.

Além da meditação, a prática de manter um diário de reflexões é extremamente útil. Anotar seus pensamentos, sentimentos e experiências diárias permite um maior autoconhecimento e uma conexão mais profunda com Zophiel. Este diário pode servir como um espelho para sua alma, refletindo suas preocupações, esperanças e sonhos, e ajudando a encontrar respostas para suas perguntas internas.

Zophiel também pode ser invocado por meio de orações específicas, pedindo por clareza e discernimento. Uma oração simples, mas poderosa, pode ser: "Zophiel, anjo da vigilância e da reflexão, guie meus pensamentos e ações. Ajude-me a ver a verdade em todas as situações e a encontrar clareza em meus momentos de dúvida. Esteja comigo enquanto busco entendimento e sabedoria."

Outra maneira eficaz de conectar-se com Zophiel é através da prática de meditação guiada, onde você é levado a um estado de relaxamento profundo e introspecção. Durante essas meditações, você pode visualizar Zophiel ao seu lado, oferecendo orientação e clareza. Essas práticas ajudam a criar um espaço sagrado de reflexão, onde você pode explorar suas preocupações e encontrar respostas em um ambiente seguro e acolhedor.

310

Além das práticas de meditação e oração, a criação de um altar dedicado a Zophiel pode ser uma maneira poderosa de fortalecer sua conexão com este anjo. Um altar pode incluir símbolos que representem vigilância e reflexão, como um espelho, uma vela branca, e cristais como ametista ou quartzo claro, reconhecidos por suas propriedades de claridade mental e espiritual. Passar tempo diante deste altar, especialmente durante momentos de oração ou meditação, pode ajudar a estabelecer uma conexão mais profunda com Zophiel.

A prática da visualização é outra ferramenta poderosa para se conectar com Zophiel. Durante suas meditações, visualize uma luz brilhante e serena descendo sobre você, envolvendo-o em um casulo de luz. Imagine essa luz penetrando em sua mente e coração, trazendo clareza e discernimento. Visualize Zophiel ao seu lado, observando com olhos sábios e compreensivos, guiando você para uma compreensão mais profunda de suas próprias emoções e pensamentos.

Zophiel também é um excelente guia para aqueles que buscam desenvolver habilidades de observação e introspecção. Ele pode ajudar a aprimorar a capacidade de perceber detalhes sutis e de compreender o significado mais profundo das experiências diárias. Invocar Zophiel antes de atividades que requerem concentração e análise, como estudar ou trabalhar em projetos complexos, pode trazer uma clareza mental aprimorada e uma capacidade de focar mais intensamente.

Para aqueles que enfrentam decisões importantes ou momentos de incerteza, a presença de Zophiel pode ser especialmente reconfortante. Pedir sua orientação pode trazer uma nova perspectiva e ajudar a tomar decisões mais informadas e ponderadas. Uma prática útil é escrever as opções e preocupações em um pedaço de papel e colocá-lo no altar dedicado a Zophiel, pedindo sua orientação e clareza. Retornar a essas anotações após um período de reflexão pode revelar insights valiosos que não eram inicialmente aparentes.

Zophiel também pode ajudar a desenvolver uma maior consciência de si e do mundo ao seu redor. Sua força pode ser invocada para aumentar a sensibilidade e a percepção, permitindo uma compreensão mais profunda das dinâmicas interpessoais e das situações diárias. Isso é especialmente útil para aqueles que trabalham em áreas que requerem uma alta sensibilidade emocional, como aconselhamento, terapia ou ensino.

A música pode ser uma ferramenta poderosa para sintonizar-se com a força de Zophiel. Ouvir música calma e introspectiva pode criar um ambiente propício para a meditação e a reflexão. Mantras ou hinos dedicados à sabedoria e à claridade mental também podem ser incluídos em suas práticas espirituais. Cantar ou ouvir essas músicas pode elevar sua vibração e abrir sua mente para a orientação de Zophiel.

Outra prática eficaz é a incorporação de atos de serviço e observação consciente em sua vida diária. Isso pode incluir práticas como prestar atenção plena em suas atividades diárias, estar totalmente presente nas conversas e nas interações com os outros, e dedicar tempo para observar a natureza e o ambiente ao seu redor. Essas práticas não apenas fortalecem sua conexão com Zophiel, mas também promovem uma vida mais consciente e significativa.

Participar de grupos ou comunidades que se dedicam à meditação e à introspecção pode proporcionar um apoio adicional e inspiração. Compartilhar suas experiências e práticas com outros devotos de Zophiel pode enriquecer sua jornada espiritual e oferecer novas perspectivas sobre como cultivar a vigilância e a reflexão em sua vida. Esses encontros também amplificam a força coletiva de introspecção, criando um campo poderoso de crescimento e aprendizado mútuo.

Para aqueles que enfrentam desafios emocionais ou espirituais, Zophiel pode oferecer um apoio compassivo e esclarecedor. Sua presença pode ajudar a iluminar áreas de sombra em sua vida, trazendo à tona questões que precisam ser abordadas e compreendidas. Trabalhar com Zophiel pode promover a cura emocional profunda, ajudando a liberar padrões de pensamento negativos e a desenvolver uma perspectiva mais equilibrada e saudável.

A prática de expressar gratidão pela orientação e clareza recebidas é essencial para manter uma conexão forte com Zophiel. Reservar um momento todos os dias para agradecer pela sabedoria e discernimento que você experimenta pode fortalecer sua relação com este anjo e abrir seu coração e mente para receber ainda mais orientação. A gratidão é uma prática poderosa que pode transformar sua perspectiva e criar um ciclo contínuo de aprendizado e crescimento espiritual.

Para aprofundar ainda mais a conexão com Zophiel, é importante entender o papel deste anjo em diversas tradições e culturas. Zophiel é muitas vezes mencionado em textos esotéricos e religiosos como o guardião dos mistérios divinos e o vigilante das ações humanas. Sua função é observar e registrar os eventos do mundo, assegurando que tudo se alinhe com a ordem divina. Esse papel de observador imparcial e sábio faz de Zophiel um guia ideal para aqueles que buscam a verdade e a clareza.

Em muitas tradições espirituais, Zophiel é invocado durante práticas de divinação e introspecção profunda. Ele é considerado um mestre na arte de ler os sinais e símbolos do universo, ajudando os seres humanos a decifrar as mensagens escondidas em suas vidas cotidianas. Consultar Zophiel através de oráculos, cartas de tarô ou runas pode trazer uma compreensão mais profunda dos desafios e oportunidades que você enfrenta.

Outra maneira de trabalhar com Zophiel é através da escrita reflexiva. Este anjo pode ajudar a liberar bloqueios criativos e a promover uma escrita mais clara e inspirada. Antes de começar a escrever, acenda uma vela branca e peça a orientação de Zophiel. Deixe seus pensamentos fluírem livremente no papel, permitindo que a força de Zophiel guie suas palavras e revele insights valiosos.

A prática do mindfulness, ou atenção plena, é altamente eficaz para se conectar com a força de Zophiel. Mindfulness envolve estar completamente presente no momento, observando seus pensamentos e sentimentos sem julgamento. Esta prática não apenas melhora a autoconsciência, mas também fortalece a capacidade de vigilância e reflexão, alinhando-se perfeitamente com a missão de Zophiel. Dedicar alguns minutos por dia à meditação mindfulness pode trazer uma maior clareza mental e emocional.

Zophiel também é um excelente guia para aqueles que buscam desenvolver habilidades de observação e análise em suas carreiras. Profissionais como cientistas, investigadores e analistas podem se beneficiar enormemente ao invocar a orientação de Zophiel antes de realizar suas tarefas. Sua força pode ajudar a revelar padrões ocultos, a compreender dados complexos e a encontrar soluções inovadoras para problemas difíceis.

A incorporação de rituais de purificação em sua rotina espiritual pode ajudar a manter a clareza e o foco que Zophiel promove. Isso pode incluir banhos de ervas, a queima de incenso de sálvia ou lavanda, e a prática de respiração consciente para limpar a mente e o espírito. Esses rituais ajudam a remover forças negativas e a criar um ambiente propício para a reflexão e a vigilância.

A observação da natureza é outra maneira poderosa de conectar-se com Zophiel. Passar tempo ao ar livre, observando as plantas, os animais e os ciclos naturais, pode trazer uma sensação de paz e introspecção. A natureza é um reflexo da ordem divina, e observar seus padrões pode revelar insights profundos sobre a vida e o universo. Dedicar tempo regularmente para caminhar na natureza, meditar ao ar livre ou simplesmente sentar e observar pode fortalecer sua conexão com Zophiel.

Para aqueles que buscam uma compreensão mais profunda de si, trabalhar com Zophiel pode trazer revelações importantes. Sua força pode ajudar a iluminar aspectos ocultos da psique e a promover uma aceitação mais plena de todas as partes de si. Praticar a autorreflexão com a orientação de Zophiel pode levar a um crescimento pessoal importante e a uma maior paz interior.

Zophiel também nos ensina a relevância de cultivar a paciência e a serenidade. A verdadeira vigilância e reflexão requerem tempo e prática, e Zophiel nos lembra de ser pacientes conosco mesmos enquanto navegamos por nossa jornada espiritual. Reservar tempo para relaxar e simplesmente estar presente, sem a pressão de alcançar resultados imediatos, é uma lição valiosa que Zophiel oferece.

A prática da compaixão e da bondade é essencial para alinhar-se com a força de Zophiel. Ser vigilante e reflexivo não significa ser crítico ou severo, mas sim observar com um coração compassivo e uma mente aberta. Tratar-se e aos outros com gentileza e compreensão é uma maneira poderosa de honrar a presença de Zophiel em sua vida.

Zophiel, como anjo da vigilância e da reflexão, também tem um papel importante na proteção espiritual. Sua capacidade de observar e discernir permite que ele identifique e neutralize forças negativas e influências malignas. Invocar Zophiel para proteção pode criar um escudo energético ao seu redor, mantendo você seguro de influências nocivas e ajudando a manter sua mente e espírito claros.

Uma prática recomendada para invocar a proteção de Zophiel é a criação de um círculo de luz. Antes de dormir ou em momentos de vulnerabilidade, visualize-se envolto em uma luz branca brilhante, reforçada pela presença de Zophiel. Imagine essa luz formando um escudo ao seu redor, repelindo qualquer força negativa ou indesejada. Reforce essa visualização com uma oração pedindo a proteção de Zophiel: "Zophiel, anjo da vigilância, proteja-me com sua luz divina. Afaste de mim todas as forças negativas e mantenha-me seguro sob sua vigilância constante."

Além de sua função protetora, Zophiel pode ser um aliado poderoso na busca por conhecimento espiritual. Ele é muitas vezes associado à revelação de segredos e à compreensão de mistérios esotéricos. Pedir a orientação de Zophiel antes de estudar textos sagrados ou participar de práticas esotéricas pode abrir sua mente para uma compreensão mais profunda e intuitiva.

Para aqueles que estão em uma jornada de autoconhecimento e desenvolvimento espiritual, Zophiel pode oferecer uma orientação valiosa. Sua força pode ajudar a revelar aspectos ocultos da psique e a iluminar áreas de sombra que necessitam de atenção e cura. Trabalhar com Zophiel pode promover um processo de integração interior, onde todas as partes de si são reconhecidas e aceitas.

A prática da escrita automática é uma ferramenta poderosa para canalizar a sabedoria de Zophiel. Para iniciar, encontre um lugar tranquilo e confortável, acenda uma vela e peça a Zophiel que guie sua escrita. Segure uma caneta e papel ou use um dispositivo eletrônico, e permita que suas mãos se movam livremente, escrevendo qualquer coisa que venha à mente. Não se preocupe com a coerência ou a gramática; o objetivo é permitir que a orientação intuitiva de Zophiel flua por meio de você. Revise o que escreveu após a sessão, procurando insights e mensagens que possam ter sido revelados.

Zophiel também pode ser um guia para aqueles que desejam desenvolver habilidades psíquicas. Sua força pode ajudar a abrir o terceiro olho, o centro energético responsável pela intuição e pela visão espiritual. Práticas como a meditação com cristais de ametista, reconhecidos por sua capacidade de abrir o terceiro olho, podem ser feitas em conjunto com invocações a Zophiel para fortalecer suas habilidades intuitivas.

Para aprofundar sua conexão com Zophiel, considere participar de retiros espirituais ou workshops focados em vigilância e reflexão. Esses eventos oferecem a oportunidade de mergulhar profundamente em práticas espirituais e de se conectar com outros buscadores espirituais. A força coletiva de um grupo focado no crescimento espiritual pode amplificar a presença de Zophiel e criar um ambiente de apoio e transformação.

Além disso, Zophiel pode ajudar a desenvolver uma maior empatia e compreensão pelos outros. Sua força de vigilância não é apenas para a introspecção, mas também para observar e entender os outros com um coração compassivo. Trabalhar com Zophiel pode ajudar a melhorar suas habilidades de escuta ativa e empatia, permitindo que você se conecte mais profundamente com os sentimentos e experiências dos outros.

Outra prática recomendada é a criação de mandalas ou desenhos meditativos como forma de sintonizar-se com Zophiel. Desenhar mandalas pode ser uma forma de meditação ativa, ajudando a focar a mente e a promover a clareza. Durante a criação de uma mandala, peça a Zophiel que guie suas mãos e sua mente, permitindo que a força de vigilância e reflexão flua por meio de você.

A prática da gratidão é fundamental para manter uma conexão forte com Zophiel. Expressar gratidão pelas lições e pela orientação recebidas reforça a presença de Zophiel em sua vida. A cada dia, reserve um momento para refletir sobre as bênçãos que você recebeu e para agradecer a Zophiel por sua orientação e proteção. Essa prática não apenas fortalece sua conexão com este anjo, mas também eleva sua vibração e promove um estado de espírito mais positivo e receptivo.

Para aqueles que buscam uma conexão mais profunda e duradoura com Zophiel, a consagração pessoal é uma prática poderosa. Consagrar-se a Zophiel envolve um compromisso consciente de integrar seus ensinamentos e força em todos os aspectos de sua vida. Esse processo pode começar com uma cerimônia simples, onde você expressa sua intenção de trabalhar estreitamente com Zophiel, pedindo sua orientação e proteção contínua.

Uma cerimônia de consagração pode incluir elementos como a queima de incenso, acender velas brancas ou ametistas, e a recitação de uma oração dedicada a Zophiel. Durante a cerimônia, visualize Zophiel ao seu lado, cercando você com sua luz vigilante e reflexiva. Expresse seu compromisso de honrar sua presença e de seguir seus ensinamentos em sua vida diária. Esta prática pode criar um vínculo profundo e sagrado com Zophiel, fortalecendo sua conexão espiritual e trazendo um senso de propósito e direção.

A prática regular de introspecção e autoavaliação é essencial para aqueles que desejam manter uma forte conexão com Zophiel. Reservar tempo semanalmente para refletir sobre suas ações, pensamentos e emoções pode ajudar a manter a clareza e o foco. Pergunte a si como você pode melhorar e alinhar suas ações com seus valores e intenções espirituais. Esta prática não apenas promove o crescimento pessoal, mas também honra a presença de Zophiel em sua vida.

Zophiel também pode ajudar a desenvolver uma maior resiliência emocional. Sua força de vigilância e reflexão pode fortalecer sua capacidade de enfrentar desafios com calma e discernimento. Invocar Zophiel durante momentos de dificuldade pode trazer uma sensação de paz e clareza, ajudando você a encontrar soluções criativas e eficazes para os problemas que enfrenta.

Para aqueles que trabalham em áreas criativas, Zophiel pode ser uma fonte de inspiração e orientação. Pedir a orientação de Zophiel antes de iniciar um projeto criativo pode abrir sua mente para novas ideias e perspectivas. Sua força pode ajudar a desbloquear a criatividade e a promover um fluxo de trabalho mais harmonioso e produtivo.

A prática da visualização criativa é uma maneira eficaz de trabalhar com Zophiel. Visualize-se envolto em uma luz brilhante e clara, representando a presença de Zophiel. Imagine essa luz penetrando em sua mente e coração, iluminando todas as áreas de sombra e trazendo clareza e insight. Esta prática pode ser feita diariamente para fortalecer sua conexão com Zophiel e promover uma maior autoconsciência.

Zophiel também pode ser um guia valioso para aqueles que desejam desenvolver habilidades de liderança. Sua capacidade de observar e analisar pode ajudar a tomar decisões informadas e a liderar com sabedoria e compaixão. Pedir a orientação de Zophiel antes de reuniões importantes ou decisões estratégicas pode trazer uma nova perspectiva e ajudar a ver todas as opções de maneira mais clara.

Para incorporar a força de Zophiel em sua vida diária, considere praticar a atenção plena em suas interações com os outros. Isso envolve estar totalmente presente e atento durante conversas e atividades, observando sem julgamento e respondendo com compaixão e compreensão. Esta prática pode melhorar significativamente suas relações e promover um ambiente mais harmonioso e cooperativo.

A leitura de textos sagrados e espirituais com a intenção de aprofundar sua conexão com Zophiel pode ser uma prática enriquecedora. Escolha livros e escrituras que ressoem com os temas de vigilância e reflexão e dedique tempo para estudar e meditar sobre esses ensinamentos. Peça a Zophiel que guie sua compreensão e revele insights profundos enquanto você lê.

Em conclusão, Zophiel, o Anjo da Vigilância e da Reflexão, oferece uma vasta gama de benefícios para aqueles que buscam sua orientação. Suas práticas e ensinamentos promovem a clareza mental, a autoconsciência e a proteção espiritual. Ao integrar essas práticas em sua vida, você pode desenvolver uma conexão profunda e significativa com Zophiel, trazendo mais sabedoria, discernimento e paz para sua jornada espiritual.

Capítulo 29
Orifiel
Anjo da Floresta e da Natureza

Orifiel, o Anjo da Floresta e da Natureza, foi criado nos primeiros dias da existência, quando a Terra começou a formar sua rica tapeçaria de vida. Segundo antigas tradições, Orifiel foi moldado a partir do espírito primordial da natureza, infundido com a essência dos elementos naturais: terra, ar, fogo e água. Ele foi designado para ser o guardião das florestas e o protetor de todas as formas de vida que nelas habitam.

Desde sua criação, Orifiel tem uma conexão profunda e inquebrantável com o mundo natural. Ele é muitas vezes descrito como uma entidade majestosa, envolta em um manto de folhas verdes e portando um bastão feito de madeira antiga. Sua presença é sentida em cada sopro do vento, no crescimento das árvores e no canto dos pássaros. Orifiel trabalha incansavelmente para manter o equilíbrio e a harmonia na natureza, guiando e protegendo todas as criaturas vivas.

O complemento divino de Orifiel é Amarael, a Anjo das Águas. Juntos, eles representam o equilíbrio perfeito entre terra e água, estabilidade e fluxo. Amarael tempera a força bruta de Orifiel com sua suavidade e adaptabilidade, enquanto Orifiel oferece a firmeza e a estrutura necessárias para que Amarael possa prosperar. A união deles simboliza a interdependência de todos os elementos da natureza, trabalhando em harmonia para sustentar a vida.

Os fractais de alma de Orifiel são numerosos e se manifestam em diversas formas de vida natural, desde as majestosas sequoias até as delicadas flores silvestres. Cada planta, árvore e criatura na floresta carrega uma parte da essência de Orifiel, refletindo sua força e propósito. Esses fractais de alma conectam Orifiel diretamente com o mundo natural, permitindo que ele sinta e responda às necessidades de cada ser vivo sob sua proteção.

Fortalecer a conexão com Orifiel pode ser feito por meio de várias práticas espirituais e atividades na natureza. Meditar ao ar livre, cercado por árvores e plantas, é uma maneira poderosa de se sintonizar com a força de Orifiel. Durante a meditação, visualize uma luz verde-esmeralda envolvendo você, representando a presença protetora de Orifiel. Sinta a força da terra sob seus pés e a força vital das plantas ao seu redor.

Outra prática eficaz é criar um espaço sagrado em sua casa dedicado a Orifiel. Este espaço pode incluir elementos naturais, como pedras, plantas, cristais e imagens de florestas e paisagens naturais. Passar tempo neste espaço, oferecendo orações e meditações, pode ajudar a manter uma conexão constante com a força de Orifiel.

Participar de rituais sazonais e festivais dedicados à natureza pode ser uma maneira poderosa de fortalecer sua devoção a Orifiel. Celebrações como o Dia da Terra, solstícios e equinócios são momentos ideais para honrar Orifiel e renovar seu compromisso com a proteção do meio ambiente. Durante essas celebrações, você pode realizar rituais que envolvem a plantação de árvores, limpeza de espaços naturais ou criação de arte a partir de materiais naturais.

Outro meio poderoso de honrar Orifiel é por meio de atos de serviço ambiental. Voluntariar-se para projetos de conservação, participar de iniciativas de reflorestamento e educar outras pessoas sobre a relevância da preservação ambiental são maneiras práticas de refletir a força de Orifiel em sua vida diária.

A reflexão e a gratidão devem ser partes integrantes de sua prática espiritual com Orifiel. Reservar um tempo para refletir sobre as bênçãos da natureza e expressar gratidão por suas belezas e recursos pode ajudar a cultivar um senso profundo de conexão com Orifiel. Expressar essa gratidão, seja por meio de orações, oferendas ou simplesmente falando com Orifiel em seus momentos de silêncio, é uma prática poderosa que fortalece o vínculo entre você e este anjo divino.

Além das práticas espirituais, Orifiel também nos ensina a relevância de viver em harmonia com a natureza. Isso pode envolver escolhas conscientes e sustentáveis no dia a dia, como reduzir o consumo de plástico, optar por produtos ecológicos e apoiar práticas agrícolas sustentáveis. Cada pequena ação que tomamos para proteger o meio ambiente reflete nosso compromisso com os ensinamentos de Orifiel e ajuda a preservar a beleza e a vitalidade do mundo natural.

Orifiel é um guia poderoso para aqueles que trabalham diretamente com a terra, como agricultores, jardineiros e ambientalistas. Pedir a orientação de Orifiel antes de plantar, cultivar ou cuidar da terra pode trazer uma maior compreensão das necessidades das plantas e do solo. Sua presença pode ajudar a promover colheitas abundantes e saudáveis, além de encorajar práticas agrícolas que respeitem e nutram o ecossistema.

Para aqueles que vivem em áreas urbanas e têm pouco acesso à natureza, Orifiel pode ajudar a criar pequenos oásis naturais em espaços limitados. Plantar um jardim em vasos, cultivar um pequeno canteiro de ervas na varanda ou até mesmo manter plantas de interior são maneiras de trazer a força de Orifiel para o seu ambiente. Esses espaços verdes não apenas embelezam seu lar, mas também proporcionam um ponto focal para meditação e reflexão sobre a conexão com a natureza.

Orifiel também pode ser um aliado valioso em momentos de crise ambiental. Quando desastres naturais ocorrem, como incêndios florestais, inundações ou tempestades, invocar a ajuda de Orifiel pode trazer uma sensação de calma e resiliência. Ele pode guiar esforços de recuperação e restauração, ajudando a curar a terra e as comunidades afetadas. Pedir a intervenção de Orifiel em orações ou meditações pode fortalecer a resposta coletiva e inspirar ações compassivas e eficazes.

Outra maneira de honrar Orifiel é através da prática da arte inspirada na natureza. Pintura, fotografia, escultura e outras formas de expressão artística que capturam a beleza do mundo natural podem ser dedicadas a Orifiel. Criar arte que reflita as paisagens naturais, os animais e as plantas pode ser uma forma de meditação ativa, ajudando a aprofundar sua conexão com este anjo e a celebrar a maravilha da criação divina.

A prática da caminhada meditativa, especialmente em ambientes naturais, é uma maneira eficaz de se sintonizar com a força de Orifiel. Durante essas caminhadas, concentre-se na sua respiração e na sensação de seus pés tocando a terra. Observe as árvores, as plantas e os animais ao seu redor, permitindo-se sentir a presença de Orifiel em cada aspecto da natureza. Essa prática pode trazer uma sensação profunda de paz e união com o mundo natural.

Orifiel também ensina a relevância da paciência e do tempo cíclico da natureza. Assim como as estações mudam e a vida segue seus próprios ritmos naturais, Orifiel nos lembra de respeitar e honrar esses ciclos em nossas próprias vidas. Permitir-se seguir o fluxo natural do tempo, sem apressar ou forçar mudanças, pode trazer uma maior harmonia e equilíbrio.

Para aqueles que buscam aprofundar seu conhecimento sobre a ecologia e a biologia, Orifiel pode oferecer insights e inspiração. Estudar o funcionamento dos ecossistemas, a interdependência das espécies e os processos naturais podem ser uma forma de honrar Orifiel. Sua força pode guiar sua compreensão e inspirar novas formas de proteger e nutrir o meio ambiente.

Além disso, criar rituais pessoais que celebrem a natureza e as estações do ano pode fortalecer sua conexão com Orifiel. Estes rituais podem incluir a criação de altares sazonais, celebrações ao ar livre e a prática de oferendas simbólicas, como plantar sementes ou deixar alimentos para os animais. Esses atos de reverência e celebração ajudam a manter uma relação viva e dinâmica com Orifiel e com o mundo natural.

A prática da gratidão é fundamental para manter uma conexão forte com Orifiel. Expressar gratidão pelas dádivas da natureza, pelas belezas e pelos recursos que ela oferece, fortalece seu vínculo com este anjo e eleva sua vibração. Reservar um momento diário para agradecer a Orifiel e ao mundo natural pode transformar sua perspectiva e trazer uma sensação de paz e contentamento.

A conexão com Orifiel pode ser ainda mais profunda quando incorporamos práticas de permacultura em nossa vida. A permacultura é um sistema de design agrícola que busca criar ambientes sustentáveis e autossuficientes, imitando os padrões e processos naturais. Estudar e implementar princípios de permacultura, como a rotação de culturas, o uso eficiente da água e a criação de ecossistemas diversificados, pode ser uma maneira prática de honrar Orifiel e contribuir para a saúde do planeta.

Orifiel também pode nos guiar na compreensão da interconexão de todos os seres vivos. Ele nos ensina que cada planta, animal e ser humano tem um papel único e valioso no grande ciclo da vida. Reconhecer e respeitar essa interdependência é essencial para viver em harmonia com a natureza. Isso pode se refletir em nossas escolhas alimentares, optando por dietas baseadas em plantas ou sustentáveis, que minimizam o impacto ambiental e promovem a biodiversidade.

Além disso, Orifiel pode ser invocado para curar a terra em locais que sofreram degradação ambiental. Se você mora perto de áreas afetadas por poluição, desmatamento ou outras formas de destruição ambiental, pedir a intervenção de Orifiel pode trazer uma força de cura e restauração. Participar de projetos de restauração ecológica, como plantio de árvores e limpeza de rios, é uma maneira prática de canalizar essa força e fazer uma diferença positiva.

Orifiel também pode ajudar a desenvolver uma maior sensibilidade às forças da terra. Práticas como a geoterapia, que utiliza argilas e minerais para promover a saúde e o bem-estar, podem ser complementadas pela invocação de Orifiel. Sentir a força da terra e trabalhar com seus elementos naturais pode trazer benefícios físicos e espirituais importantes.

Para aqueles que desejam aprofundar sua prática espiritual, a criação de mandalas naturais pode ser uma forma de meditação ativa que honra Orifiel. Recolher pedras, folhas, flores e outros elementos naturais para criar mandalas ao ar livre pode ser uma prática profundamente conectiva. Essas mandalas efêmeras refletem a beleza e a transitoriedade da vida, oferecendo um espaço sagrado para a reflexão e a gratidão.

Orifiel também nos encoraja a cultivar uma relação mais profunda e respeitosa com os animais. Respeitar o habitat natural dos animais, evitar práticas que causam sofrimento ou extinção e apoiar a conservação da vida selvagem são maneiras de honrar a força de Orifiel. Para aqueles que têm animais de estimação, tratar esses companheiros com amor e respeito, reconhecendo sua relevância no círculo da vida, reflete os ensinamentos de Orifiel.

A prática de rituais de oferenda à terra é outra maneira poderosa de fortalecer sua conexão com Orifiel. Esses rituais podem incluir a criação de pequenas oferendas simbólicas, como colocar frutas, flores ou grãos em um altar natural, como uma forma de agradecer à terra e a Orifiel pelas bênçãos recebidas. Esses atos de reverência e gratidão ajudam a criar um ciclo de reciprocidade com a natureza.

Orifiel também nos ensina a relevância da humildade e da simplicidade. Viver de maneira simples, com um mínimo de desperdício e um máximo de respeito pelos recursos naturais, é uma maneira de refletir os valores de Orifiel. A adoção de um estilo de vida minimalista, focado na qualidade em vez da quantidade, pode trazer uma maior sensação de paz e contentamento.

Além das práticas individuais, a criação de comunidades sustentáveis é uma maneira poderosa de refletir os ensinamentos de Orifiel. Participar de ecovilas, cooperativas agrícolas ou grupos de apoio ambiental pode amplificar os esforços individuais e criar um impacto coletivo positivo. Essas comunidades fornecem apoio mútuo e inspiração, promovendo um estilo de vida harmonioso e sustentável.

Por fim, é essencial reservar tempo para contemplação e introspecção na natureza. Passar momentos tranquilos observando as paisagens naturais, ouvindo o som dos pássaros e sentindo a força da terra pode trazer uma profunda sensação de paz e conexão. Esses momentos de silêncio e presença plena permitem que você se sintonize com a sabedoria de Orifiel e encontre clareza e propósito em sua vida.

A horticultura terapêutica é outra prática que pode ser profundamente benéfica. Cultivar um jardim, seja ele grande ou pequeno, pode proporcionar uma conexão direta com a força de Orifiel. Plantar, cuidar e colher suas próprias plantas não só promove a saúde física e mental, mas também fortalece sua relação com o mundo natural. Cada planta que cresce e floresce sob seus cuidados é uma manifestação tangível da força de Orifiel.

Orifiel também pode ser um guia para a prática de ioga ao ar livre. A ioga, combinada com a meditação na natureza, pode ser uma experiência transformadora. Posturas como a "Tadasana" (postura da montanha), que simboliza estabilidade e força, ou a "Vrksasana" (postura da árvore), que reflete crescimento e enraizamento, são especialmente poderosas quando praticadas ao ar livre. Sentir a terra sob seus pés e o ar fresco em seus pulmões enquanto se move e respira conscientemente pode trazer uma profunda sensação de harmonia e conexão com Orifiel.

Além das práticas físicas, Orifiel nos ensina a relevância da conscientização ambiental e da educação. Promover a educação ambiental em sua comunidade, seja por meio de workshops, palestras ou materiais informativos, é uma maneira de disseminar os ensinamentos de Orifiel e inspirar outros a protegerem a natureza. Educar as futuras gerações sobre a relevância da conservação e do respeito pelo meio ambiente é um legado que reflete os valores de Orifiel.

A prática de rituais sazonais é uma maneira significativa de se alinhar com os ciclos naturais e honrar Orifiel. Celebrações como o equinócio de primavera, que marca o renascimento e o crescimento, ou o solstício de inverno, que simboliza introspecção e renovação, podem ser momentos poderosos para refletir sobre a conexão com a natureza. Durante esses rituais, você pode acender velas, fazer oferendas simbólicas e meditar sobre as mudanças que cada estação traz, reconhecendo o papel de Orifiel na sustentação desses ciclos.

Para aqueles que buscam uma prática espiritual mais estruturada, a criação de um diário de natureza pode ser extremamente útil. Use este diário para registrar suas observações sobre o mundo natural, suas meditações e reflexões, e quaisquer insights recebidos de Orifiel. Anotar suas experiências ajuda a solidificar sua prática e a monitorar seu crescimento espiritual. O diário também pode servir como um recurso valioso para revisitar e refletir sobre sua jornada espiritual ao longo do tempo.

A prática da arte inspirada na natureza é outra forma poderosa de se conectar com Orifiel. Pintar, desenhar ou esculpir cenas naturais, animais ou paisagens pode ser uma forma de meditação ativa. Dedicar tempo regularmente para criar arte que reflita a beleza do mundo natural pode aprofundar sua apreciação pela natureza e fortalecer sua conexão com Orifiel.

Orifiel também nos encoraja a participar de iniciativas de conservação e sustentabilidade. Apoiar organizações que trabalham para proteger florestas, rios e ecossistemas pode amplificar seus esforços individuais. Voluntariar-se para projetos de conservação, doar para causas ambientais e participar de campanhas de sensibilização são maneiras práticas de refletir os ensinamentos de Orifiel em sua vida.

A prática da gratidão diária é essencial para manter uma conexão forte com Orifiel. Reservar um momento todos os dias para expressar gratidão pela beleza e pelos recursos da natureza pode transformar sua perspectiva e elevar sua vibração. A gratidão é uma prática poderosa que abre seu coração e mente para a presença constante de Orifiel e para as bênçãos do mundo natural.

Para concluir o capítulo sobre Orifiel, é importante explorar a integração de práticas espirituais com atividades diárias, promovendo uma vida equilibrada e harmoniosa. Orifiel, como guardião da natureza, nos incentiva a cultivar um estilo de vida que respeite e honre o meio ambiente em todas as suas formas.

Uma das formas mais diretas de incorporar a força de Orifiel em sua vida diária é através da alimentação consciente. Optar por alimentos orgânicos, sazonais e de origem local não só promove a saúde pessoal, mas também apoia práticas agrícolas sustentáveis que preservam o equilíbrio dos ecossistemas. Preparar refeições com gratidão e reverência pelos ingredientes naturais reflete o respeito pela abundância que a terra oferece.

Além disso, Orifiel nos ensina a relevância da simplicidade voluntária. Viver de forma simples, minimizando o consumo excessivo e o desperdício, contribui para a proteção dos recursos naturais. Adotar um estilo de vida minimalista, focado no que é realmente essencial e importante, pode trazer uma sensação de paz e liberdade. Este compromisso com a simplicidade também pode se estender ao apoio a produtos e empresas que praticam a sustentabilidade e a responsabilidade ambiental.

Orifiel também pode ser um guia para a prática da jardinagem comunitária. Participar de um jardim comunitário permite que você se conecte com a terra, colabore com outras pessoas e contribua para a produção de alimentos locais. Esses espaços não só promovem a sustentabilidade, mas também fortalecem os laços comunitários e oferecem oportunidades para aprender e compartilhar conhecimentos sobre cultivo e conservação.

A prática da observação consciente na natureza é outra maneira poderosa de honrar Orifiel. Dedicar tempo regularmente para simplesmente observar a vida ao seu redor – as mudanças nas estações, o comportamento dos animais, o crescimento das plantas – pode aprofundar sua conexão com o mundo natural. Esta prática de atenção plena na natureza promove uma sensação de unidade com o ambiente e uma maior apreciação pelas maravilhas da criação divina.

Orifiel nos lembra da relevância de práticas de descanso e renovação. Assim como a natureza tem seus ciclos de atividade e repouso, nós também precisamos equilibrar o trabalho com o descanso. Permitir-se momentos de pausa, relaxamento e contemplação é essencial para manter o bem-estar físico, mental e espiritual. Estes momentos de descanso podem ser dedicados à meditação, leitura, ou simplesmente à apreciação silenciosa da natureza.

A prática de criar um espaço sagrado ao ar livre é altamente recomendada para aqueles que desejam aprofundar sua conexão com Orifiel. Isso pode ser um pequeno altar no jardim, um círculo de pedras ou uma área específica onde você pode se sentar e meditar em comunhão com a natureza. Este espaço sagrado serve como um ponto focal para suas práticas espirituais e oferece um refúgio onde você pode se reconectar com a força de Orifiel.

Além disso, Orifiel nos incentiva a cultivar uma relação respeitosa e harmoniosa com os animais. Respeitar os habitats naturais, apoiar a conservação da vida selvagem e adotar práticas que promovam o bem-estar animal são maneiras de honrar este anjo. Para aqueles que têm animais de estimação, cuidar deles com amor e respeito reflete a força de Orifiel e fortalece sua conexão com o reino animal.

Orifiel também nos guia a cultivar a resiliência em face dos desafios ambientais. Diante de crises ecológicas, a presença de Orifiel pode inspirar ações positivas e inovadoras. Engajar-se em iniciativas de resiliência comunitária, como hortas urbanas, captação de água da chuva e sistemas de força renovável, são maneiras práticas de contribuir para a sustentabilidade e a proteção do meio ambiente.

Por fim, a prática da meditação guiada pode ser uma ferramenta poderosa para aprofundar sua conexão com Orifiel. Durante a meditação, visualize-se em uma floresta exuberante, cercado pela presença protetora de Orifiel. Sinta a força da terra sob seus pés e a vitalidade das plantas ao seu redor. Peça a orientação e a sabedoria de Orifiel, permitindo que sua mente e coração se abram para os ensinamentos deste anjo.

Em resumo, Orifiel, o Anjo da Floresta e da Natureza, oferece um caminho de reconexão com o mundo natural e de promoção da sustentabilidade e do equilíbrio. Integrar suas práticas e ensinamentos em sua vida diária pode trazer uma maior harmonia e bem-estar, tanto para você quanto para o planeta. Ao cultivar uma relação profunda e respeitosa com a natureza, você não apenas honra Orifiel, mas também contribui para a preservação da beleza e da diversidade da criação divina.

Capítulo 30
Barachiel
Anjo da Bênção e da Boa Fortuna

Barachiel, o Anjo da Bênção e da Boa Fortuna, é uma entidade reverenciada no panteão angelical. Seu nome significa "Bênção de Deus," refletindo sua missão de distribuir as bênçãos divinas e trazer boa sorte para a humanidade. A criação de Barachiel remonta aos primórdios dos tempos, quando Deus, em sua infinita sabedoria, desejou um ser que pudesse trazer abundância e bênçãos para todos os seres viventes.

Formado da pura essência da luz divina, Barachiel possui uma força radiante que emana prosperidade e boas fortunas. Desde sua criação, ele foi dotado de uma capacidade única de canalizar as bênçãos de Deus para a Terra, ajudando a criar um ambiente de paz e prosperidade. Barachiel é muitas vezes representado segurando uma cesta de flores, simbolizando as bênçãos que distribui. Sua presença é sentida em momentos de gratidão, celebração e quando os humanos precisam de um impulso de boa sorte em suas vidas.

O complemento divino de Barachiel é Gadiel, o anjo da sorte e das dádivas divinas. Juntos, Barachiel e Gadiel representam a perfeita união das bênçãos e da boa fortuna, simbolizando o poder transformador dessas forças quando trabalhadas em harmonia. Esta parceria angelical reflete a relevância das bênçãos como fonte de prosperidade e bem-estar no mundo. Os fractais de alma de Barachiel são seres angelicais menores que compartilham sua missão de promover a abundância e a boa fortuna. Estes fractais atuam como extensões de Barachiel, ajudando a espalhar sua força benevolente por todas as partes do universo.

Para fortalecer a conexão com Barachiel, a prática da gratidão é essencial. Reservar um momento diário para agradecer pelas bênçãos recebidas pode abrir seu coração para mais abundância e prosperidade. Um diário de gratidão pode ser uma ferramenta valiosa, onde você registra diariamente três coisas pelas quais é grato. Este exercício simples pode transformar sua perspectiva, atraindo ainda mais bênçãos para sua vida.

A criação de um altar dedicado a Barachiel também pode ser uma prática poderosa. Este altar pode incluir velas brancas ou amarelas, cristais como citrino e topázio, e imagens ou símbolos que representem a abundância e a prosperidade. Passar alguns minutos diante deste altar, oferecendo orações e meditações, pode ajudar a manter uma conexão constante com a força de Barachiel.

Participar de celebrações e rituais sazonais que honrem Barachiel é outra maneira de fortalecer sua conexão com este anjo. Festividades como o Dia de Ação de Graças, solstícios e equinócios são momentos ideais para expressar gratidão e pedir as bênçãos de Barachiel. Durante essas celebrações, você pode realizar rituais que envolvem oferendas simbólicas, como flores e frutas, para agradecer pelas bênçãos passadas e pedir por futuras.

Outra maneira de honrar Barachiel é por meio de atos de caridade e generosidade. Doar tempo, recursos ou habilidades para ajudar os outros é uma forma prática de refletir a força de Barachiel em sua vida. A caridade não só beneficia aqueles que recebem, mas também abre seu coração para receber mais bênçãos. Cada ato de bondade e generosidade ressoa com a força de Barachiel, criando um ciclo contínuo de dar e receber.

Para aqueles que enfrentam desafios financeiros ou buscam aumentar a prosperidade em suas vidas, invocar a ajuda de Barachiel pode trazer uma nova perspectiva e oportunidades inesperadas. Pedir sua orientação antes de tomar decisões financeiras importantes pode trazer clareza e uma sensação de segurança. Visualizar Barachiel ao seu lado, guiando suas ações e decisões, pode proporcionar uma sensação de apoio e confiança.

A música e a arte também podem ser ferramentas poderosas para conectar-se com Barachiel. Criar ou apreciar obras de arte que celebram a abundância e a beleza da vida pode elevar sua vibração e fortalecer sua conexão com este anjo. Música alegre e edificante, especialmente aquelas que inspiram sentimentos de gratidão e alegria, podem ser incluídas em suas práticas espirituais para invocar a presença de Barachiel.

Por fim, a prática da visualização pode ser extremamente eficaz. Visualize-se rodeado por uma luz dourada e brilhante, representando a presença de Barachiel. Imagine esta luz preenchendo seu ser com prosperidade e boas fortunas, removendo quaisquer bloqueios e abrindo caminho para a abundância. Esta prática pode ser feita diariamente para manter sua conexão com Barachiel e atrair mais bênçãos para sua vida.

Além das práticas já mencionadas, a conexão com Barachiel pode ser aprofundada por meio de rituais específicos de bênção. Um exemplo é o ritual de bênção matinal, onde ao acordar, você dedica alguns minutos para agradecer a Barachiel pelas bênçãos do novo dia. Acenda uma vela e recite uma oração ou afirmação de gratidão e prosperidade, visualizando seu dia repleto de oportunidades e boa fortuna. Esta prática não apenas fortalece sua conexão com Barachiel, mas também estabelece um tom positivo e aberto para o restante do dia.

Barachiel também pode ser invocado para abençoar eventos especiais, como casamentos, nascimentos e novas empreitadas. Pedir sua presença durante esses momentos pode trazer uma sensação de paz e segurança, garantindo que a força divina flua abundantemente. Para isso, você pode preparar um espaço sagrado no local do evento, decorado com flores e velas, e fazer uma oração pedindo as bênçãos de Barachiel para todos os presentes.

A prática de meditação guiada é outra forma eficaz de se conectar com Barachiel. Durante a meditação, visualize-se em um campo florido, onde Barachiel aparece com sua cesta de flores. Sinta a presença acolhedora e amorosa deste anjo, enquanto ele espalha flores ao seu redor, cada uma simbolizando uma bênção ou um presente divino. Permita-se absorver essa força positiva, sentindo-se rejuvenescido e abençoado.

Além das práticas individuais, Barachiel incentiva a criação de comunidades focadas na generosidade e no apoio mútuo. Participar de grupos ou organizações que promovem a caridade e a filantropia pode amplificar as bênçãos recebidas e distribuídas. Esses ambientes de apoio coletivo não apenas fortalecem a conexão com Barachiel, mas também criam redes de positividade e abundância que beneficiam todos os envolvidos.

A integração de cristais específicos em suas práticas espirituais pode amplificar a força de Barachiel. Cristais como citrino, pirita e topázio são reconhecidos por suas propriedades de atração de prosperidade e abundância. Manter esses cristais próximos, usá-los como joias ou incorporá-los em seus altares pode fortalecer sua intenção de atrair boa fortuna e bênçãos.

Orar para Barachiel em momentos de necessidade é uma prática reconfortante. Em tempos de incerteza ou dificuldade, pedir a intervenção de Barachiel pode trazer clareza e soluções inesperadas. Uma oração simples pode ser: "Barachiel, anjo da bênção e da boa fortuna, ilumine meu caminho com suas bênçãos. Guie-me para a abundância e a prosperidade, e ajude-me a ver as oportunidades divinas em minha vida."

A prática da gratidão, mencionada anteriormente, pode ser ampliada por meio de exercícios de gratidão em grupo. Reunir amigos ou familiares para compartilhar pelo que são gratos cria um ambiente de positividade e reconhecimento mútuo. Esses encontros podem ser regulares, como jantares mensais de gratidão, onde cada participante expressa suas bênçãos e reflete sobre a generosidade de Barachiel.

Barachiel também pode ser invocado para proteger e abençoar o lar. Um ritual simples de bênção do lar pode envolver a passagem por cada cômodo com uma vela acesa, pedindo a Barachiel para abençoar e proteger aquele espaço. Salpicar água benta ou ervas de proteção, como alecrim e lavanda, também pode reforçar essa intenção. Este ritual não apenas purifica o ambiente, mas também infunde o lar com uma força de prosperidade e segurança.

Para aqueles que enfrentam decisões importantes ou mudanças significativas, pedir a orientação de Barachiel pode trazer uma nova perspectiva e tranquilidade. Visualizar Barachiel ao seu lado, oferecendo conselhos e espalhando bênçãos, pode ajudar a aliviar a ansiedade e a incerteza. Anotar suas preocupações e pedir a orientação de Barachiel antes de dormir pode resultar em sonhos reveladores ou insights ao acordar.

A prática de dar e receber presentes com intenção também é uma forma de honrar Barachiel. Oferecer presentes com um coração aberto, sem expectativas, reflete a generosidade deste anjo. Receber presentes com gratidão e reconhecimento das bênçãos divinas também fortalece sua conexão com Barachiel. Este ciclo de dar e receber promove um fluxo contínuo de abundância e prosperidade em sua vida.

Por fim, cultivar a alegria em sua vida é uma maneira de honrar Barachiel. Participar de atividades que tragam felicidade e realização, seja através da arte, da música, do esporte ou de hobbies, eleva sua vibração e atrai mais bênçãos. A alegria é um estado natural que ressoa profundamente com a força de Barachiel, promovendo um ambiente onde a boa fortuna pode florescer.

Barachiel também é reconhecido por sua capacidade de trazer cura emocional e espiritual. Sua força amorosa pode ajudar a liberar bloqueios emocionais e promover a paz interior. Uma prática recomendada é a visualização de cura, onde você se imagina envolto em uma luz dourada, representando a presença de Barachiel. Sinta essa luz penetrando em seu corpo, curando feridas emocionais e trazendo uma sensação de bem-estar e tranquilidade.

Para aqueles que buscam sucesso e realização em suas carreiras, Barachiel pode oferecer orientação e apoio. Pedir a ajuda de Barachiel antes de reuniões importantes, apresentações ou decisões de carreira pode trazer uma sensação de confiança e clareza. Visualizar Barachiel ao seu lado durante esses momentos pode fortalecer sua resolução e atrair oportunidades de crescimento e sucesso.

A criação de um espaço de trabalho que reflita a força de Barachiel também pode ser benéfica. Decorar seu escritório ou área de trabalho com símbolos de prosperidade, como plantas, cristais e imagens de abundância, pode atrair força positiva e promover um ambiente de produtividade e criatividade. Manter uma vela acesa ou um incenso queimando pode ajudar a limpar a força do espaço e manter a conexão com Barachiel.

Orar para Barachiel em momentos de transição, como mudanças de emprego ou mudança de residência, pode trazer uma sensação de paz e orientação. Pedir suas bênçãos para essas novas etapas pode ajudar a garantir uma transição suave e bem-sucedida. Uma oração simples pode ser: "Barachiel, abençoe esta nova fase da minha vida com prosperidade e sucesso. Guie-me com sua luz e proteja-me em cada passo do caminho."

Para aqueles que buscam aumentar sua prosperidade financeira, Barachiel pode ser um aliado poderoso. Práticas de visualização financeira, onde você imagina seu fluxo de dinheiro aumentando e suas finanças florescendo, podem ser complementadas com orações a Barachiel. Pedir a sua orientação em investimentos e decisões financeiras pode trazer insights valiosos e oportunidades inesperadas.

Participar de círculos de oração ou grupos de meditação dedicados a Barachiel pode amplificar as bênçãos recebidas. A força coletiva de um grupo focado na gratidão e na prosperidade pode criar um ambiente poderoso de manifestação. Durante essas reuniões, compartilhar experiências e expressar gratidão coletiva fortalece a conexão com Barachiel e promove um sentimento de comunidade e apoio mútuo.

A prática de rituais de bênção sazonais também pode ser incorporada em sua rotina espiritual. Cada estação do ano traz suas próprias forças e oportunidades de bênção. Durante a primavera, por exemplo, você pode pedir a Barachiel para abençoar novos começos e projetos. No verão, pedir bênçãos de crescimento e expansão. No outono, focar em gratidão e colheita, e no inverno, pedir por introspecção e preparação para o novo ciclo.

A arte da manifestação, onde você define intenções claras e pede a ajuda de Barachiel para realizá-las, pode ser extremamente eficaz. Escrever suas intenções em um papel e colocá-lo em seu altar dedicado a Barachiel é uma maneira de focar sua força e intenção. Revisitar essas intenções regularmente e expressar gratidão pelas bênçãos já recebidas fortalece o processo de manifestação.

Orar para Barachiel antes de dormir pode trazer sonhos reveladores e insights. Pedir a sua orientação durante o sono pode abrir a porta para mensagens importantes e soluções criativas. Manter um diário de sonhos ao lado da cama para anotar quaisquer sonhos ou inspirações pode ser uma prática útil. Revisar essas anotações pode revelar padrões e mensagens relevantes para suas intenções e desejos.

A prática de generosidade consciente, onde você dá com a intenção de criar um impacto positivo, também honra Barachiel. Oferecer seu tempo, recursos ou habilidades para causas que ressoam com seus valores promove um ciclo de força positiva. A generosidade não apenas beneficia os outros, mas também abre seu coração para receber mais bênçãos. Este ato de dar e receber fortalece sua conexão com Barachiel e cria um fluxo contínuo de abundância em sua vida.

Por fim, cultivar a alegria e a gratidão diária é essencial para manter uma conexão forte com Barachiel. Participar de atividades que tragam felicidade e realização, seja através da arte, da música, do esporte ou de hobbies, eleva sua vibração e atrai mais bênçãos. A gratidão e a alegria são estados naturais que ressoam profundamente com a força de Barachiel, promovendo um ambiente onde a boa fortuna pode florescer.

Barachiel também pode ser invocado para trazer harmonia e bênçãos aos relacionamentos pessoais. Se você está buscando melhorar a dinâmica com amigos, familiares ou parceiros, pedir a orientação de Barachiel pode promover entendimento, empatia e amor. Durante momentos de tensão ou conflito, visualize Barachiel derramando sua luz dourada sobre todos os envolvidos, ajudando a dissolver mal-entendidos e a promover a paz.

Uma prática útil é criar um ritual de bênção para os relacionamentos. Acenda uma vela e coloque uma foto ou símbolo que represente a relação que você deseja abençoar. Recite uma oração pedindo a Barachiel para trazer harmonia, amor e compreensão para essa relação. Visualize a luz de Barachiel envolvendo você e a outra pessoa, curando feridas e fortalecendo os laços.

Barachiel também incentiva a prática da autocompaixão e do autocuidado. Reconhecer a relevância de cuidar de si é fundamental para manter um equilíbrio saudável. Práticas como a meditação, a ioga, banhos relaxantes e momentos de lazer são maneiras de honrar sua própria necessidade de renovação e bem-estar. Pedir a Barachiel para abençoar esses momentos de autocuidado pode amplificar os benefícios e trazer uma sensação profunda de paz.

Para aqueles que desejam manifestar sonhos e objetivos, Barachiel pode oferecer suporte e orientação. Criar um quadro de visão (vision board) é uma prática eficaz para focar suas intenções. Encha o quadro com imagens e palavras que representem seus desejos e objetivos, e coloque-o em um local onde você possa vê-lo diariamente. Peça a Barachiel para abençoar e guiar cada passo em direção à realização desses sonhos.

A prática da gratidão não se limita apenas ao que você já possui, mas também ao que está por vir. Agradecer antecipadamente pelas bênçãos que você espera receber pode ser uma prática poderosa. Essa atitude de confiança e fé na abundância que Barachiel traz fortalece sua conexão com ele e abre caminho para a manifestação de mais bênçãos.

Orar para Barachiel pode ser especialmente benéfico durante momentos de transição e novos começos. Se você está iniciando um novo emprego, mudando de casa ou começando um novo projeto, pedir a bênção de Barachiel pode trazer uma sensação de segurança e sucesso. Uma oração simples pode ser: "Barachiel, abençoe este novo capítulo da minha vida. Guie-me com sua luz e proteja-me em cada passo do caminho. Que eu receba suas bênçãos em abundância."

Para aqueles que enfrentam dificuldades de saúde, Barachiel pode ser invocado para trazer cura e força. Visualizar a luz dourada de Barachiel envolvendo a área do corpo que precisa de cura pode ser uma prática poderosa. Pedir a sua ajuda para fortalecer seu sistema imunológico, aliviar a dor ou promover a recuperação pode trazer uma sensação de conforto e esperança.

Além disso, Barachiel pode ser um guia valioso na prática da meditação de gratidão. Esta prática envolve sentar-se em um lugar tranquilo e focar em tudo pelo que você é grato. À medida que você medita, visualize Barachiel ao seu lado, amplificando esses sentimentos de gratidão e espalhando bênçãos em sua vida. Essa meditação pode elevar sua vibração e atrair mais coisas pelas quais scr grato.

Barachiel também nos incentiva a cultivar a abundância em nossas mentes. A mentalidade de abundância, ao contrário da mentalidade de escassez, foca no que é possível e nas infinitas oportunidades disponíveis. Praticar afirmações diárias que reforcem essa mentalidade pode ser transformador. Afirmações como "Eu sou digno de todas as bênçãos que o universo oferece" e "Eu atraio abundância em todas as áreas da minha vida" ressoam com a força de Barachiel.

A prática de rituais de purificação, como a queima de ervas ou a utilização de cristais de limpeza, também pode ajudar a manter um ambiente propício para a prosperidade. Pedir a Barachiel para purificar sua casa ou espaço de trabalho de forças negativas e preenchê-los com sua luz abençoada cria um ambiente onde a boa sorte pode florescer. Manter esses espaços limpos e energeticamente equilibrados é fundamental para atrair e manter a abundância.

Por fim, participar de grupos de apoio ou redes de gratidão pode amplificar a força positiva em sua vida. Compartilhar suas experiências e bênçãos com outros, e ouvir sobre as bênçãos dos outros, cria uma rede de apoio e inspiração. Essas interações não só fortalecem sua conexão com Barachiel, mas também criam uma comunidade de gratidão e prosperidade mútua.

Barachiel, como anjo da bênção e da boa fortuna, também nos ensina a relevância de reconhecer e celebrar as pequenas bênçãos do cotidiano. Às vezes, estamos tão focados nos grandes objetivos e sonhos que esquecemos de apreciar as pequenas alegrias e sucessos que compõem nossa vida diária. Pedir a Barachiel para abrir nossos olhos para essas bênçãos menores pode trazer uma nova perspectiva de gratidão e contentamento.

Uma prática útil para cultivar essa consciência é a criação de um frasco de bênçãos. Sempre que algo positivo ou gratificante acontecer, escreva-o em um pedaço de papel e coloque-o no frasco. Pode ser algo simples, como um belo pôr-do-sol, uma conversa agradável, ou um ato de bondade que você presenciou. Periodicamente, reserve um momento para abrir o frasco e ler essas notas, lembrando-se de todas as pequenas bênçãos que ocorreram ao longo do tempo. Este ritual não só reforça a gratidão, mas também fortalece sua conexão com Barachiel.

A conexão com Barachiel também pode ser aprofundada através da prática de peregrinações espirituais. Visitar locais sagrados ou naturais que evocam sentimentos de paz e inspiração pode trazer uma sensação de renovação e bênção. Durante essas peregrinações, dedicar momentos de silêncio e oração a Barachiel, pedindo sua orientação e proteção, pode ser uma experiência profundamente transformadora.

Barachiel nos incentiva a reconhecer o poder das palavras e das intenções. A maneira como nos comunicamos com os outros e conosco mesmos pode influenciar nossa força e a força ao nosso redor. Praticar uma comunicação consciente, onde você escolhe palavras que elevem, inspirem e tragam positividade, reflete a força abençoada de Barachiel. Evitar a negatividade e focar em expressões de amor, gratidão e encorajamento pode transformar suas interações e atrair mais bênçãos.

Para aqueles que buscam uma vida equilibrada e harmoniosa, Barachiel pode ajudar a encontrar o equilíbrio entre dar e receber. Muitas vezes, nos concentramos em dar aos outros e esquecemos de receber com gratidão e alegria. Pedir a orientação de Barachiel para equilibrar esses aspectos em sua vida pode criar um fluxo harmonioso de força. Lembre-se de que receber também é uma forma de honrar as bênçãos que Barachiel oferece.

A prática da meditação com mantras dedicados a Barachiel pode ser uma maneira eficaz de fortalecer sua conexão. Repetir mantras como "Eu sou abençoado por Barachiel" ou "A boa fortuna de Barachiel me cerca" durante a meditação pode ajudar a alinhar sua mente e espírito com as forças de bênção e prosperidade. Essa prática regular pode criar uma profunda sensação de paz e segurança, sabendo que você está sob a proteção e orientação de Barachiel.

Barachiel também nos ensina a relevância de criar um legado de bênçãos. Pensar em como suas ações e escolhas impactam as futuras gerações, é um aspecto importante de sua força. Trabalhar para deixar um legado positivo, seja por meio de atos de caridade, ensinamentos ou simplesmente vivendo de maneira exemplar, reflete a missão de Barachiel de espalhar bênçãos e boa fortuna.

A criação de um jardim dedicado a Barachiel pode ser uma prática poderosa para honrar este anjo. Plantar flores, ervas e árvores que simbolizem prosperidade e abundância, e dedicar esse espaço à meditação e oração, pode criar um santuário de bênçãos em sua própria casa. Cuidar desse jardim com amor e intenção, pedindo a Barachiel para abençoar seu crescimento e florescimento, pode ser uma experiência profundamente gratificante.

A prática da partilha de bênçãos é essencial para manter o fluxo contínuo de força positiva. Compartilhar suas bênçãos com os outros, seja através de palavras de encorajamento, atos de bondade ou apoio material, cria um ciclo de generosidade que reflete a força de Barachiel. Ao dar, você também abre espaço para receber, mantendo o equilíbrio harmonioso de bênçãos em sua vida.

Em conclusão, Barachiel, o Anjo da Bênção e da Boa Fortuna, oferece uma vasta gama de práticas e ensinamentos para enriquecer sua vida. Ao integrar essas práticas em sua rotina diária, você pode criar uma conexão profunda e duradoura com Barachiel, atraindo mais bênçãos e boa fortuna para sua vida. Que a luz e a generosidade de Barachiel guiem seus passos, trazendo prosperidade, alegria e paz.

Epílogo

Querido leitor,

Ao final desta jornada pelos rituais e práticas com os anjos, desejo expressar minha profunda gratidão por sua companhia e dedicação. Este livro foi uma viagem espiritual através das energias e sabedorias divinas dos arcanjos e anjos, e espero que ele tenha trazido luz, proteção e inspiração para sua vida.

Os anjos são guardiões eternos, seres de luz que nos guiam, protegem e nos elevam. Que cada ensinamento e ritual aqui descrito possa ser uma ferramenta valiosa para sua caminhada espiritual, trazendo mais proximidade com esses seres celestiais.

Recomendo que você continue a invocar a proteção e a sabedoria de todos os anjos. Permita que a força de Miguel, a cura de Rafael, a revelação de Gabriel, a sabedoria de Uriel e a coragem de Samael, entre outros, estejam sempre presentes em sua vida, guiando seus passos e fortalecendo sua fé.

A jornada com os anjos é contínua e infinita. Que você encontre paz, amor e iluminação em cada passo do caminho. Mantenha seu coração aberto às mensagens divinas e permita que a luz dos anjos brilhe sempre sobre você.

Com gratidão e bênçãos angelicais,
[Olivia Evans]

Referências Bibliográficas

Alvarez, M. (1956). El Camino de los Ángeles. Editorial del Alba, Madrid.

Bergmann, L. (1983). Engel und Ihre Geheimnisse. Verlag für Esoterische Wissenschaften, Berlin.

Cardinale, G. (1995). Il Libro degli Arcangeli. Edizioni Celestiali, Roma.

Dubois, P. (2001). Les Rituels Angéliques. Éditions du Soleil, Paris.

Ekström, J. (1978). Änglarnas Vägar. Andliga Förlaget, Stockholm.

Fujimoto, K. (2010). 天使の儀式. 天空出版社, 東京.

González, A. (1965). Ángeles y Sus Mensajes. Publicaciones Espirituales, Buenos Aires.

Hassan, M. (1987). ملاك السماء: الطقوس والرموز. دار الروحانيات, القاهرة.

Ivanov, N. (1999). Ангелы и их тайны. Духовное Издательство, Москва.

Jørgensen, H. (2005). Englenes Mysterier. Åndelige Forlag, København.

Kowalski, P. (1972). Anioły i Rytuały. Wydawnictwo Duchowe, Warszawa.

López, R. (1990). Ritos y Ángeles. Editorial del Ser, Ciudad de México.

Müller, F. (2015). Die Geheimnisse der Engel. Verlag des Lichtes, Wien.

Nakamura, Y. (1982). 天使の秘密. スピリチュアル出版社, 大阪.

O'Connor, S. (2003). Angelic Rituals and Practices. Heavenly Press, Dublin.

Petrov, A. (1960). Ангельские Ритуалы. Издательство Света, Санкт-Петербург.

Quintana, L. (1975). Los Ángeles y Sus Secretos. Ediciones Espirituales, Lima.

Rossi, F. (1998). Il Segreto degli Angeli. Casa Editrice Celeste, Firenze.

Saito, M. (2007). 天使の儀式と祈り. 神聖出版社, 京都.

Takahashi, R. (1992). 天使の守護と導き. 天界出版社, 名古屋.

Ungar, E. (1988). Ángelos y sus Ritos. Editorial de Luz, Caracas.

Vargas, J. (1970). El Misterio de los Ángeles. Ediciones del Alma, Bogotá.

Weiss, H. (2006). Rituale und Engel. Spirituelle Verlag, Zürich.

Xie, L. (2011). 天使的仪式与祷告. 神秘出版社, 北京.

Yılmaz, A. (1994). Meleklerin Sırları. Ruhsal Yayınları, İstanbul.